CW00405714

AIL DRANNOETH
Ambell sylw a myfyrdod

AIL DRANNOETH

Ambell sylw a myfyrdod

JOHN GWILYM JONES

CYMDEITHAS LYFRAU CEREDIGION
2003

Cyflwynedig
i'm cydaelodau
ar hyd y blynyddoedd yn
Ebeneser, Bethania a Phendref

Cyhoeddwyd gan Gymdeithas Lyfrau Ceredigion Gyf.,
Blwch Post 21, Yr Hen Gwfaint, Ffordd Llanbadarn,
Aberystwyth, Ceredigion SY23 2EY.
Argraffiad cyntaf: Tachwedd 2003
ISBN 1-902416-94-5

Dyluniwyd y clawr gan Adran Ddylunio Cyngor Llyfrau Cymru
Diolch i adrannau Cyngor Llyfrau Cymru am bob cymorth.
Argraffwyd gan Creative Print and Design Cymru, Glynebwy NP23 5SD

Dymuna'r awdur a Chymdeithas Lyfrau Ceredigion Gyf. gydnabod caniatâd y cyhoeddwr J.M. Dent i ddyfynnu o 'The Musician', *Collected Poems* R. S. Thomas ar dudalen 64.

Cydnabyddir yn ddiolchgar ganiatâd Gwasg Gomer i ddefnyddio'r dyfyniadau canlynol: t. 68 o *Penillion y Plant*, T. Llew Jones (Gwasg Gomer, 1965); t. 70 o *Cerddi'r Bwthyn*, Dewi Emrys (Gwasg Aberystwyth, 1948); t. 24, t. 239, t. 250, t. 252, t. 279 o *Dail Pren*, Waldo Williams (Gwasg Aberystwyth, 1956); tt. 18-19 o *Cerddi Cynan* (Gwasg y Brython, 1959); t. 245 o *Cerddi Gwenallt* (Gwasg Gomer, 2001).

Yn yr un modd hoffai'r awdur a'r cyhoeddwr gydnabod yn ddiolchgar ganiatâd Cyhoeddiadau Barddas i gyhoeddi'r dyfyniad ar dudalen 74 o *Barddoniaeth Rhydwen Williams* (Cyhoeddiadau Barddas, 1991).

Gwnaed pob ymdrech i ddarganfod perchnogion hawlfraint y darnau a ddyfynnir yn y gyfrol hon. Gwahoddwn ddeiliaid hawlfreintiau i gysylltu â ni er mwyn cynnwys cydnabyddiaethau cywir mewn argraffiadau pellach.

Ar wahân i rai myfyrdodau ac anerchiadau byrion, cyfrol yw hon o ddarnau a gomisiynwyd ac a ddarlledwyd gan Adran Grefydd BBC Radio Cymru. Diolcha'r awdur i John Roberts ac Elwyn Jones ac eraill yn yr Adran ym Mangor am y symbylu cyson a orfododd iddo ymateb i ddigwyddiadau'r dydd dros ddeugain mlynedd. Mae'n gwerthfawrogi hefyd i'r BBC roi eu caniatâd caredig i gyhoeddi'r deunydd hwnnw yn y gyfrol hon.

RHAGAIR

Ychydig o bobol bellach a glywaf yn arfer yr hen ymadroddion 'ail echdoe' ac 'ail drannoeth'. Roedd yr hen Gymry'n gweld eu lle ym myd amser ac wedi rhoi enwau ar rai o'r dyddiau agos, hyd yn oed ymlaen i'r 'dradwy'. Rhyw edrych ar bethau fesul diwrnod y bûm ar hyd y blynyddoedd, ac yn myfyrio ar ddoe ac echdoe. Yn y gyfrol hon dyma un cyfle eto ddiwrnod ar ôl drannoeth i weld ddoe ac echdoe ac ail echdoe.

Digwyddiad yw hi fod y darnau hyn wedi eu cadw, a hynny o ddiolch i gyfrifiaduron. Os gwelwch fylchau mewn ambell flwyddyn, meidroldeb dau gyfrifiadur sydd i gyfrif am hynny. Digwyddiad hefyd iddynt gael eu dwyn ynghyd fan hyn, a hynny yn unig oherwydd gwahoddiad caredig Cymdeithas Lyfrau Ceredigion. A diolchaf i'r Gymdeithas, ac yn arbennig i Dylan Williams, Gwen Angharad Jones, Gordon Jones ac Eleri Roberts am eu hamynedd a'u trylwyredd. Sylwadau radio yw'r rhan helaethaf ohonynt, a dyrnaid o'r rheini'n drosiadau darnau a ddarllenais rywle rywbryd. Mae'r rhai eraill yn fyfyrdodau a luniais ar ryw achlysur ar gyfer oedfa neu ambell gyfarfod. Digwyddiadau'r dydd sy'n fy ysgogi, a thueddaf i gymryd fy nghyffroi yn ferw gan ambell bwnc, fel y gwelais wrth grynhoi'r gyfrol hon. Fe osodais y cyfan yn ei drefn gronolegol. Felly gallech ddweud mai dyddiadur y deugain mlynedd hyn sydd yma.

Gorffennaf 2003

Y Goriad

Ar nos Sul pan oedd dau aelod ifanc, Dianne a Gareth, yn ymadael â chartre i fynd i golegau

Bydd rhai yn cyfri un ar hugain fel oedran dod i oed. Rydych chi eich dau wedi dod i oed yn iau na hynny. Ond yn well na'r rhai sy'n cael cerdyn a llun allwedd arno, yr ydych chi wedi cael allwedd yr Efengyl yn eich dwylo, allwedd y tŷ.

Mae hi'n allwedd braint ac anrhydedd i chi. Efallai nad yw hi'n ymddangos yn fraint yng ngolwg eich cyfoedion ar hyn o bryd, ond fe ddaw yna adeg yng Nghymru eto y bydd pobol yn chwilio am rai sydd â'r allwedd hon yn eu meddiant fel y cymeriad hwnnw yn Eseia 22:22, a gafodd allwedd tŷ Dafydd ar ei ysgwydd.

Mae hi'n allwedd hawl a rhyddid ichi. Fel gydag allwedd eich cartre, fe fydd hon yn rhoi hawl ichi ddod i gwmni'r Arglwydd pan fynnoch chi. Rwy'n mawr obeithio y dowch chi adre'n gyson, oherwydd fe fydd yna le ichi yma tra byddwch chi byw. Ac fe gewch chi agor y drws i ddod i oedfa a chwrdd gweddi ar unrhyw adeg.

Ar y llaw arall y mae hi'n allwedd cyfrifoldeb. Mae hi'n un o'ch dyletswyddau chi bellach, a chithau yn un o'r teulu, i ofalu fod y drws ynghlo yn wyneb rhai o'ch cwmni chi. Os ydych chi'n cwmnïa â chasineb weithiau, cofiwch fod lle i chi yma, ond does yna ddim lle i'ch casineb chi. Clowch y drws yn wyneb hwnnw. Mae lle i chi yma, ond does dim lle i'ch eiddigedd chi fan hyn. Y tu fas y mae lle hwnnw. Mae lle inni oll fan hyn, ond does dim lle i'n trachwant na'n hunanoldeb ni yma. Y tu fas i'r drws y mae lle'r rheini.

Yn wahanol i'r holl allweddi eraill a gewch chi yn eich dwylo, mae hon yn allwedd bywyd i chi. Yn yr ysgol ramadeg lle bûm i'n ddisgybl y gwelais i am y tro cynta allwedd a agorai bob drws drwy'r ysgol, yr hyn a alwai'r prifathro yn *master key*. Roedd yna allweddi gan wahanol athrawon i wahanol ddosbarthiadau, ond roedd hon, er ei bod hi'n edrych dipyn teneuach na'r lleill, yn agor y cwbwl. Fe gewch chi laweroedd o allweddi yn eich dwylo, yn allwedd y tŷ ac allwedd y car ac allwedd y gwaith ac allwedd eich llety. Bydd clo gwahanol ar gyfer pob un o'r rheini. Ond mae'r allwedd hon yn agor pob ystafell gwerth ei hagor mewn bywyd, ac yn agor y drws i ryddid tragwyddol.

Fy enaid, rhed yn ebrwydd,
a phaid â llwfwrhau,
o'th flaen mae drws agored
na ddichon neb ei gau.

9 Medi 1963

Y Warant

Ar nos Sul derbyn aelodau ifanc

Fe brynais set radio yn ddiweddar, ac am unwaith fe ddarllenais amodau'r warant yn fanwl. Wrth i ni eich derbyn chi heno yn aelodau, fe allem ddweud mai'r hyn yr ydych yn ei gael yn eich dwylo yw gwarant bywyd. Ac mae'r amodau yn bur debyg i'r hyn welais i ar warant y set radio.

Mewn unrhyw achos, y ffordd i gysylltu, meddent, yw drwy'r siop leol. Fe ddowch chi ar draws llawer o bobol fydd yn dweud wrthoch chi y medrwch chi fod yn Gristion heb ddod yn agos i Fethania. Peidiwch chi â bod mor ddirmygus â hynny tuag at yr hen siop fach leol yma sydd wedi gwasanaethu'r ardal ers cyn cof eich rhieni. Fe fydd hi ar agor pryd bynnag y bydd ei hangen hi arnoch chi, ac mae hi mewn cyswllt cyson â'r gwneuthurwr.

Dilynwch y cyfarwyddiadau sydd yn y llyfryn, meddai gwarant y radio, a pheidiwch â'i cham-drin hi. Mae'r bywyd ysbrydol newydd a gewch chi yn eich dwylo heno yn haeddu ei barchu. Dilynwch y cyfarwyddiadau a gewch chi yn y Llyfr, a chan eich cydaelodau, a pheidiwch â cham-drin eich bywyd eich hunan. Os yw'ch cyrff yn haeddu gofal bwyd maethlon, felly hefyd eich eneidiau.

Un dasg fach syml arall, meddai'r warant: anfonwch gerdyn nawr, heddiw, i gofrestru gyda'r gwneuthurwr. Rhaid sefydlu'r berthynas â chwmni'r gwneuthurwr ar y dechrau pan mae'r set radio'n ifanc, ac nid oedi tan iddi fethu.

'Cofia yn awr dy Greawdwr yn nyddiau dy ieuenctid, cyn dyfod y dyddiau blin . . .' (Pregethwr 12:1).

22 Medi 1963

TORTH

O flaen cymundeb un nos Sul

Mae'n ddiddorol fel y mae bara wedi newid ei le ar fordydd pobol bellach. Slawer dydd, deiet pobol glan môr Galilea fyddai bara a physgod, a byddai'r raddfa rywbeth yn debyg i bum torth am bob dau bysgodyn. Yn wir fe ddefnyddiai'r Arglwydd Iesu y gair 'bara' yn ei weddi yn union fel petai'n gyfystyr â bwyd. A phetai wedi cael ei wahodd i swpera yn nhŷ disgybl fe fyddai'n siŵr o fod wedi gweld y dorth yn cael lle canolog ar y ford. Fe allai fod wedi dweud wrth y disgybl hwnnw, 'Fel y mae y dorth yma ar ganol y ford yn ganolbwynt y pryd bwyd, felly hefyd yr wyf finnau yn ganolbwynt dy fywyd dithau. Myfi yw bara dy fywyd di' (Ioan 6:35).

Ond petai Iesu'n cael ei wahodd i'n tŷ ni amser te, fe welai fod y bara wedi newid ei le. Os byddai yna le ar gyfer y bara, mae i'r chwith i'r enllyn canolog. Byddwn yn cadw'r llaw dde i drafod y te neu'r cawl neu'r gyllell ar gyfer y cig. Rhywbeth i'w fwyta gyda rhywbeth gwell yw'r bara i ni. Byddai Iesu'n dweud yn ei feddwl, 'Myfi yw'r bara ar y ford hon, mae'n amlwg. Rhywbeth i lenwi ymylon bywyd yw Cristnogaeth ar yr aelwyd hon bellach.' Os bydd plant ar yr aelwyd, fe fydd y rhieni'n gofalu fod y plant yn cydio yng nghlust y cwpan yn iawn neu'n dala'r gyllell yn gywir, ond rhyngddyn nhw a'u pethau am y dafell fara menyn.

Fe sylwai Iesu hefyd fod y bara wedi newid ei flas. Nid yw'n agos mor flasus â'r bara gynt, ac fe welwn y gwahaniaeth pan gawn dafell o fara wedi ei bobi gartre. 'Myfi yw'r bara' fyddai'r sylw ym meddwl Iesu. Er nad yw pobol yn cael blas ar fara fel cynt, maen nhw'n dal i'w fwyta, yr hen genhedlaeth beth bynnag. Er mwyn cael y plant i'w fwyta rhaid rhoi menyn a jam a phob math o ddifyrrwch mewn gweithgareddau ysgol Sul a chymdeithas ieuenctid ar y bara. Yna gresynwn fod cynifer o atyniadau eraill melysach na bara ar fordydd ein plant ni yn yr oes hon.

Amdanom ni, er nad oes blas ar oedfa fel cynt fe ddaliwn i ddod. Daliwn i grefydda heb gael blas ar grefydda. Un rheswm efallai yw mai bara parod yw'n crefydd ni, rhywbeth a gafwyd gan y tadau gynt, heb ei fod wedi ei grasu yn ffwrn ein profiad ni ein hunain.

Fe sylwai Iesu hefyd fod bara heddiw wedi colli ei rinwedd. Byddai bara Galilea yn fara a'r rhinweddau bywiol i gyd ynddo. Tynnir y fitaminau bywiol, lawer ohonynt, o'r blawd erbyn hyn er mwyn ei barhad! A phobir ein bara o flawd a gollodd ei rinwedd a'i nerth. Byddai Iesu'n dweud, 'Iddyn nhw, myfi yw'r bara.' Neges ddi-rym yw ein neges ni. Efengyl ddifitamin yw'r efengyl a gynigiwn.

Gan fod Iesu mor hoff o ddyfynnu Eseia, fe allai fod wedi ychwanegu, 'Paham y gweriwch eich arian am yr hyn nad yw fara, a'ch llafur am yr hyn nad yw yn digoni?'

6 Medi 1964

Yn y Berllan

Ar ôl bod yn ôl yn yr hen gartre

Fe aethom adre am dro y dydd o'r blaen, a minnau'n cael cyfle i gerdded yr hen lwybrau. Ar gloddiau caeau digon pell o'r tŷ ar ffarm Parc Nest fe welech ambell goeden ffrwythau, fel petaen nhw'n tyfu'n wyllt. Roedd yna goeden geirios ym Mryn Arian, a honno'n ffrwytho weithiau. Felly y bydd ambell hen rebel digon pell o'r eglwys yn barod iawn ei gymwynas ambell waith. Ffrwyth cyson bob blwyddyn ar Barc y Pwll fyddai'r mwyar. Roedden nhw yno yn eu digonedd eleni eto, ond roedd yn rhaid eu cael yn union ar yr amser iawn. A rhaid oedd gofalu wrth eu crynhoi, gan eu bod yn debyg i lawer cymeriad a fyddai yr un mor barod i roi pigiad ichi â rhoi rhodd.

Braidd yn anodd oedd hi i ddod o hyd i ddigonedd o gnau, a hyd yn oed wedi eu cael, hytrach yn galed oedd hi i gael y bywyn ohonyn nhw. Mi es i i olwg yr hen goeden falau-sur-bach lawr yn y cae uwchlaw'r dre, ac roeddwn i'n cofio fel y ceisiodd fy nhad-cu impio coeden falau melys arni. Ond methu wnaeth yr impiad, yn union fel petai'r surni oedd yn ei chymeriad hi yn rhy gryf. Ar gloddiau mewn o leiaf ddau gae caem eirin gwyllt. Ambell flwyddyn byddai'r ffrwythau'n pyngad ar eu brigau. Testun rhyfeddod i ni fyddai cael y fath gyfoeth ar goed mor bell. Yn union felly y rhyfeddem gynt am weld rhinweddau melys iawn mewn bywydau pell iawn oddi wrth eglwys.

Eto petai rhywun wedi gofyn inni fel plant ble y gallai gael ffrwythau ar y ffarm, mynd â nhw i'r berllan fyddem. Ac mi es yno i'w gweld. Cofiwch, mae yna un goeden falau ac un goeden eirin yn yr ardd yn ymyl y berllan, ond y tu fas y mae'r rheini, a'r eirin gyda'r ffrwyth melysaf a gaem bob blwyddyn. Eto roedd eu gwreiddiau nhw yn helaeth yn nhir y berllan. Fe welir pobol yng nghyffiniau'r eglwys, a'u gwreiddiau yn y Ffydd, ond yn ffrwytho y tu fas.

Petaech chi wedi sefyll gyda fi yno fe welech ar y clawdd uwchben y Cae-bach goeden falau a'i bonyn yn y berllan ond ei changhennau yn gwyro dros y clawdd. Eleni, fel bob blwyddyn, roedd honno yn arllwys ei ffrwyth i'r cae. Bydd ambell aelod felly. Bydd oddi mewn i'r eglwys o ran enw, ond yn rhoi ei egni a'i amser i bopeth ond ei eglwys.

Mae yna goeden gellyg dal a gosgeiddig yng nghanol y berllan. Dyw hi ddim yn siŵr o ffrwytho bob blwyddyn ond, pan wna, mae'r ffrwyth yn fendigedig ei flas. Mae yna rai ohonom yn ddigon amlwg ym mywyd yr eglwys, ond yn bwlog ein gwasanaeth. Mae rhai coed eirin yn y berllan hefyd. Dyw'r rheini ddim yn arbennig o ran eu melyster. Mae yna rai ohonyn nhw yn ymdebygu i'r coed eirin gwyllt, ond byddech yn disgwyl gwell gan goed yn y berllan.

Ond y coed gorau yw'r tair neu bedair o goed falau, yn ffrwytho'n doreithiog bob blwyddyn. Mi wyddwn i eleni cyn mynd i'r hen le y byddwn i'n siŵr o gael falau ar y rhain. Felly y byddaf yn ei gweld hi ym mherllan yr eglwys. 'Wrth eu ffrwythau', medd Mathew 12:33, a diolch i Dduw, y mae gennym goed falau fel hyn ym Methania, 'yn ffrwytho dan gawodydd marwol glwy'.

22 Awst 1965

Chi yw'r Llythyr

Ar ymadawiad rhai o'r ffyddloniaid ifanc

Yn awr ac yn y man bydd aelod yn yr eglwys yn gofyn am lythyr cymeradwyaeth er mwyn ymaelodi mewn eglwys arall. Fe allwn ddweud wrthyn nhw fel y dywedai Paul yn 2 Corinthiaid 3:2, 'Ein llythyr ni ydych chwi'. Does dim angen y llythyr mewn gwirionedd, gan mai chi, a'ch personoliaeth a'ch bywyd yw'r llythyr sy'n cyfri.

Mae yna ddau ifanc yma heno sy'n ymadael â ni, ac fe fyddwch yn ymaelodi mewn eglwysi gwahanol. Yn wir, fe fyddwch chi eich dau yn mynd fel llythyrau oddi wrthym ni at eich eglwysi newydd a'ch ardaloedd newydd.

Cofiwch fod pob llythyr yn dangos o ble y daeth. Byddwch yn falch o'ch cefndir. Dangoswch yn eglur y modd y cawsoch eich magu. Fe allwch chi gyda hyder osod enw'ch aelwyd a'ch cartre ar dop eich bywydau. A gosodwch yr ysgol Sul a'r oedfa yno hefyd.

Cynnwys y llythyrau fydd yn bwysig, mae'n wir. Mynnwch y pethau gorau o fewn i'ch bywydau, yn eiriau a gweithredoedd, oherwydd chi fydd ein neges ni i'r byd lle byddwch chi'n byw. Nid beth ddwedwn ni fan hyn, nid beth ddwedwn ni mewn cynhadledd enwadol na rhyngenwadol, nid beth ddwedwn ni yn enw'r eglwys mewn papurau ac ar radio, nid y rheini yw ein neges ni i'r byd, ond eich bywydau chi eich dau.

Bydd diweddglo pob llythyr yn mynegi'r berthynas sydd rhwng yr un sy'n anfon a'r un sy'n derbyn. Bydd ambell lythyr yn gorffen yn ddigon ffurfiol, 'yr eiddoch yn gywir'. Ond at rywun agos fe fydd y cofion yn gynnes. Cofiwch mai perthynas cariad sydd i fod rhyngom ni a'r byd. Felly gofalwch fod eich gweithredoedd a'ch geiriau yn cael eu coroni â chariad a chymwynas. Heno fe fyddwch yn ffarwelio â ni mewn heddwch. Gofalwch chithau y byddwch yn medru cyflawni a choroni pob perthynas a gewch chi â phawb mewn tangnefedd.

Fel y dywedodd Cynan am y dwyreinwyr:

> Cyn ymadael dros dywod yr anial maith
> Bendithiant ei gilydd ar ddechrau'r daith . . .

A'i law ar ei galon, 'Salaam' yw ei gri,
– Tangnefedd Duw a fo gyda thi . . .

A'u dymuniad hwy yw 'nymuniad i
– Tangnefedd Duw a fo gyda thi.

31 Hydref 1965

Enwi'r Babi

Bydd rhywrai bob dydd yn wynebu'r broblem hon. Bu'r wraig a finnau drwy'r profiad hwn eleni eto. Felly fe allwn gydymdeimlo â'r ferch ifanc yna y sonnir amdani yn Eseia 7:14, yn enwedig os oedd hi'n gorfod gwneud y penderfyniad ar ei phen ei hun. Ac eto fe allai fod gan hon fwy o broblem fyth, fod yna broffwyd o'r enw Eseia yn ŵr iddi, a chanddo benawnau neu syniadau rhyfedd am enwau plant. Efallai mai ei nabod hi yr oedd e, ac yna fel rhyw wncwl hen ffasiwn yn mynnu rhoi enwau rhyfedd ar ei phlant yn neges i bawb, gan gynnwys y brenin. Roedd eisoes wedi rhoi enw ar un plentyn, Sear-jasub, ac roedd enw arall ganddo yn barod, Maher-shalal-has-bas. Ond y tro hwn fe roddwyd enw bendigedig ar y babi: Immanuel.

I mi bydd enw babi yn sôn llawer am ei rieni. Mae'r dewis a wnânt fel petai'n mynegi neges i'w cyfeillion. Dyma neges fendigedig gan hon: Duw gyda ni. Neges ffydd yw hon, yn wyneb y peryglon mawr i ddod: bydd Duw gyda ni. O'r awr y bydd Immanuel bach yn dechrau cerdded fe fydd ei enw fe ar hyd y tŷ ac ar hyd yr hewl. Bydd ei frodyr a'i chwiorydd yn gweiddi, 'Duw gyda ni!' Ac felly y bydd hi o amgylch hwn am oes gyfan, yn y gwaith ac yn y farchnad. Tra bydd hwn byw fe fydd pawb yn mynegi gweithred ffydd y ferch a esgorodd ar fab.

Fe fydd pobol mewn anawsterau a threialon yn cael clywed fod Duw gyda nhw, yn enwedig os bydd Immanuel yn eu hymyl. Bydd rhai mewn poen, ac Immanuel yn troi i mewn at erchwyn eu gwely, yn cael yr hyfrydwch o weld y bydd yn dod â'i enw gydag ef, 'Duw gyda ni'. Yn wir, fe gaiff pawb o'i gydbentrefwyr a'i gydardalwyr a'i gydweithwyr glywed Duw gyda ni yn chwerthin mewn llawenydd. Dyna a gawn ni, gobeithio, rywdro yn ystod y Nadolig hwn, cael chwerthin mewn llawenydd gyda Duw.

Mae Duw am ein henwi ni i gyd yn Immanuel, am mai neges sylfaenol ein bodolaeth ni yw fod Duw gyda ni.

19 Rhagfyr 1965

Yr Hen Ddrws

Mae yna gapel bach wedi ei gau a'i droi yn dŷ annedd yn ein pentre ni. A rhaid cyfaddef fod yr addasu wedi ei wneud yn chwaethus dros ben. Fe dynnwyd pob darn o sedd allan ohono, a phan oedd yn gragen wag doedd yna ddim awgrym am y corau pren a arferai fod o'i fewn. Mae'r ystafelloedd a luniwyd yn eu lle yn gymesur a thaclus a chlyd. Y tu fas caewyd yr hen ddrws mawr a wynebai'r ffordd, hen ddrws a welodd genedlaethau o wynebau addolwyr a llyfrau emynau yn mynd drwyddo. Cuddiwyd hwnnw a gosodwyd drws ffrynt mewn wal arall yn ochr yr adeilad. Gorchuddiwyd y muriau allanol yn gelfydd fel na fydd angen eu paentio. Fe allech ddweud eto am y tu fas, fel y tu fewn, na allai neb ddyfalu iddo fod unwaith yn gapel.

Ond ambell dro, pan fydd y gwynt yn chwythu o'r bryncyn uwchlaw iddo a'r glaw yn chwipio'n storom ar draws yr hewl ar yr hen adeilad, fe allech dyngu eich bod chi'n gweld trumwedd hen ddrws talcen yr adeilad. Bydd ffurf hen garreg y wal yn dod yn ôl i'r golwg drwy'r simént.

Rwy wedi gweld ambell un go debyg, yn enwedig ar ei wely mewn ysbyty. Ambell un â chapel wedi bod yn ei fywyd unwaith, ond ei fod wedi taflu'r cwbwl mas a llunio'i barlwr a'i gegin yn null yr oes oleuedig hon, yn ôl ei feddwl bach ei hun. Allech chi byth â dweud, o edrych ar ffrynt ei fywyd e, fod oedfa ac ysgol Sul wedi bod yn agos ato erioed. Ond yn storom ei afiechyd mi welais yr hen ddrws yn dod i'r golwg unwaith eto drwy'r concrit, a gweddi ac adnod drachefn yn fyw o fewn muriau ei fywyd e.

22 Mawrth 1966

Gwrando yn Aberfan

Ar y Sul wedi'r dydd Gwener hwnnw yn Hydref 1966

Mae'n debyg mai un o'r anawsterau mawr ar y dechrau oedd sŵn y cloddio. Wedi i'r tractorau a'r peiriannau mawr gyrraedd, roedd y rheini'n medru ceibio'n gyflymach o lawer na'r dwylo a fu'n crafangu drwy'r llaid. Ond roeddent mor swnllyd fel na allai neb glywed a oedd yna ryw gri yn dod o'r dyfnder. Bob hyn a hyn fe alwent am ysbaid o dawelwch i wrando. Diffodd sŵn y peiriannau, tawelu'r tractorau, y dwylo'n llonyddu, a hyd yn oed y siarad trallodus yn distewi, a phawb yn gwrando am ryw lef neu hyd yn oed fymryn o symudiad.

Yng nghanol prysurdeb swnllyd bywyd, adegau dymunol, na, tyngedfennol, yw'r rheini lle gallwn ymdawelu i wrando ar y byd tragwyddol yn anadlu ynom ni. 'Distawed pawb gerbron yr Arglwydd' (Sechareia 2:13).

O distewch, gynddeiriog donnau,
tra bwy'n gwrando llais y nef . . .

Yn y dwys ddistawrwydd
dywed air, fy Nuw . . .

23 Hydref 1966

Nadolig

Yn y cwrdd gweddi cyn y Nadolig fe ddarllenodd Cliff Jones hanes y bugeiliaid yn dod o'r maes at y preseb, ac yna yn annisgwyl, darllen dameg y ddafad golledig.

Mae'n siŵr fod Mair wedi dweud am y bugeiliaid wrth Iesu lawer gwaith, ac wrth Pedr a'r disgyblion efallai. Byddai hynny'n esbonio sut y byddai Luc wedi clywed yr hanes. Wedi'r cwbwl, roedd y cyfan wedi ei gadw ganddi. Yn ôl Luc, 'yr oedd Mair yn cadw'r holl bethau hyn yn ddiogel yn ei chalon ac yn myfyrio arnynt.'

Ni feddyliais i erioed ofyn i neb ddarllen am y ddafad golledig mewn cyswllt â'r Nadolig, ond yr oedd hi'n weledigaeth drawiadol yn y cwrdd gweddi ym Methania y noson honno. Oherwydd fe gawsom glywed am fugeiliaid mewn sefyllfaoedd hollol wahanol i'w gilydd yn wynebu un o benderfyniadau mawr bywyd. Bugeiliaid yn penderfynu gadael y praidd i fynd i wneud gwaith pwysicach.

Edrychais ar wynebau'r cydaddolwyr a oedd yno gyda ni yn y cwrdd gweddi. Roedd pawb oedd yno â'i fywyd yn ddigon prysur gan orchwylion. Y gwragedd ar ganol helbulon paratoi ar gyfer yr ŵyl. Gadawodd pob un ohonyn nhw'r gorchwylion a dod i addoli, a dweud, 'Gadewch inni fynd i Fethlehem . . .' (Luc 2:15).

Mae'r dewis yna yn dod inni yn aml, bob tro y cawn ni'n cymell i droi at Dduw mewn gweddi ddirgel. Mae'n ein galw oddi wrth yr angenrheidiol at yr anhepgorol.

25 Rhagfyr 1966

Yr Adar ar eu Ffordd

Fe soniodd William Davies yn y cwrdd gweddi iddo glywed ar 'Byd Natur' wythnos diwetha fod yr adar wedi cychwyn ar eu ffordd yn ôl i Gymru. Anhygoel, myntwn i, a hithau o hyd yn Ionawr. Mae'n wir fod hinsawdd y gaeaf hwn wedi bod yn fwynaidd tu hwnt. O ran enw y mae hi wedi bod yn aeaf arnom ers deufis a mwy, ond o ran tymheredd welsom ni ddim, hyd yn hyn beth bynnag, y gaeaf yn galed. Rwy'n rhyw ofni efallai fod gwaeth i ddod cyn daw'r gwanwyn, ac y gwelwn rew ac efallai eira. Eto dod a wna'r gwanwyn fel erioed, mae'n siŵr. A'r sicrwydd sydd gen i bellach yw greddf ryfeddol yr adar, a bod honno wedi dechrau eu cymell yn ôl. Nid un aderyn, na dau, ond y miloedd. Er na allaf eu gweld ar eu cyfandiroedd pell, y rheini yw'r tystion, ac fe fyddan nhw'n dod o'r gorwel fel cymylau.

Mae hi wedi bod yn aeaf arnom yn ysbrydol yng Nghymru ers peth amser bellach. Gaeaf o ran enw, beth bynnag. Oherwydd y mae cynhesrwydd cyfeillgar bywyd eglwys wedi'n cadw ni yn dwym. Mae marwydos hen danau'r Diwygiad yn dal i fudlosgi mewn ambell le, a hen atgofion am emynau ac adnodau yn dal gyda ni. Mae hen goed tal ein traddodiadau enwadol yn dal i'n cysgodi ni rhag y gwyntoedd gwaethaf, ac ni ddaeth y rhewynt yn ei ryferthwy eto. Fe ddaw hwnnw cyn hir, mae'n debyg, a gwelwn y gaeaf yn caledu o'n hamgylch ni. Bydd oedfaon yn rhewi'n gorn a bywyd eglwys dan lwydrew. A bydd gweddillion olaf yr aelodau yn cael eu chwythu ar wasgar o ambell gynulleidfa.

Eithr hyd yn oed a ninnau'n wynebu'r oerfel eithafol hwnnw, bydd y gwanwyn yn siŵr o ddod, er na wyddom y dyddiad ar galendr. Y sicrwydd sydd gen i yw ffydd y tadau. Nid un ohonyn nhw, na dau, ond y cannoedd a'r miloedd. Y cwmwl tystion. Ac fe ddaw ffydd i yrru'r adar yn ôl fel yng ngweledigaeth Waldo:

> Pwy yw'r rhain trwy'r cwmwl a'r haul yn hedfan,
> Yn dyfod fel colomennod i'w ffenestri?

22 Ionawr 1967

FRANCIS CHICHESTER

Fe ddywedir am Paul yn Actau 20:16 ei fod yn brysio ar draws y môr er mwyn bod yn Jerwsalem erbyn y Sulgwyn. Fe glywsom ar y newyddion heddiw fod Francis Chichester yn brysio i gyrraedd Plymouth erbyn heno. Chyrhaeddodd hwnnw ddim ar gyfer y Sulgwyn, ond y mae ei fordaith o amgylch y byd yn orchest. Go brin y byddai heidiau o longau yn dod allan i gyfarfod â'r Apostol Paul wrth iddo ddod yn ei long i'r lan, ond roedd taith Paul yn fwy gwerthfawr i'r ddynoliaeth na hyd yn oed wrhydri Chichester.

Taith y ffordd agosaf oedd taith Paul. Aeth Chichester o bwrpas o amgylch holl beryglon y byd, pan allai gael llwybrau byrrach a diogelach drwy ambell gamlas. Ond fe aeth ar hyd yr hen lwybrau troellog am mai dyna oedd ei bwrpas. Aeth bywyd llawer o bobol mor ystrydebol o undonog bellach nes eu bod yn chwilio am gynnwrf a her a menter, a hynny weithiau mewn temtasiynau. Roedd Paul yn rhy gyfarwydd eisoes â threialon ac anawsterau i chwarae o gwmpas â champau fel yna mewn bywyd.

Taith fuddiol i'r Deyrnas Nefol oedd taith Paul. Taith fuddiol i Chichester oedd y daith arall, a bydd y deyrnas ddaearol yn siŵr o'i wobrwyo y dyddiau nesaf yma. Fe weithiodd Paul ei ffordd ar y daith, gan ddwyn grasusau'r Ffydd i fywydau'r mannau lle bu, gan gynnwys ei ymweliad â henuriaid Effesus. Tipyn yn wahanol i daith feudwyaidd Chichester.

Taith a nod gwasanaeth iddi oedd mordaith Paul. Taith at ei wobrau, ei enwogrwydd a'i anrhydedd, oedd mordaith Francis Chichester. Gwyddai Paul yn iawn beth oedd y gwaith a'r llafur a'r aberth y byddai'n rhaid iddo eu hwynebu yn Jerwsalem. Fel ei Waredwr,

> nid er ei fwyn ei hunan
>   y daeth i lawr o'r ne';
> ei roi ei hun yn aberth
>   dros eraill wnaeth efe.

28 Mai 1967

AR HYD Y GLYN

Gair mewn angladd yng nghapel Bethania, y Tymbl

Fe glywais y Parchedig Islwyn Beynon mewn angladd un waith yn darllen y drydedd salm ar hugain. Pan ddaeth at y bedwaredd adnod dyma ei bwyslais unigryw yn fy ysgwyd. 'Pe rhodiwn *ar hyd* glyn cysgod angau nid ofnaf niwed . . . ' Dyna'r tro cyntaf a'r tro olaf imi glywed darllen y salm yna gyda'r pwyslais ar y cymal 'ar hyd'. Dyma ni heddiw yn angladd Mary Jones Gwelfryn, a'r geiriau 'ar hyd glyn cysgod angau' yn dod yn fyw i mi o gofio am ei chystudd hi. Bydd rhai wrth wynebu marwolaeth yn disgyn yn sydyn i'r dyffryn ac yn cael croesi'r afon ar amrantiad megis. Bydd eraill, fel Mary Jones, yn gorfod treulio blynyddoedd yn eu gwaeledd yng ngolwg yr afon sawl gwaith cyn cael croesi. Y rheini yw'r rhai sy'n rhodio ar hyd y glyn cyn mynd drwy'r dŵr.

Mae yna ddwy ffordd o Sir Gaerfyrddin i Sir Aberteifi drwy Gastellnewydd Emlyn. Y naill dros ros Llangeler, i lawr yn sydyn i'r dre, dros y bont a dyna chi yng Ngheredigion. Mae'r llall yn dod i lawr i Ddyffryn Teifi yng nghyffiniau Henllan. O'r fan honno byddwch yn teithio yng ngolwg yr afon ar hyd y ffordd bron, cyn dod at Gastellnewydd a'r bont. Dyna'r ffordd y gallech chi ddweud y bu'n rhaid i Mary Jones ei cherdded drwy waeledd ei blynyddoedd olaf.

Mae'r ffordd isa yna a gerddodd hi, ffordd faith y glyn, yn hwy ond yn harddach ffordd. Efallai y byddai rhai yn amau a allech chi weld harddwch yng nglyn cysgod angau. Mi allwn ateb a dweud y dylech fod wedi gweld Mary Jones yn ei chystudd. Credaf fod yna gyswllt rhwng dioddefaint a harddwch cymeriad. Bydd dioddefaint weithiau'n creithio'r corff, ond bydd yn aml yn harddu cymeriad. Nid digwyddiad yw cysylltu harddwch a dioddef yn emyn William Lewis:

> Cof am y cyfiawn Iesu,
> y Person mwyaf hardd,
> ar noswaith drom anesmwyth
> bu'n chwysu yn yr ardd . . .

Mae'r ffordd isaf yn hwy, mae'n wir, ond yn fwynach. Mae fforddolion y rhos a'r bryn yn medru bod yn galed, ond mae hinsawdd y glyn yn dysgu addfwynder inni. Doeddwn i ddim yn nabod Mary Jones yn nerth ei hieuenctid. Dichon ei bod hi wedi dod ag addfwynder gyda hi i'r glyn. Yn sicr, yng nghyfnodau ei gwaeledd y blynyddoedd hyn, awelon mwynaidd y dyffryn a glywais i yn ei chwmni hi. Roedd ganddi'r gras i weld mwyneidd-dra o'i hamgylch hi ym mhobman yn ei dioddefaint. Gwelai driniaeth ysbyty yn dyner, gweld y meddyg yn dyner, a gweld tynerwch yng ngofal ei theulu amdani. Os gweddïodd:

> doed y nefol awel dyner
>   i'n cyfarfod yn y glyn
> nes in deimlo'n traed yn sengi
>   ar uchelder Seion fryn,

rwy'n siŵr iddi deimlo'r awel honno yng Ngwelfryn cyn esgyn i'r bryn y soniai Emrys amdano.

Ar ffordd glannau'r afon fe fyddwch chi'n gweld mwy o'r ochr draw na'r ochr yma. Ar y ffordd o Henllan i Gastellnewydd fe welwch chi fwy o Sir Aberteifi na Sir Gaerfyrddin. Roedd Mrs Jones Gwelfryn yn un o'r cymeriadau hynny a welai ymhellach o lawer na'r rhelyw ohonom. Byddai hi'n adrodd ambell brofiad a gafodd hi mewn gweledigaeth, ond adrodd yr hanes nid yn ymhongar eithr bob tro yn ddi-feth gydag ymddiheuriad. Profiadau megis gweld yr utgorn ar ddydd ailddyfodiad yr Arglwydd Iesu, neu glywed yr angylion yn canu nosweithiau cyn yr angladd honno yng nghapel Tabor wrth iddi hi fod yn godro yn y beudy bach gyferbyn â'r capel. 'A bob tro,' mynte hi, 'y byddwn i'n oedi gyda'r godro, fe fyddai'r canu'n cilio.' Pa ofn allai fod yng nghalon rhywun fel hon yn wyneb marwolaeth? 'Pe rhodiwn ar hyd glyn cysgod angau, nid ofnaf niwed.'

22 Gorffennaf 1967

DIBRISIO'R BUNT

'. . . *ac a gymerasoch eich ysbeilio am y pethau oedd gennych yn llawen.*' Hebreaid 10:34

Darn o adnod anhygoel a geir yn y Llythyr at yr Hebreaid yw'r dyfyniad yna. Rwy'n cymryd mai at Iddewon yr ysgrifennwyd y llythyr, pa le bynnag yr oeddent yn aelodau. Meddyliwch am yr awdur yn medru dweud amdanyn nhw iddynt fod yn llawen pan oedd pobol yn eu hysbeilio am eu heiddo. Fentrech chi ddim cymryd yn ganiataol y byddai neb yn llawen wrth golli ei arian. Fe allech efallai ddychmygu Iddew yn gorfod goddef yn dawel i bobol ddwyn ei eiddo. Ond y mae yna rywbeth mawr wedi digwydd i unrhyw un sy'n hapus yn gweld ei fyd materol yn diflannu. Cofier, os oedd yr awdur hwn yn ysgrifennu at Iddewon tramor, dyna'r rhai fyddai wedi gwneud eu ffortiwn drwy brynu a gwerthu a chyfnewid.

Dyma ni nawr newydd weld y bunt yn crebachu, ac fe fydd yna gondemnio ar y llywodraeth yn ddidrugaredd, a'i hatgoffa am flynyddoedd i ddod ei bod wedi ysbeilio ein heiddo ni. Da o beth fyddai i ni gymryd dalen o lyfr yr Iddewon o Gristnogion, a oedd wedi gweld eu holl eiddo yn troi'n ddim yn eu golwg hwy. Gweld cyfle wnaethon nhw i fuddsoddi mewn arian rhagorach. Cyn i'r dibrisio mawr ddigwydd fe droeson nhw eu harian i gyd yn arian arall, y golud gwell.

Y mae'n olud parhaus hefyd. Fe gofiwch adeg streic y docwyr mai'r broblem fawr oedd beth i'w wneud â'r nwyddau a allai bydru, y *perishable goods*. Fe welodd yr Iddewon hyn, pwy bynnag oedden nhw, ei bod hi'n bryd iddyn nhw gael gwared ar y *perishable goods*. Gwyn ein byd ninnau, yng nghanol yr holl sôn am y trallodion economaidd, os medrwn weld mai *perishable goods* yw'r punnoedd. Mae'r prif weinidog yn ceisio ein sicrhau nad yw'r bunt yn ein poced ddim llai ei gwerth heddiw nag oedd hi'r wythnos diwetha. Ond nod bywyd yw byw fel y bydd pob punt megis dim o ran ei gwerth, am fod gennym oll olud gwell.

22 Tachwedd 1967

Afon ar Goll

Darlun anhygoel yw gweledigaeth Ioan yn ei Ddatguddiad am y Jerwsalem newydd, yn enwedig o gofio'r olwg druenus oedd ar y Jerwsalem ddaearol yn ei ddydd. Dagrau a marwolaeth a phoen oedd yno ym mhobman, a llawer o adfeilion. Ond y rhyfeddod pennaf yw 'afon dŵr y bywyd . . . ar hyd canol heol y ddinas'. Afon yn Jerwsalem!

Dichon fod Ioan wedi gweld afonydd llydain yn llifo drwy ganol dinasoedd. Ychydig iawn o ddinasoedd mawr gewch chi heb afon yn llifo drwyddyn nhw yn rhywle. Ond nentydd a llyn neu ddau a gaech chi yn Jerwsalem. Eto, yng ngweledigaeth Ioan mae'r afon yn ganolog i fywyd ac iechyd y ddinas. Y darlun y mae'n ei gyfleu wrth gwrs yw afon dylanwad Duw drwy fywyd cymdeithas, yr union weinidogaeth y gallai'r eglwys fod yn ei chyflawni. Yn anffodus, y mae'r hyn sydd wedi digwydd i afonydd mewn dinasoedd yn ddarlun o'r hyn a ddigwyddodd i'r eglwys.

Aeth afon Tafwys yn Llundain ac afon Taf yng Nghaerdydd yn llygredig a llwyd eu llif. Yr afon a ddylai buro a bywhau ei hun wedi ei llygru.

> Glanha dy Eglwys, Iesu mawr –
> ei grym yw bod yn lân . . .

Mewn mannau eraill fe anwybyddir yr afon, fel yng Nghwm Tawe. Doedd afon Tawe ddim yn gyfleus i ofynion diwydiant, ac fe dorrwyd camlas a ymddangosai yn fwy effeithiol o lawer. Felly y digwyddodd hi i'r eglwys hefyd. Fe wnâi hithau gynt waith dyngarol i wasanaethu cymdeithas, ond lluniwyd camlesi'r wladwriaeth les a'r cymdeithasau dyngarol i wneud y gwaith yn fwy effeithiol a hwylus. Eto pa faint bynnag y canmolwn waith camlesi cymdeithasol yr ugeinfed ganrif, eu tynged hwythau fydd eu llygru gan garthion bywyd dyn ac anifail, fel y gwelodd Gwenallt 'y canél mewn pentrefi'n sefyllian'.

Ym Mangor yr hyn a ddigwyddodd i'r afon oedd ei chuddio o'r golwg. Gynt llifai afon Adda drwy ganol y dre ac i lawr i'r môr, ond fe aeth mewn ambell fan yn anghyfleus i drafnidiaeth, ac roedd angen adeiladu ffordd. Felly cuddiwyd yr afon. Roedd angen adeiladu tai newydd ar draws llwybr yr afon. Cuddiwyd yr afon. Nid o bwrpas, ond yn ôl datblygiad cymdeithas, aeth afon Adda yn llwyr o'r golwg ym Mangor. Fe'i clywch hi weithiau o dan ambell glawr metal, yn enwedig pan fydd yna lif mwy na'r arfer. Ond does dim yn weladwy, dim ond ambell enw fel Glanrafon a Glanadda.

Mae afon yr eglwys yn prysur ddiflannu o dan brysurdeb difater ein cymdeithas ni. Fe allwch ei chlywed hi weithiau ar ambell gymanfa neu gyfarfod Undeb. Ond tawelu y mae hi wedyn. Does yna fawr ddim gweladwy ohoni mwyach, dim ond enwau megis Moreia a Berea a Seion.

A ddaw yna gynllunydd llygadog a gwreiddiol i Fangor rywbryd ac argyhoeddi Cyngor y Ddinas y gallai weddnewid golwg a bywyd yr hen le pe câi agor yr afon unwaith eto, a gadael iddi lifo'n agored i harddu a bywhau?

7 Ebrill 1968

Llwytho Llechi

Pan edrychaf allan drwy ffenestr y stydi gwelaf hen harbwr Hirael a chei Penrhyn. Harbwr digyffro iawn yw hwn erbyn heddiw. Ychydig iawn o longau a chychod a welir o'i gwmpas, ac anaml y gwelir cwch wedi'i angori yno. Pan welir rhyw bererin yn cerdded ar y cei, neu ambell weithiwr yn gwneud y dwt ymhlith y geriach rhydlyd, dyna dawelwch ac unigrwydd sydd dros y lle. Buasai'n hawdd i rai o hen drigolion Hirael fynd i hwyl wrth gofio'r prysurdeb a fu yno unwaith. Heddiw y mae'r lle fel y bedd. Ys dywed beirdd Sir Aberteifi am yr efail fud, nid bedd prysurdeb yn unig ond bedd hen gelfyddyd hefyd.

Oherwydd roedd gan y cei ei grefftau, lawn gymaint â'r chwarel. Fe glywais lawer un yn ardaloedd chwareli Sir Gaernarfon yn galaru am weld dwylo crefftus y chwarel yn mynd i'w heirch. Fe all Hirael hefyd alaru ar ôl hen ddwylo medrus y cei, a chelfyddyd arbennig llwytho'r llechi i'r llongau. Celfyddyd a oedd yn perthyn i ddau fyd, lle'r oedd byd y chwarelwr a byd y morwr yn cyfarfod, celfyddyd a ofynnai am wybodaeth am natur y garreg a natur y môr. Llwytho llond llong o lechi yn y fath fodd fel y byddent yn siŵr o gyrraedd pen eu taith yn ddiogel ac yn gyfan.

Nid yr un fyddai ansawdd na maint na thrwch y llechi. Nid yr un ychwaith fyddai maint y llongau, na'u saernïaeth. Nid yr un fyddai eu hoedran, ac nid yr un fyddai eu cyflwr. Y gamp oedd gwybod sut i drefnu a phacio'r llwyth fel y byddai'r llechi a'r llong yn ddiogel yn stormydd y cefnfor. Byddai un camgymeriad yn ddigon i chwalu rhes gyfan o lechi. Yn wir, byddai cael un neu ddau fwlch, un neu ddwy lechen yn brin mewn rhes yn ddigon o ryddid iddynt daro'i gilydd mewn storom. Neu'n waeth fyth, buasai un gwall yn ddigon i rwygo ystlys y llong. Rhaid ystyried y cargo a'r cwch.

Rwy'n ofni mai bylchog iawn yw ein gwasanaeth i Grist, eto, ysywaeth, nid yw fel petai hynny o bwys yn y byd i ni. Tra byddwn yn gorwedd yn farwaidd yn hafan ein cysur hunanddigonol fe allwn bwyso yn anniben driphlith draphlith ar weithgarwch tenau ein gilydd. Sut y bydd hi tybed pan fydd yn rhaid i'r eglwys wynebu'r storom? Po fwyaf o fylchau sydd yn ein hymroddiad, mwya i gyd y byddwn fel aelodau yn taro yn erbyn ein gilydd ac yn dinistrio gwasanaeth a defosiwn ein gilydd.

Cofier am ddiogelwch y llong hefyd. Llwythi bychain sydd yn ein heglwysi ni heddiw. Eithr nid y llwythi bychain sydd wedi suddo llongau, ond llwythi anniben. Fe all y seddau gweigion ladd y capel ond allan nhw ddim lladd yr eglwys. Yr hyn sydd wedi torri ystlys eglwysi yn y gorffennol yw balchder a hunanoldeb hyd yn oed rhai o'r ffyddloniaid yn taro yn erbyn ei gilydd. Os oes yna fwlch rhyngot ti a'th gymydog mewn eglwys ceisia'i lanw â gwasanaeth a gweddi a chymwynas, gan gofio'r arweiniad a gawsom gan un arall:

Y pellter oedd rhyngddynt oedd fawr,
fe'i llanwodd â'i haeddiant ei hun.

8 Ebrill 1969

Yr Eglwys Gadeiriol

A welsoch chi erioed lun dinas wedi ei dynnu o'r awyr? Dinas â thyrau, fflatiau a swyddfeydd yn codi'n fain ohoni fel bysedd. Yna tua chanol y ddinas rhwng y blociau tal, mewn rhyw glos bach, fel petai, ar ei phen ei hun, wele'r hen Eglwys Gadeiriol. Roedd ganddi hithau ei thŵr a'i phinacl, ond dyna dila, dibwrpas a seithug oedd ei hymdrech hi i gyrraedd y nefoedd yng nghesail y cewri eraill.

Gallaf ddychmygu nad felly y bu hi gynt ar yr hen eglwys druan. Ym mlodau ei dyddiau, hi oedd balchder y dalaith. Yng nghanol y ddinas isel slawer dydd torsythai muriau urddasol y Gadeirlan yn uwch na phob to arall, ac roedd pob bwa cain o dan ei bargod yn amlwg o bobman. Uwchlaw'r cyfan, saethai ei phinacl hirfain tua'r cymylau a hwnnw yn bwrw'i gysgod ar brysurdeb y stryd ac ar hewlydd tawel y cartrefi. Bwriai'r eglwys ei chysgod ar siop y cigydd a'r pobydd ac ar swyddfa'r cyfreithiwr, ac o dan ei chysgod hi y cynhelid y ffeiriau. Roedd ei muriau hi yn uwch na chrib to yr ysgol, ac uwchlaw tŵr y coleg. Pan fyddai'r haul yn y gorllewin byddai cysgod ei phinacl hi yn codi dros ffenestri yr hen elusendy a'r ysbyty.

Erbyn heddiw ni all fwrw'i chysgod dros ddim. Hi ei hunan sydd yn y cysgod. Fe all y teicŵn o'i swyddfa gynnes, a'r gwyddonydd o'i labordy edrych i lawr ar ei tho. Mae'r wraig wrth agor tun i ginio dydd Sul yn edrych i lawr o ffenestr cegin ei fflat ar ddyrnaid o forgrug yn dod o oedfa'r bore. Druan o'r hen eglwys. Mae'r drafnidiaeth wedi bwyta dros hanner ei mynwent hi, a'i sŵn yn boddi ei chlychau, ac y mae'r siopau wedi ysbeilio ei gwyliau hi. Druan ohoni, i lawr fan yna yn y pellter, mae hi'n edrych fel tegan. Yn wir, tegan yw hi i'r maer a'i osgordd, ac i'r lluoedd arfog, i gynnal eu Suliau dinesig.

Ar ben hyn oll y mae cryndod cynyddol bywyd y ddinas wedi ysgwyd seiliau'r tŵr. Beth wnawn ni â hi dwedwch? Buasai'n ddiwedd ar deyrnas Dduw petai rhai o feini'r tŵr yn dechrau ymryddhau. Agorwn gronfa apêl ar unwaith. Bydd llawer cyfoethogyn a gwyddonydd a gwraig tŷ drwy'r ddinas, a phlwyfi'r esgobaeth, yn barod i gyfrannu i gadw'r eglwys ar ei thraed. Ac i gyflenwi'r angen fe geir grant gan y wladwriaeth.

Pam, meddech chi? Am mai tegan yw hi yn llygad cymdeithas, fel yn llygad y camera sydd am wddf y twrist. Deled y dydd, meddaf i, pan fyddwn ninnau wedi gweld mai teganau yw'r adeiladau i gyd. Ar ambell Sul dyna edrych yn fychan a thila y mae cymdeithas yr addolwyr mewn capel enfawr. Pan ddown ni i sylweddoli maint aruchel cymdeithas ysbrydol yr eglwys dyna fychain fydd y cerrig a'r morter, dyna deganau fydd y capeli. Y pryd hwnnw, bydd pinaclau egwyddorion Crist unwaith eto yn bwrw'u cysgod arnom ni yn y siop, yn y swyddfa, yn yr ysgol, ar y stryd ac ar yr aelwyd. A thrwom ni bydd yr eglwys drachefn yn bwrw'i harddwch dros y ddinas i gyd.

9 Ebrill 1969

Y Temtasiynau Modern

Neithiwr fe aeth tîm recordio'r BBC i ddosbarth Beiblaidd yn festri capel Tabor, Caernarfon i recordio rhan o'r drafodaeth yno. Y maes oedd gyda nhw neithiwr oedd y bedwaredd bennod yn Efengyl Mathew, yn cynnwys hanes y temtiad. Y gweinidog, y Parchedig Dafydd Prydderch, oedd athro'r dosbarth ac fe'i clywn yn awr yn agor y mater.

Gweinidog: Rydych chi i gyd yn ddigon cyfarwydd â'r tri themtiad gwahanol yma. Wna i ddim ond eu nodi nhw'n fyr i'ch atgoffa chi. Daeth y temtiwr a dweud wrtho, 'Dywed wrth y cerrig hyn am droi'n fara.' Ond atebodd Iesu ef, 'Y mae'n ysgrifenedig, "Nid ar fara yn unig . . ."'

William Jones: Rwy wedi bod yn meddwl wrth ddod yma rŵan faint o werth yw Dosbarth Beiblaidd fel hyn. Petawn i'n cael rhoi cyngor i chi fel pregethwr, mi faswn i'n dweud fod yn rhaid i chi wneud yr Efengyl yn fwy perthnasol. Mae'n rhaid i chi ddangos yn eglur mai unig ystyr yr Efengyl yw bwyd i'r anghenus, cartre i'r amddifad a meddyginiaeth i'r claf. Mewn anialwch o fyd fel hyn nid Dosbarth Beiblaidd sydd ei eisiau ond torth i newynog y byd.

Gweinidog: Yr ail demtiad fel y cofiwch chi oedd hyn: 'Yna cymerodd y diafol ef i'r ddinas sanctaidd a'i osod ar dŵr uchaf y deml a dweud wrtho, "Bwrw dy hun i lawr. Wnei di ddim taro dy droed yn erbyn carreg." Dywedodd Iesu wrtho, "Y mae'n ysgrifenedig drachefn, paid â gosod yr Arglwydd . . ."'

John Davies: Dwi ddim yn cytuno o gwbwl â'r hyn ddwedsoch chi William Jones rŵan. Gall unrhyw un heddiw, hyd yn oed yr annuwiol, gall hwnnw roi bara i'r tlodion. Nid dyna sy'n bwysig i weinidog ei wneud. Cael sylw'r byd sy'n bwysig. Mae'n rhaid i chi wneud rhywbeth

	syfrdanol a gwahanol. Fe ddylech chi fod ar y blaen yn y brwydrau gwleidyddol yma. Fe ddylech chi arwain protest. Rhaid i chi fod yn barod i fynd i'r carchar. Chewch chi ddim niwed, ond fe gewch chi'ch llun yn y papur. A dyna'r eglwys wedi dechrau gwneud marc.
Gweinidog:	Y trydydd temtiad oedd hwn: 'Dangosodd y diafol iddo holl deyrnasoedd y byd a dweud wrtho, "Y rhain i gyd a roddaf i ti os syrthi i lawr a'm haddoli i."'
Thomas Owen:	Chlywais i'r fath ffwlbri erioed, John Davies! Gweinidog yn arwain protest, wir. Gweinidog yn mynd i garchar! Rydan ni wedi cael hen ddigon o'r hen fusnes herio'n gilydd 'na. Rwy'n siŵr eich bod chi Mr Prydderch yn cytuno. Dod i ddealltwriaeth gyda phobol sydd eisio. Dyna dderbyniol fyddwch chi wedyn. Y peth pwysig i weinidog yw ei fod o'n medru plygu, a chyfaddawdu ac addasu i fywyd ei bobol. Gofalwch chi gymhwyso eich crefydd i'r amgylchfyd cyfoes, a bydd y byd i gyd gyda chi wedyn.

Roedd y diafol ar ei ffordd adre o'r anialwch yn gwenu wrth feddwl fod ganddo ladmeryddion da hyd yn oed yn yr ugeinfed ganrif.

10 Ebrill 1969

Rhwymyn Perffeithrwydd

Mae hi'n adeg cynhaeaf gwair, ond silwair piau hi bellach ym mhobman. Fe fyddaf yn clywed rhai pobol weithiau yn sôn am aroglau gwair newydd ei ladd. Does gen i ddim cof am beth felly. Ond fe gofiaf yn iawn a hiraethus am aroglau gwair wedi ei grasu yn barod i'w gywain.

Byddai rhai caeau gennym ar y ffarm gartre braidd yn bell o'r ydlan, a byddai angen llwytho'n ofalus er mwyn cyrraedd yn ddiogel heb i'r llwyth foelyd. Hen grefft a aeth ar goll bellach oedd crefft y llwytho, a chofiaf y cyfarwyddiadau y byddai'r hen gymdogion, yn rhy gymhercyn erbyn hynny efallai i fod ar ben y gambo, yn eu gweiddi arnom wrth i ni geisio dysgu'r gamp. 'Cofiwch am y canol!' fyddai'r waedd yn aml, gan mai'r canol fyddai'n cloi ymylon y llwyth.

Wedi cwpla'r llwyth, pa mor daclus bynnag yr edrychai, byddai'n rhaid cael y rhaff amdano, yn arbennig wrth feddwl am y daith o gae pell fel Dôl Brenin. A dyna grefft wahanol wedyn, clymu'r llwyth. Yr hen raff a achubodd fy llwythi i laweroedd o weithiau, a'r rheini wedi cyrraedd yn bur anniben at y das yn yr ydlan.

Roedd Paul yn sôn am lwyth sy'n edrych yn fendigedig o hardd. Mae ynddo dynerwch calon, tiriondeb, gostyngeiddrwydd, addfwynder, amynedd, goddefgarwch, a maddeuant (Colosiaid 3:12–14). Fe alla i ei weld yn edmygu'r hen lwyth yma ar Ddôl Brenin, ac yn dweud wrtho'i hunan, 'Dyma lwyth bendigedig o hardd, ond a ddalith e'r hewlydd heibio Cwm Mora a'r Pistyll Du?' Felly mae'n dweud, 'Tros y rhain i gyd rhowch raff cariad, sy'n rhwymyn perffeithrwydd.' Hwnnw sy'n mynd i ddala'r cwbwl wrth ei gilydd yn y diwedd.

23 Mehefin 1971

Ysbiwyr

Bu J. Edgar Hoover yn bennaeth yr FBI
am bron hanner can mlynedd

Ddydd Mawrth diwethaf bu farw J. Edgar Hoover, pennaeth a gelyn pennaf ysbiwyr, yn dibynnu ar ba ochr o'r llen haearn y mae eich teyrngarwch chi. Ond mae ysbïo yn hen grefft. Moses oedd J. Edgar Hoover yr hen genedl Iddewig, ac fe anfonodd ddeuddeg ohonyn nhw yn ddirgel i edrych gwlad Canaan. Roedd yn rhaid gwybod sut le oedd yno.

Ni yw ysbiwyr y genhedlaeth hon yng Nghymru. Pobol wedi eu hanfon ymlaen ydym i edrych tiriogaeth Teyrnas Dduw. Ac mae'r byd yn disgwyl ein hadroddiad.

Fe ddaeth ysbiwyr Moses yn ôl ag adroddiad hynod o anffafriol. 'Does dim byd o werth yno,' meddai deg ohonyn nhw, 'mae hi'n wlad sy'n difa ei thrigolion.'

Beth yw'ch dedfryd chi am y Deyrnas? Cawsoch gyfle i weld rhan o'r Deyrnas mewn addoliad eglwys, mewn gweddi ddirgel neu mewn mawl, neu waith yn enw Iesu. Mi wn am rai a fyddai'n dweud nad oes dim o werth yno. Arferion gwag a dibwrpas yw crefydd iddyn nhw. Dyffryn di-liw yw oedfa. Gwastatir blin yw dyletswyddau crefydd. A pherllannau diffrwyth yw'r gweddïau. Ai dyna adroddiad y mwyafrif?

Rhan anffafriol arall o'u hadroddiad yw eu barn am bobol y wlad. Mae meibion Anac yno, meddai'r deg, y bobol â'r gyddfau hirion! Felly byddai'n beryglus i'r genedl fentro yn eu herbyn hwy. Adroddiad llawer sydd wedi cael cyfle i gerdded ychydig o diriogaeth yr eglwys yw mai pobol od sy'n perthyn i'r Deyrnas, os nad hirion eu gyddfau y maent yn uchel eu ffroenau. Byddai'n well cadw'n glir oddi wrth rai felly.

Yn ffodus i'r genedl fe gafwyd adroddiad lleiafrif. Fe ddaeth yna ddau, Caleb a Josua, yn ôl a rhoi adroddiad hollol wahanol. Mae'r ddau hyn wedi gweld gogoniannau'r wlad, wedi gweld ei phosibiliadau, ac wedi profi ei ffrwythau. A'r strôc anfarwol, y ddau ohonyn nhw rhyngddyn nhw, yn ôl Numeri 13:27, yn cario ffrwythau bendigedig y wlad yn ôl gyda nhw i'r anialwch ar drosol.

Byddai'n ogoneddus inni glywed adroddiad gan rai, petai ond y ddau neu dri, a fyddai wedi gweld gogoniant y mawl a bendithion y weddi ym mywyd eglwys. Eto yr hyn a fydd ryw ddiwrnod yn troi'r fantol o blaid y Deyrnas fyddai i'r ychydig prin hynny o dystion gario ffrwythau tosturi a chariad, ffrwythau'r Deyrnas, yn ôl gyda nhw i anialwch y byd.

7 Mai 1972

Y GORCHMYNION MODERN

Cofiaf ddarllen yn y *Daily Telegraph*, ddydd Llun, 30 Tachwedd 1959 – ac mae'r toriad gennyf hyd heddiw – fersiwn newydd o'r Gorchmynion. Fe'u lluniwyd gan rywun o awdurdod heddlu Houston, Texas, a oedd wedi anobeithio am ddiffyg disgyblaeth rhieni. Gorchmynion oedd y rhain, meddai, i rieni a oedd yn awyddus i droi eu plant yn droseddwyr. Y geiriau yn Saesneg oedd *who wish to turn their children into juvenile delinquents.* Rhywbeth yn debyg i hyn oedden nhw, deg gorchymyn sut i fagu eich plentyn ar gyfer bywyd ofer.

Yn gyntaf: dechreuwch o'i fabandod roi i'r plentyn bopeth y mae'n ei mofyn. Wrth wneud hyn fe fydd yn cael ei fagu i gredu fod y byd i fod i'w gadw fe.

Yn ail: pan fydd yn dechrau dweud ambell air drwg gofalwch eich bod chi'n chwerthin. Bydd hyn yn gwneud iddo feddwl ei fod yn dipyn o foi.

Yn drydydd: peidiwch â rhoi unrhyw addysg ysbrydol iddo fe. Dyw hi ddim yn deg gwthio rhagfarnau crefydd i lawr ei wddf bach e. Arhoswch nes y bydd yn ddeunaw oed, ac yna gadewch iddo fe ddewis drosto'i hun.

Yn bedwerydd: gofalwch osgoi rhyw eiriau cas fel 'na' a 'paid'. Gall yr hen bethau yna fagu cymhlethdod euog iawn yn ei feddwl e. A bydd hynny yn ei gyflyru i feddwl wedyn, pan gaiff ei ddala yn dwyn car neu rywbeth, fod pawb yn ei erbyn e.

Yn bumed: codwch bopeth y bydd yn digwydd ei adael o gwmpas, llyfrau, esgidiau, dilladach. Gwnewch bopeth drosto, wedyn fe ddaw yn gyfarwydd â thaflu pob cyfrifoldeb ar bobol eraill.

Yn chweched: gadewch iddo fe ddarllen unrhyw beth y

gall gael ei afael arno. Gofalwch fod y llestri a'r llwyau i gyd yn lân, ond gadewch i'w feddwl fwydo ar sbwriel.

Yn seithfed: cofiwch chi'ch dau eich bod chi'n tafodi a rhegi'ch gilydd o'i flaen e, a chwympo mas yn ddigon aml; wedyn fydd e, druan bach, ddim yn cael gormod o siom pan fyddwch chi'n ymadael â'ch gilydd.

Yn wythfed: peidiwch byth â gadael iddo fe orfod gweithio i ennill arian ei hunan, a thalwch drosto fe am bopeth. Dyw hi ddim yn iawn iddo fe orfod dioddef caledi.

Yn nawfed: cadwch ei ochr e yn erbyn cymdogion, plismyn ac athrawon ysgol. Mae gyda nhw i gyd rywbeth yn erbyn eich plentyn chi. Peidiwch â chredu gair o beth ddwedan nhw os yw eich plentyn chi yn gwadu, oherwydd rydych chi'n gwybod yn iawn na ddwedai eich plentyn bach chi byth gelwydd.

A'r degfed gorchymyn i'r rhieni yw hwn:

paratowch am fywyd diflas, oherwydd fe fyddwch yn siŵr o'i gael.

20 Tachwedd 1972

Addasiad o ddarn gan Henry Scott-Holland, 1910

Nid yw marw yn ddim i mi,
dim ond cilio wnes i, i'r stafell nesa.
Fi ydwyf fi o hyd, ti wyt ti;
beth bynnag oeddem ni i'n gilydd,
hynny fyddwn ni o hyd.

Galw fi wrth fy hen enw cyfarwydd;
siarada gyda fi,
yn y ffordd hawdd 'na, fel y byddet ti'n arfer.
Paid â newid dy lais wrth siarad amdana i;
paid â gwisgo rhyw wedd ddwys
a phaid â rhoi tristwch ar dy wyneb.
Cofia chwerthin, fel y byddem ni o hyd yn chwerthin,
am y pethau bach oedd yn ddoniol i ni gyda'n gilydd.
Cofia chwarae a gwenu a meddwl amdana i,
a gweddïa drosta i.
Gad i'm henw i
fod yr un hen enw cartrefol ag a fu erioed.
Gad iddo gael ei lefaru'n naturiol,
heb unrhyw naws o gysgod drosto.
Oherwydd y mae i fywyd yr un ystyr ag oedd iddo erioed.
Yr un bywyd yw e ag oedd e gynt:
parhad didoriad sydd yna.

Beth yw marw i mi ond rhyw ddigwydd disylw;
a pham ddylwn i fod allan o dy feddwl di
dim ond am fy mod i allan o dy olwg di?
Fe fydda i'n disgwyl amdanat ti, am gyfnod,
yn rhywle agos,
rownd y cornel ar hewl bywyd.

A phaid â gofidio, mae popeth yn iawn.

20 Chwefror 1973

Colli'r Trên

Pan ddaeth Dr Beeching i Ddyfed fe gollwyd y lein o Bencader i Gastellnewydd Emlyn. Codwyd y cledrau ac aeth rhannau o'r hen lwybr ar lannau afon Teifi yn ddrain a drysi. Rwy'n cofio siarad yn fuan wedyn â ffarmwr a oedd â'i ffarm yn ffinio â'r rheilffordd honno. 'Roedd colli'r hen drein,' meddai, 'yn golled fawr i ni.' Ar unwaith fe ddychmygais ei weld yn mynd ag ambell fuwch hesb i'r stesion i'w hebrwng i fart Llandysul. Dychmygais ei weld wedyn yn mynd lawr i gwrdd â'r trên amser cinio er mwyn cael bocs y cywion bach, yn drydar i gyd, a'u cario yn ôl tua'r tŷ. Ond na, dim o'r fath beth.

'Doedden ni'n hunain wrth gwrs,' mynte fe, 'yn defnyddio fawr ddim ar yr hen stesion ers blynyddoedd lawer, oddi ar i ni gael y lorri a'r fan fach. Roedd y diwrnod, serch hynny, yn od heb sŵn y trein yn mynd heibio. Roedden ni'n gwybod amserau'r dydd ac amser godro wrth sŵn yr enjin yn dod.'

Petai yna ryw Beeching enwadol yn bygwth cau capel Bethsaida, pwy fyddai'n dod i'r cwrdd eglwys i ofalu pleidleisio yn erbyn ond y rhai na fu'n agos at Fethsaida ers blynyddoedd heblaw i Gwrdd Diolchgarwch. Mae'n siŵr y byddai Twm yn 3 Bethsaida Terrace yn achwyn mor od fyddai hi heb glywed y canu o'r capel ar nos Sul.

23 Mawrth 1973

Eisteddfod Llangollen

Daeth y byd unwaith eto i Langollen, yn bobol wahanol o wledydd gwahanol. Amrywiaeth o liw croen, amrywiaeth o wisgoedd ac amrywiaeth iaith. Ond dyw'r iaith ddim yn broblem. Wrth gwrs maen nhw'n gorfod darparu cyfieithwyr a dehonglwyr ac mae'r rheini'n medru clirio'r anawsterau technegol. Dyw cael pont rhwng iaith ac iaith ddim hanner cymaint o broblem â chael pont rhwng dyn a dyn. Un iaith sydd mewn llawer ardal yng Ngogledd Iwerddon, ond all y ddwy ochr ddim deall ei gilydd yn siarad. Un iaith sydd yn yr Almaen ond dyw Dwyrain a Gorllewin ddim yn deall ei gilydd yn wleidyddol.

Pan ddaeth Pedr a'r disgyblion eraill mas o'r ystafell i bregethu ar ddydd y Pentecost, roedd hi fel maes Eisteddfod Llangollen o'u blaenau nhw: deuawd o Barthia, tenor o Gapadocia, pedwarawd o Fesopotamia, heb sôn am y partïon o'r Aifft a pharthau Libya. Eto roedden nhw i gyd yn deall y neges.

'Beth all hyn fod?' medden nhw. 'Yr ydym ni i gyd yn eu clywed hwy yn llefaru yn ein hiaith ni fawrion weithredoedd Duw!' Roedd yr Ysbryd yn siarad eu hiaith nhw.

Nawr rwy'n credu fod ymwelwyr tramor i'r Eisteddfod yn clywed Llangollen yn siarad eu hiaith nhw. Pa ffordd arall allech chi gyflwyno Cymru i'r gwledydd? Agor siop yn Llundain yn llawn llyfrynnau bach a'r lluniau lliw cosmetig yna, pob traeth wedi ei bowdro'n felyn ac amrannau'r mynyddoedd yn las? A pha iaith fyddai gyda'r lluniau? Yn nyffryn Llangollen ei hun mae Cymru yn cael ei hegluro iddyn nhw mewn iaith y maen nhw'n ei deall hi – iaith harddwch.

Ar aelwydydd y dyffryn ar hyd y blynyddoedd hyn maen nhw wedi gweld croeso. Wedi'r cwbwl un bwrdd croeso iawn sydd i'w weld mewn gwirionedd, y math hwnnw a phedair coes bren iddo rydych chi'n arfer rhoi traed odano. Pan welson nhw hynny ar aelwydydd Llangollen a'r cyffiniau, roedd y bwrdd yn llefaru yn eu hiaith nhw rywbeth yr oedden nhw yn ei ddeall.

Yna wedyn y ddawns a'r gân. Er y dywedwyd ganwaith fod miwsig yn iaith ryngwladol, mae'n rhaid i chi fod yn yr ysbryd iawn i'w deall. A chofiwch, pa faint bynnag o Gymro ydych chi, allech chi ddim â deall y dôn y cenir 'Yn y dyfroedd mawr a'r tonnau' arni os byddech chi newydd gael eich codi mewn gorfoledd. Rhaid bod yn yr ysbryd iawn. Dyna'r gwahaniaeth rhwng Llangollen a'r 'Eurovision Song Contest'. Mae pawb ar yr un maes yn Llangollen, ac yn ysbryd yr Eisteddfod.

Ydi ysbryd Crist o'ch mewn chi? Os felly, mynegwch hynny mewn ffordd y bydd pobol yn ei deall. Siaradwch drwy gymwynas, fe ddeallan nhw hynny. Siaradwch drwy drugaredd a maddeuant, dyna'r iaith a ddeallan nhw. Siaradwch eu hiaith nhw – iaith gweithredoedd, ac fe welan nhw wedyn fawrion weithredoedd Duw.

27 Mehefin 1974

Bangoriaid Didafod

Rwy'n cofio darllen unwaith am achos llys yn British Columbia. Roedd rhyw frawd o'r enw Morris Davie wedi ei gyhuddo o gynnau tân yn y goedwig.

Yr unig dystiolaeth gan yr heddlu oedd ei eiriau ef ei hun mewn gweddi. Tra oedd yn ei gell un noson roedd wedi mynd ar ei liniau a chodi ei ddwylo a dweud, 'O Dduw, gad i mi eu twyllo nhw'r tro hwn, dim ond y tro hwn. Gad imi ddod yn rhydd y tro hwn, a wna i ddim cynnau tanau byth eto.' Yn anffodus i Morris, roedd plismon y tu allan i'r gell yn gwrando, a dyna'r geiriau a ddefnyddiwyd yn ei erbyn.

Dadleuodd ei gyfreithiwr nad oedd hawl gan yr erlyniad ddefnyddio ymddiddan cyfrinachol rhwng Morris â pherson arall fel tystiolaeth yn ei erbyn. Cytunodd y barnwr ac fe aeth yn rhydd.

Er hynny fe ddygwyd yr achos i apêl, a phenderfynodd y llys hwnnw yn ei erbyn ar y sail nad oedd Duw, yng ngolwg y gyfraith, yn 'berson'.

Petaem ni, bobol Bangor yn niwedd yr ugeinfed ganrif, ar y rheithgor byddem yn cytuno â barnwr yr apêl. Mae'n amlwg nad yw Duw i ni yn berson. Mae'n fod, mae'n bod, mae'n syniad, mae'n enw. Ond nid yw'n berson. Petai'n berson i ni, byddem yn gyfarwydd â'i glywed. Byddem yn ei gyfarch. Byddem yn siarad amdano. Byddem yn cael ambell sgwrs gydag ef. Byddem yn troi ato am gymorth. Eto, fel y mae pethau, yr ydym yn barod i siarad â phawb, hyd yn oed y bobol od sydd mewn eglwysi eraill, cyn siarad â Duw.

Dyna falch fyddai Duw petai'n cael gair, hyd yn oed air ar y ffôn. I glustiau Duw, y mae gweddi annheilwng, anonest, hunanol y Morris Davie gwaethaf yn well na dieithrwch mudan y saint ar aelwydydd Bangor.

14 Chwefror 1975

Y CYFWELIAD

Cyfwelydd: Yma yn y stiwdio bore heddiw mae gennym ddyn sydd yn cyflawni gwaith pwysig iawn i chi'r gwrandawyr. Ei enw yw Mr Llywelyn Collins. Mae'n gweithio i'r Bwrdd Radio Canolog, a swydd ymgynghorol sydd ganddo. Ef sy'n cadw llygad, neu yn fwy addas, yn cadw clust, ar safon darlledu a darlledwyr ym myd radio. A gaf i ofyn i chi yn gyntaf, Mr Collins, sut fyddech chi'n disgrifio eich swyddogaeth ar y Bwrdd?

Mr Collins: Wel, rhyw fath o *expert* ydw i sy'n medru galw sylw at y beiau amlwg yn y ffordd y bydd pobol yn siarad ar y radio, yn enwedig *members* o'r *public* pan fyddan nhw'n dod i mewn i'r stiwdio i cael *interviews* yn Cymraeg.

Cyfwelydd: Oes yna ryw feiau amlwg wedi dod i'ch sylw chi, Mr Collins?

Mr Collins: Wel, ie. Un peth *obvious* yw'r ffordd y mae pobol nawr yn iwsio geiriau Saesneg wrth siarad Cymraeg. Mae'r peth yn gwarthus, dyma fy *opinion* i i chi, ac rwy o hyd yn orfod dweud hynny yn fy adroddiad i'r *Board*.

Cyfwelydd: Beth am safon y Gymraeg yn gyffredinol, Mr Collins?

Mr Collins: Wel, dyma peth arall, ynte. Mae iaith llawer iawn o'r pobol yma'n gwallus iawn ac rwy'n methu deall pam mae pobol mor gwallus eu Cymraeg yn derbyn wahoddiad i cael *interviews* ar radio o gwbwl. Mae'n siŵr nad ydi eu hanner nhw ddim yn gwybod na sylweddoli mor gwael yw eu iaith nhw.

Cyfwelydd: Oes yna rywbeth yn arbennig yn eich cynddeiriogi chi pan glywch chi o?

Mr Collins: Wel, beth sydd yn fy yrru i yn gwallgof yw'r *interviewees* yma sy'n dechrau pob ateb gyda 'Wel'. Pa cwestiwn bynnag a ofynnir iddyn nhw mae'n rhaid dweud 'Wel' bob tro.

Cyfwelydd: Oes yna ryw gyngor arbennig y carech chi ei roi i ddarlledwr ifanc?

Mr Collins: Wel, oes, *self criticism*. Mae eisiau i nhw cael y dawn i weld eu beiau eu hunain. Dyna sy'n brin iawn y dyddiau hyn. Fel y mae Efengyl Luc yn dweud, 'Pam yr wyt yn edrych ar y brycheuyn sydd yn llygad dy frawd, a thithau heb sylwi ar y trawst sydd yn dy lygad dy hun?'

19 Gorffennaf 1976

Cannwyll y Ffydd

Cyflwynydd: Mae yna lawer o sôn y dyddiau hyn am achosion gwan ymhlith eglwysi'r gwahanol enwadau. Mae cadw'r fflam ynghyn wedi mynd yn broblem fawr iawn mewn llawer lle. Nawr mae'n wir fod Luc yn dweud yn rhywle, 'Ni bydd neb yn cynnau cannwyll a'i rhoi mewn man cudd neu dan lestr, ond ar ganhwyllbren, er mwyn i'r rhai sy'n dod i mewn weld ei goleuni.' Yn yr oes oleuedig hon mae digon o oleuni gyda ni. Eto mae'n beth neis iawn gweld cannwyll y ffydd yn dal i losgi yn yr oedfa. Mae hynny'n rhoi rhyw deimlad neis i chi rywfodd. Felly yn y stiwdio'r bore yma mae gyda ni arbenigwr ar y testun.

Arbenigwr: Gair yn fyr yn awr am grefft cadw'r fflam i losgi yn y cysegr, yn Soar fawr a Soar fach, Gogledd a De. Cofiwch mai'r tadau oedd wedi cynnau'r fflam, ac mae hi'n gyfrifoldeb arnoch chi i ofalu na fydd hi byth yn diffodd.

Y rheol gyntaf yw: peidiwch byth â mynd mas â'r fflam tu allan i'r capel, neu fe fydd yr awel yn siŵr o'i diffodd hi. Cofiwch felly mai yn y capel mae lle'r gannwyll.

Peidiwch â'i rhoi ar sil y ffenest. Pobol tu fewn sy'n talu am y gannwyll, ac nid pobol tu fas.

Peidiwch â'i gosod yn rhy agos at y drws, rhag ofn y daw rhywun i mewn, a'r drafft yn ei diffodd hi. Does dim byd yn waeth i ddiffodd fflam na bod y drws ar agor a'r awel yn dod drwy'r capel.

Peidiwch â'i rhoi yn rhy agos at y bobol, rhag ofn y bydd rhywrai ohonyn nhw'n anadlu.

Os gwelwch chi rywbryd fod gormod o hwyl yn y pregethwr, neu ormod o fywyd yn yr emynau, rhowch lestr drosti, rhyw botel wag neu rywbeth tebyg.

Wedyn, os bydd rhyw eglwys arall yn dechrau ymyrryd, neu'r Cwrdd Chwarter neu'r Henaduriaeth yn holi rhyw gwestiynau, peidiwch â gadael iddyn nhw weld dim. Fe allech roi bwced drosti.

Yn olaf, gofalwch ei rhoi mewn lle saff, yn enwedig allan o gyrraedd plant yr ysgol Sul. Efallai fod cwpwrdd cyfleus o dan y pulpud. Un o'r llefydd gorau iddi gael llonydd yw o dan y sêt fawr yng nghanol llythyrau apêl Cymorth Cristnogol.

Cyflwynydd: Ond ddyn, os rhowch chi'r gannwyll dan fwced, dyna hi'n siŵr o ddiffodd.

Arbenigwr: Efallai wir. Ond o leia fyddwch chi ddim yn gwastraffu arian ar ganhwyllau.

20 Gorffennaf 1976

Y Wledd Fawr

Luc 14:15–24

Un nos Sul roedd Duw wedi trefnu oedfa yn y capel lle'r wyt ti yn aelod, ac roedd pawb o'r aelodau, gan dy gynnwys di, yn gwybod amdani. Yn un peth, roedd yr oedfa wedi cael ei chyhoeddi y nos Sul cynt. A pheth arall, ers cyn cof i ti mae hi wedi bod yn arfer gan Dduw drefnu cwrdd â thi yn y capel ar nos Sul. Felly, roeddet ti'n gwybod am yr oedfa, ac yn gwybod ei bod hi'n gyfrifoldeb arnat ti fod yno.

Tra oedd aelodau'r capel yn mwynhau prynhawn Sul, rhai ohonyn nhw yn gwylio'r teledu, eraill yn cysgu a rhai ar ganol yfed te, dyma Dduw yn anfon gair atyn nhw.

'Dewch,' meddai Duw, 'y mae'r oedfa am chwech.'

'O! na,' meddai un o'r tu ôl i'r *Sunday Express*, 'fe fues i yn oedfa'r bore. Dos di i chwilio am y rhai na fuo yn honno.'

Meddai un arall, a oedd wedi bod wrthi drwy'r bore yn golchi ei gar, 'Wel, mae'n ddrwg 'da fi, Dduw, ond rwy wedi addo i'r wraig ein bod ni'n mynd am dro bach heno. Fe ddown ni Sul nesa falle.'

'Beth amdanat ti,' meddai Duw wrth ddyn canol oed oedd newydd agor y *Radio Times*, 'ddoi di?' Meddai hwnnw: 'Y mae yna raglen dda ar y teledu yn dechrau am bum munud ar hugain wedi saith. Os af i i'r oedfa dwi byth yn siŵr a fydda i adre i weld dechrau'r rhaglen ac mae rhywbeth fel'na yn fy ypsetio i am y noson.'

Wn i ddim faint o weithiau y bu Duw gyda thi yn gofyn a fyddet ti'n dod. Fe addewaist ti i ddechrau, on'do? Yn dy wely yn y bore am hanner awr wedi naw fe ddwedaist ti yn bendant y byddet ti yn oedfa'r hwyr. Ond fe glywodd Duw amser cinio dy fod ti wedi dechrau newid dy feddwl. Wyt ti'n cofio mor aml y bu Duw yn ôl a blaen gyda thi drwy'r prynhawn? Lawer tro y prynhawn hwnnw wnest ti ddim hyd yn oed agor y drws iddo fe, dim ond ei gadw fe i ddisgwyl ar drothwy dy feddwl. A phan atebet ti fe, roedd dy atebion di yn dorcalonnus o dwp.

Y noson honno pan welodd Duw gyn lleied oedd ar y ffordd i'r capel fe alwodd i'r capel bawb oedd heb fod yn aelod yn unman. Dyma nhw'n dod bob yn un ac un, dod o gartre ac o glwb, pagan ar ôl pagan ohonyn nhw yn eu hedifeirwch, nes oedd y capel yn orlawn. Dyna i ti oedfa! A dyna'r oedfa oedd yn cyfri yn y cyfri mawr.

21 Gorffennaf 1976

Utgorn Cymwynas

Cyflwynydd: Mi allwn i ddychmygu gwên fawr ar wyneb Iesu wrth iddo ddweud y geiriau a geir ar ddechrau'r chweched bennod yn Efengyl Mathew.

Darllenydd: 'Cymerwch ofal i beidio â chyflawni eich dyletswyddau crefyddol o flaen dynion, er mwyn cael eich gweld ganddynt; os gwnewch, nid oes gwobr i chwi gan eich Tad, yr hwn sydd yn y nefoedd. Felly, pan fyddi'n rhoi elusen paid â chanu utgorn o'th flaen, fel y mae'r rhagrithwyr yn gwneud yn y synagogau ac yn yr heolydd er mwyn cael eu canmol gan ddynion.'

(Sŵn utgorn yn y pellter. Sŵn curo wrth ddrws.)

Cyflwynydd: Dowch i mewn!

Porthor: Esgusodwch fi, Mr Jones, ond mae yna ddyn tu allan yma yn gofyn a gaiff ddod i mewn i'r stiwdio.

Cyflwynydd: Beth yw ei enw fe?

Porthor: Wel, Mr Caredig mae'n ei alw'i hunan, ac mae'n dweud eich bod chi, siŵr o fod, yn ei nabod e.

Cyflwynydd: O'r gore, dwedwch wrtho am ddod i mewn.

Porthor: Mr Caredig, ffordd yma. Ewch i mewn.

Caredig: Diolch yn fawr. Mr Cyflwynydd, a gaf i fy nghyflwyno fy hunan *(sŵn utgorn)*: fi ydi Mr Caredig, y dyngarwr cyhoeddus.

Cyflwynydd: Bore da i chi. Ond beth yw ystyr rhywbeth fel hyn, yn gwthio'ch hunan i mewn i raglen radio?

Caredig: Mae gen i waith dyngarol eisiau ei wneud y bore yma. Rwy am arwyddo ychydig o sieciau.

Cyflwynydd: Ond fe allech chi wneud hynny adre, neu yn y banc.

Caredig: Beth ydych chi'n feddwl? Eu sgrifennu nhw'n ddistaw mewn cornel yn rhywle heb neb yn fy nghlywed i? Does dim pwrpas yn y byd i beth felly, gyfaill.

Cyflwynydd: Dŷch chi ddim yn cofio'r adnod: pan fyddi di'n rhoi elusen, paid â gadael i'th law chwith wybod beth y mae dy law dde yn ei wneud?

Caredig: O! Does gan yr adnod yna ddim a wnelo â mi. Yn un peth, â llaw chwith y bydda i'n arwyddo siec. A pheth arall, siarad â Phariseaid oedd Iesu fan yna, ac roedd digon o eisiau dweud wrth y rheini sut y dylen nhw ymddwyn. Ond dyna ni, nid dod yma i siarad wnes i ond i weithredu. (*Sŵn utgorn*) Beth yw'r dyddiad, dwedwch? Gorffennaf y nawfed ar hugain. Dyna un siec. (*Sŵn utgorn*) A thra fy mod i yma, un arall: i'r Genhadaeth, deg punt. W. J. Caredig. Cymorth Cristnogol, ugain punt, W. J. Caredig. (*Sŵn utgorn*).

Wel, diolch yn fawr, Mr Cyflwynydd. Dwi ddim yn selog, dwi ddim yn santaidd, ond rwy yn (*sŵn utgorn*) garedig. Mi ddof i yma eto ryw ddydd pan fydd gen i ryw gymwynas eisiau ei chyhoeddi. Yn wir, unrhyw bryd y medra i gael cynulleidfa fawr fel hyn ar y radio fe fydda i yn (*sŵn utgorn*) garedig.

22 Gorffennaf 1976

Gweld ein hunain

Cyflwynydd: Yn ystod y dyddiau diwethaf yma fe gawsom ni gyfle i atgoffa'n hunain am un neu ddwy o wersi'r Testament Newydd mewn damhegion. A'r bore yma yr ydym wedi gwahodd i'r stiwdio ddau arbenigwr ar y damhegion, yn eu ffordd eu hunain. I lawr yn y stiwdio yng Nghaerdydd y mae Miss Valmai Catrin Ore, neu fel y bydd yr enw yn ymddangos yn *Y Tyst* weithiau, V. C. Ore. Ac yma gyda mi yn y stiwdio ym Mangor y mae Mr Edward Feiriol, neu fel y bydd ei ffrindiau yn ei alw, Edi, Mr Edi Feiriol. Bore da, Edi, a chroeso i'r rhaglen.

Edi. Bore da.

Cyflwynydd: Ond rwy'n credu y dechreuwn ni lawr fanna gyda chi yng Nghaerdydd. Rwy'n gobeithio eich bod chi yn ein clywed ni, Caerdydd?

Miss Ore: Ydan, yn iawn.

Cyflwynydd: A! dyna ni, mae Miss Ore wedi cyrraedd, mae'n amlwg. Bore da i chi, Valmai, a chroeso i chithau i'r rhaglen.

Miss Ore: Bore da. Gyda llaw, Miss Ore yw'r enw.

Cyflwynydd: Wel, a gaf i ofyn i chi yn gynta, Miss Ore, fel darlithydd mewn damhegion, beth yw eich adwaith chi i berfformio'r damhegion yma ar raglen radio a'r ymgais i roi rhyw wedd gyfoes arnyn nhw?

Miss Ore: Rwy'n credu ei fod o'n syniad da iawn. Wrth gwrs, rwy i wedi meddwl am y dull yma ers blynyddoedd, ond rwy'n falch gweld fod rhyw gynhyrchydd bach o'r diwedd wedi cydio yn fy syniad i. Dach chi'n gweld, roedd hi'n hen bryd i'r werin gael sylweddoli pwynt y damhegion yma. Wrth eu gwneud nhw fel hyn mae eu neges nhw yn fwy byw iddyn nhw. Mae angen dangos i bechaduriaid mor bechadurus ydyn nhw. Mae'n rhaid dysgu iddyn nhw adnabod eu pechod eu hunain. Y drwg ydi nad ydyn nhw ddim yn ei weld o am ei fod o'n rhy agos atyn nhw. Mae'r gweddill ohonom ni, diolch i Dduw, yn gwneud ein gorau. Rwy o hyd yn pwysleisio yn fy narlithoedd yr agwedd yna ar ddallineb ysbrydol pobol, pobol sy'n hunanol, yn gas ac anfoesol, neu fel fy nghymdogion i yma yng Nghaerdydd. Rwy'n sgrifennu erthygl ar y peth ddwywaith yr wythnos, ac rwy'n aberthu cymaint oll ag a feddaf o amser i gyhoeddi llyfr ar y pwnc.

Cyflwynydd: Diolch yn fawr, Miss Ore. Nawr beth amdanoch chi, Edi?

Edi: Mae'n ddrwg iawn gen i, ond alla i ddim mynd ymlaen â'r drafodaeth yma. Mae'n ddrwg gen i os ydw i'n sbwylio'ch rhaglen chi.

Cyflwynydd: Beth sy'n bod, Edi?

Edi: Does dim byd lawer alla i ei ddweud, oes e? Fe allwch chi ddychmygu sut ydw i'n teimlo. Meddyliwch chi sut fyddech chi'n teimlo tasech chi yn fy lle i.

Cyflwynydd: Beth wyt ti'n ei feddwl, Edi?

Edi: Rwy wedi sylweddoli ers deuddydd eich bod chi wedi seilio'r damhegion yma i gyd ar fy mhechodau i. Bob bore rŷch chi wedi pigo ar ryw fai sydd ynof i.

Cyflwynydd: Paid â chymryd y peth mor bersonol, Edi.

Edi: Sut alla i beidio? Mae'r sgwrs yma'r bore yma wedi codi cywilydd gwirioneddol arna i. Dwi ddim yn beio neb ond fi'n hunan, ond rwy fel tawn i wedi cael fy ngyrru yma'r bore yma i wneud i mi deimlo'n fach yn gyhoeddus. Yr unig beth rwy'n ei ofyn i chi, byddwch yn drugarog wrtha i a gadwch i mi fynd gartre.

Cyflwynydd: Aeth Edi Feiriol i waered i'w dŷ wedi ei gyfiawnhau.

23 Gorffennaf 1976

Iesu Cuddiedig

Rai dyddiau yn ôl fe ddarllenais am actores yn cyrraedd maes awyr Heathrow. Roedd ei hasiant hi wedi gofalu hysbysu'r wasg a'r cyfryngau i gyd ei bod hi'n dod. Fe ofalwyd y byddai erthyglau yr wythnos cynt yn paratoi Lloegr gyfan ar gyfer ei dyfodiad. Fe ddaeth. Eithr dim ond tri ffotograffydd oedd yno, heb un camera teledu yn agos i'r lle. Mae'n debyg iddi gael gwaith i atal y dagrau.

Mae bywyd yn fethiant heb gyhoeddusrwydd i'r rhai sy'n byw ar gyhoeddusrwydd. Mae byd heb gynulleidfa yn fyd diffaith i'r rhai sy'n dibynnu ar dyrfa. Mae agwedd Iesu at y dyrfa yn newid o le i le. Ar brydiau byddai'n barod iawn i'w hwynebu. Mewn un man, fe ddywedir ei fod yn tosturio wrthyn nhw. Mewn man arall, ymddengys ei fod yn ddigon parod ar eu cyfer, ond am gael cwch yn barod rhag ofn i'r wasgfa fynd yn ormod. Ond nid oedd ei waith yn dibynnu ar ei boblogrwydd.

Nid llif teyrngedau pobol oedd yn ei gynnal. Sylwais yn ystod yr haf eleni, er bod dyfroedd afon Ogwen ac afon Cegin yn llifo'n isel, wnaeth hynny ddim mennu dim ar y môr yn Hirael. Codai'r llanw i'r un man ag arfer bob dydd.

Mae'r iachawdwriaeth fel y môr
yn chwyddo byth i'r lan . . .

Yn aml dymunai Iesu encilio. Un tro aeth i dŷ yng nghyffiniau Tyrus, 'ac ni fynnai i neb wybod'. Ond yn y fan honno ni lwyddodd i ymguddio (Marc 7:24).

Dyna gyferbyniad gyda Chymru heddiw! Heddiw mae ganddo ddigonedd o fannau lle medrwn ni ei guddio. Yn ein heglwysi ni, y tu ôl i'n muriau a'n drysau ni, fe gadwn ni Iesu'n guddiedig. Yn ein calonnau ni mae gennym ddigonedd o guddfeydd a chilfachau tywyll i'w gadw'n guddiedig. Hyd yn oed os daeth 'i'n calon i fyw', fe gaiff fyw yno yn guddiedig fel petai ei bresenoldeb yn embaras mawr i ni. Clod i bobol Tyrus am ofalu na allai Iesu fod yn guddiedig yno.

3 Hydref 1976

Dyffryn y Penderfynu

Mae yna gymaint o bethau yn cael eu penderfynu drosom y dyddiau hyn, gan Lundain neu Frwsel, nes i ni droi'n greaduriaid ansicir yn wyneb penderfyniadau personol bywyd. Dywedir pryd y dylai baban gael ei imiwneiddio, pryd y dylai fynd i'r ysgol, ac i ba ysgol y dylai fynd, pa goleg, pa alwedigaeth a phle y dylai fyw i ateb yr alwedigaeth honno. Dywedir pryd y dylem ymddeol a phryd y dylem ildio i fynd i gartre henoed. Efallai fod hyn i gyd yn rhoi trefn ar gymdeithas, ond gall greu anhrefn annioddefol yng nghyflwr seicolegol yr unigolyn.

Os coridorau di-ddrysau yw llwybrau bywyd, cam bach yw hi wedyn i esgusodi'r ymddygiad rhyfedda. Fe ddwedwn nad oes bai ar neb am ei gamwri. Fel yna y'i cyflyrwyd, druan bach, gan amgylchiadau bywyd.

Un o ffeithiau diymwad bywyd yw fod drysau posibiliadau o hyd ynddo. Yn wir, mae yna groesffyrdd o'n blaenau dro ar ôl tro. Fe sonnir am un groesffordd fawr dyngedfennol, a thorfeydd yn ei hwynebu hi yn 'nyffryn y penderfynu' (Joel 3:14).

Un dre a fu'n broblem ddifrifol i mi oedd yr Wyddgrug. Mae ei ffyrdd yn arwain i mewn i un sgwâr, a'r ffyrdd, ar y sgwâr beth bynnag, yn ymddangos mor debyg i'w gilydd. Lawer gwaith y cyrhaeddais y sgwâr yna a throi, mi debygwn, i'r ffordd iawn nes sylweddoli ymhen rhai llathenni 'mod i wedi ei cholli hi. Troi'n ôl a cheisio ffordd arall. Gweld wedyn nad honno oedd hi. Pa sawl gwaith y trois i'r ddwy anghywir a throi'n ôl cyn darganfod y drydedd a'r ffordd iawn! Roedd hi'n rhaid imi ddod yn ôl i'r sgwâr bob tro i weld fy nghyfeiriad.

Bydd dod yn ôl i oedfa dro ar ôl tro fel dod yn ôl i groesffordd, yn gyfle i ni ailgychwyn. Dr Tudur Jones gyfeiriodd mewn cwrdd paratoad y noson o'r blaen at hanes William Pritchard, Glasfrynfawr, Llangybi. Hwnnw'n mynd am adre o'r dafarn ar nos Sul ac yn colli ei ffordd. Gwelodd o'r diwedd olau mewn ffenest, a deall mai ger Pencaenewydd yr oedd, cartre Francis Evans. Felly troes i gyfeiriad Glasfrynfawr debygai, gan ei fod yn hollol gyfarwydd â'r ffordd. Drysu wedyn, ac ymhen amser gweld golau, a sylweddoli ei fod eto ger Pencaenewydd. Cynnig arni'r drydedd waith, a'r drydedd waith drysu'n llwyr, fel na allai wneud dim ond chwilio am olau. Gweld golau mewn ffenest, a sylweddoli eto ei fod yn ôl ger Pencaenewydd. Yn ei benbleth lwyr mentrodd at y ffenest, a gweld Francis Evans a'r Beibl ar y ford o'i flaen yn darllen Mathew pennod 25. Wedyn gwelai Francis Evans a'i deulu yn mynd ar eu gliniau. Gwrandawodd William Pritchard ar y weddi, a rhyfeddu o'i glywed yn gweddïo dros ei deulu a thros ei gymdogion ar i Dduw eu dychwelyd.

Cychwynnodd tuag adre a chael y llwybr yn hollol glir o'i flaen. Ond roedd yn llawn cywilydd am fod ganddo yntau deulu ond heb weddïo gyda hwy erioed. Ac roedd yna lwybr arall drwy edifeirwch wedi agor o'i flaen bellach, am iddo droi yn ôl at y golau i gael ailgychwyn ei ffordd 'tuag adre'.

10 Hydref 1976

Y Gân yn y Beudy

Mae yna adnod ryfedd yn Salm 118 sy'n cyplysu dau beth hollol wahanol. 'Yr Arglwydd yw fy nerth a'm cân.' Mae nerth yn ymddangos mor hanfodol mewn bywyd. Beth sy'n mynd i achub Prydain yn economaidd? Ynni. Nerth mewn olew a nwy. Gofynnwch i glaf yn ei wendid beth sy'n hanfodol iddo yntau, a'i ateb fyddai, nerth.

Nid felly cân. Rhan o addurn bywyd yw cân. Does dim defnydd iddi ond i'r ychydig sy'n medru gwneud bywoliaeth ohoni. Bydd ambell gyfnod mewn bywyd pan fydd y pethau diddefnydd yn cael eu dibrisio, a chyfnodau eraill pan fyddan nhw yn cael eu gorbrisio. Anodd cael cydbwysedd, am ein bod yn mynnu rhannu bywyd yn bethau defnyddiol ar y naill law a chelfyddyd gain ar y llaw arall. Y mae yna wareiddiadau wedi bod lle byddai'r ddau gategori'n cael eu dwyn yn nes at ei gilydd. Siâp llestr yn lluniaidd am fod y llestr wedi ei berffeithio i ddefnydd. Ar y llaw arall, unwaith yr ysgarwch chi'r ddau, y defnydd a'r harddwch, yna bydd celfyddyd yn cychwyn ar y daith i ddifancoll diystyr, dibwrpas ac abswrd.

Pan ddaw'r eglwys yn ôl i weithio'n rymus ym mywydau ac eneidiau Cymru, fe ddaw'r mawl yn ôl hefyd i'n calonnau. Fe welais yn gynnar berthynas rhwng y nerth a'r gân. Roedd Mam yn un am ganu wrth ei gwaith. Ond pan oeddwn i'n blentyn fe gafodd waeledd difrifol. Wedi iddi ddod yn ôl o'r ysbyty, a dechrau cryfhau, fe fentrodd yn raddol yn ôl at y gwaith. Ond anghofia i ddim o'r wefr a deimlais i yn fy nghalon, adeg godro un diwrnod, o'i chlywed yn canu emyn yn y beudy. Drwy nosau tywyll ei gwaeledd roedd y gân wedi bod ynghwsg yn ei chalon o hyd. Yna daeth y nerth yn ôl, a dihunwyd y gân.

9 Ionawr 1977

Cynulleidfa o Un

Byddwn fel pregethwyr bellach yn gyfarwydd â chynulleidfaoedd bychain. Mae hynny'n gofyn am fwy o ddidwylledd a llai o ddawn perfformio. Yn ei lyfr *Purdeb Calon* y mae Kierkegaard, yn ei ddeuddegfed bennod, yn cymharu addoliad â theatr. Y duedd, meddai, yw meddwl mai'r pregethwr yw'r actor a Duw yn y cefn yn rhywle bron fel cofweinydd. Y gwir am oedfa yw mai'r pregethwr yw'r cofweinydd, y gynulleidfa yw'r actorion a Duw yw'r gynulleidfa. Felly yr oedfa ddelfrydol yw honno lle gwelwn mai Un sydd yn y gynulleidfa.

Gwyddai Kierkegaard yn iawn fod 'actio' gerbron Duw yn hollol wahanol i actio gerbron pobol. Actio er mwyn cynulleidfa cymdeithas a wnâi'r Phariseaid yn ôl Iesu. Dywedent yn gyhoeddus, 'I Dduw y bo'r gogoniant,' tra dywedent yn ddirgel, 'I mi y bo'r clod.' Parodïent eu crefydd yng ngolwg pobol fel petaen nhw'n chwarae mewn drama, gan fyw ar gael cymeradwyaeth y dorf. Mae'r actio cymdeithasol hwn yn demtasiwn i ni ym mhob oes.

Mae gan George Orwell yn ei lyfr, *Down and Out in Paris and London*, un darn lle mae'n sôn am actio mewn swydd gyffredin. Disgrifia aflendid cegin y gwesty lle gweithiai, a'r cyferbyniad ag ysblander a glendid yr ystafell fwyta. Ond ni welai'r cwsmeriaid fryntni'r gegin.

> It is an instructive sight to see a waiter going into a hotel dining-room. As he passes the door a sudden change comes over him. The set of his shoulders alters; all the dirt and hurry and irritation have dropped off in an instant. He glides over the carpet, with a solemn priest-like air. I remember our assistant *maître d'hôtel*, a fiery Italian, pausing at the dining-room door to address an apprentice who had broken a bottle of wine. Shaking his fist above his head he yelled (luckily the door was more or less soundproof):
>
> '*Tu me fais* – Do you call yourself a waiter, you young bastard? You a waiter! You're not fit to scrub floors in the brothel your mother came from. *Maquereau*!'

> Then he entered the dining-room and sailed across it, dish in hand, graceful as a swan. Ten seconds later he was bowing reverently to a customer. And you could not help thinking, as you saw him bow and smile, with that benign smile of the trained waiter, that the customer was put to shame by having such an aristocrat to serve him.

Dyna ddarlun ein ffugio cyhoeddus ni, a dyna paham y dywedodd Iesu y byddai'n dda i ni fynd i mewn i'n hystafell (Mathew 6:6) er mwyn siarad â Duw, lle nad oes unrhyw bwrpas bod yn berfformiwr.

20 Chwefror 1977

Wcráin ym Manceinion

Wedi darllen erthygl am garfan o deuluoedd alltud ym Manceinion, a chyfeiriad atyn nhw ar y radio

Pobol wahanol iawn i'w cymdogion yw'r rhain. Maent yn siarad Saesneg ag acen Manceinion. Maent yn siopa yn siopau Manceinion, ac yn anfon eu plant i ysgolion y ddinas fel pawb arall. Ar y stryd ac yn y farchnad byddant yn byw yn ôl arfer Manceinion.

Ar yr aelwyd y maen nhw yn Wcráin. Siarad iaith Wcráin fyddan nhw yno, a byw yn ôl arferion Wcráin. Doedd gan y gohebydd o Sais ddim syniad pam y mynnent fyw felly mewn dau fyd. Un rheswm syml yw eu bod yn gobeithio ryw ddiwrnod gael mynd yn ôl i Wcráin i fyw.

Dyn dieithr ydwyf yma,
draw mae 'ngenedigol wlad . . .

Ni allai'r gohebydd weld pam y mynnent lynu wrth freuddwyd na ddeuai fyth yn wir, gan eu hamddifadu eu hunain o gyfle i fyw bywyd llawn, hynny yw, bywyd Seisnig!

Y mae ganddynt hwy fywyd mewn dau ddimensiwn, dau ddiwylliant a dwy lefel. Pobol debyg i'r Cristnogion cynnar a wyddai eu bod yn ddinasyddion Rhufain, ac eto, '. . . yn y nefoedd y mae ein dinasyddiaeth ni' (Philipiaid 3:20). Y gamp yw byw mewn un lle a gwybod eu bod yn perthyn i le arall. Clywsom am Gymry Cymraeg yn Llundain yn dweud wrth gyrraedd iet ffrynt y tŷ gyda'r hwyr, 'Dyma lle mae Lloegr yn dod i ben a Chymru'n dechrau.'

Y mae ganddynt hwythau eu huchelwyliau, rhywbeth tebyg i'r Eisteddfod Genedlaethol i ni, lle y bydd pawb yn siarad iaith Wcráin. Cynhadledd gyfan heb ddim i'w weld na'i glywed ond Wcráin. Ar yr adegau hynny byddant yn gweld y tir pell.

Dyna ddelfryd yr oedfa. Er ein bod yn gorfod byw ar lefel faterol ein Manceinion fawr ni bob dydd, pan fyddwn ni yn yr oedfa yng nghwmni'n gilydd byddwn yn trigo mewn darn o'r Deyrnas dragwyddol.

2 Hydref 1977

Yn Ymyl y Groes

Mae yna gerdd gan R. S. Thomas, 'The Musician', lle mae'n sôn amdano'n gwrando ar Fritz Kreisler. Roedd y seddau i gyd wedi eu bachu, ac yntau wedi ei wthio gyda rhai eraill i'r llwyfan.

> So near that I could see the toil
> of his face muscles, a pulse like a moth
> fluttering under the fine skin . . .

Buom yn gwrando, meddai, a gweld y person hwn yn dioddef yn hardd drosom ar ei offeryn. Ac felly yr oedd hi ar Galfaria i'r rhai oedd yn agos. Ac yn nes na neb, Duw yno'n gwrando.

Y mae Ioan 19:25, 'Yn ymyl croes Iesu yr oedd ei fam ef yn sefyll gyda'i chwaer . . .' yn awgrymu fod yna dyrfa yn edrych o bell. Fel hynny y gwelwn ni Galfaria, fel petai yn y pellter draw ar lwyfan, a ninnau a'r gymdeithas a'r byd a'r oesoedd i gyd yn y gynulleidfa. Clywn adrodd yr hanes, o bell. Deallwn amdano, o bell. Dysgu am ystyr ei farw, o bell. Ond ryw ddiwrnod, am ryw reswm fe gawn ein gwthio i'r llwyfan.

Rhai fel y milwyr wedi eu gwthio i hoelio'i ddwylo a'i draed a'i godi i waedu ar y groes. Theori dyn heddiw am drais yw y dylech ei ddangos yn ei holl erchylltra er mwyn i bawb ymateb yn ei erbyn a'i wrthod. Eto nid felly y mae hi'n digwydd. Un milwr yn unig y sonnir amdano'n ymateb yn y modd hwnnw.

Rhai wedi eu gwthio i gyd-ddioddef. Bydd hyn yn digwydd o dro i dro ym mherthynas cymdeithas a'i chrefydd. Pan ddaw caledi, meddem, fe ddaw pobol yn ôl at grefydd. Fe all ddigwydd weithiau ond nid bob tro. Fe all artaith droi un lleidr i wawdio a'r llall i weddïo. Fe all afiechyd dwys droi'r naill yn sinic a'r llall yn sant.

Eithr caiff rhai ohonom ein gwthio at ymyl ei groes am mai ni yw ei deulu. Yma yr ydym, am i ni gael ein galw yn deulu Duw. Diddorol yw gweld mai'r rhai oedd gydag ef yn nyfnder ei ddioddef oedd y rhai a welodd y bedd gwag.

5 Chwefror 1978

REFFARÎ

Mae hi wedi bod yn drai a llanw ym mhoblogrwydd y reffarî. Slawer dydd medrem ddod i ben â hi yn iawn hebddo. Yr adeg pan wnâi cotiau y tro fel pyst gôl, a nifer y chwaraewyr heb fod o dragwyddol bwys. Wedyn fe ddaeth adeg y byddai'n rhaid cael reffarî. 'Un i dorri'r ddadl rhyngom,' chwedl Job 9:33. Daeth hwnnw â'i drefn a'i lyfr a'i whît. Bu'n rhaid cael *umpire*, ac wedyn ombwdsman a phob math o ganolwyr eraill fel polîs rhyngom ni a'n gilydd.

Y datblygiad nesaf yn hanes y reffarî oedd iddo ddod yn gyff gwawd, yn ddirmygedig. Cefnogwyr y teras yn gweiddi ar y reffarî. Camerâu teledu a sylwebyddion yn dangos camwri'r *umpire*, a chynghorau'n dilorni'r ombwdsman.

Sylweddolir wedyn fod yn rhaid cael rhywun yn y canol, ac felly yn ôl wedyn â ni i chwilio drachefn am reffarî. Y ddelfryd, meddem, yw cael reffarî cwbwl ddi-dwyll, di-blaid, diduedd. Ond anodd cael neb meidrol i ffitio'r gofyn arbennig yna. Nid am hynny y gofynnai Job yn ei ddadl fawr gyda Duw, eithr am un 'i osod ei law arnom ein dau'. Gofyn aruthrol o fawr yw am i rywun arestio Duw, a dod â Duw i'r llys. Eto, dyna'n union y waedd a glywir o waelod calon yr unigolyn sydd yn nyfnderoedd ei drallod. Yr un sy'n argyhoeddedig fod Duw wedi bod yn annheg o greulon tuag ato.

Wedi cyrraedd y sefyllfa arteithiol honno, fe ddaeth rhai i weld nad arestio yw ystyr y geiriau 'gosod ei law arnom', eithr yn hytrach un i sefyll yn y canol rhwng Duw a dyn a all gyffwrdd â'r ddau. Pwy arall ond y Cyfryngwr, a estynnodd 'ei ddwylo pur ar led' i gyffwrdd â Duw ac â dyn ar ei groes. Y reffarî a droes yn Waredwr.

Mae'r Iesu'n dod o oes i oes
drwy'r cenedlaethau i gyd;
fy ffydd a ŵyr mai Iesu'r Farn
yw Iesu'r cariad drud.

26 Chwefror 1978

Cariad yn Wreiddyn

Anerchiad priodas Dafydd a Delyth yn Eglwys Cana, Bancyfelin

Mae'r bennod adnabyddus am gariad, 1 Corinthiaid 13, yn sôn am bethau rhagorol y gallech eu gwneud mewn bywyd. Maent i gyd yn ofer heb gariad, ond gyda chariad fe all y gweithredoedd eraill i gyd ddod yn fyw. Mae Paul yn Effesiaid 3:17 yn dweud fod cariad yn wreiddyn. Mewn geiriau eraill mae'n awgrymu fod cariad yn wreiddyn y rhinweddau eraill i gyd.

Rwy'n cofio, wedi gwerthu'r eiddo ar fferm eu hen gartre yn y Terfyn, Meri Esau a'i gŵr Griff yn cario rhai pethau i'w tŷ yn y dre, ac yn eu plith wreiddyn un planhigyn arbennig er mwyn ei blannu yn eu gardd. Wrth i chi eich dau sefydlu cartre newydd, ewch â gwreiddyn cariad eich carwriaeth gyda chi yno. Mae'n wreiddyn a fydd yn siŵr o gydio gydag ychydig o ofal. Dangoswch ofal am eich gilydd o'r dechrau. Dechreuwch arfer aberthu er mwyn eich gilydd. Rhowch faeth cyson iddo yn y cyfnod cynta er mwyn i'r gwreiddyn gydio yn nhir eich perthynas â'ch gilydd.

Os bydd wedi cydio, bydd yn siŵr o dyfu. Bydd yn tyfu yn yr haf yn ei frigau newydd a'i ddail newydd. Ac os bydd yn tyfu yn yr haf bydd yn siŵr o dyfu yn y gaeaf, nid yn yr amlwg efallai ond yn y dyfnder. Bydd yn tyfu yn ei gadernid y pryd hwnnw. Fe welwch chithau dyfiant a llewyrch pan fydd eich bywyd chi yn heulwen i gyd. Gobeithio y sylweddolwch chi hefyd fel y gall eich cariad chi gryfhau a chynyddu yn stormydd eich gaeafau.

Os bydd yn tyfu fe ddaw'n wreiddyn i'w rannu. Fe ddaw cenhedlaeth newydd gobeithio, a bydd cenhedlaeth wedyn yn medru rhannu â chenhedlaeth. Flynyddoedd yn ôl, bu eich mam chi, Delyth, yn sefyll fan hyn mewn priodas. Ryw ddiwrnod efallai y byddwch chi yn eistedd yn ôl fanna lle mae'ch mam, a'ch plentyn efallai yn sefyll mewn lle fel hwn. Os byddwch chi wedi rhannu gwreiddyn cariad i'ch plant, dyna fendith fydd gweld plannu gwreiddyn yr un cariad yn eu bywyd priodasol nhw.

O ble y daeth y gwreiddyn hwn, a beth sy'n ei gadw'n fyw yn naear ein calonnau? Does dim rhaid imi ddweud wrth y ddau ohonoch chi mai gwreiddyn o ardd Duw yw hwn. Daear Duw a roes fod iddo, cawodydd gras Duw yng Nghrist fydd yn ei gynnal i wneud eich bywyd chi eich dau yn goeden hardd.

> Gwna fi fel pren planedig, O fy Nuw,
> yn ir ar lan afonydd dyfroedd byw,
> yn gwreiddio ar led, a'i ddail heb wywo mwy,
> yn ffrwytho dan gawodydd dwyfol glwy.

18 Mawrth 1978

Dim ond Llieiniau

Cerdd drist iawn yw honno i'r hen dŷ gwag gan T. Llew Jones, lle mae'n

> Mynd drwy'r 'stafelloedd o un i un
> a'u cael yn foel a di-drefn . . .

Mae'n gweiddi, 'Oes 'na rywun i mewn?' heb neb yn ateb ond yr adlais. Mewn tŷ lle bydd yna deulu cyfarwydd iawn y byddwn ni mor feiddgar â gwneud hynny, ac felly mae'r diffyg ateb yn mynegi hiraeth dyfnach am drigolion yr hen dŷ.

Fe wyddom oll am brofiad mynd i mewn i aelwyd gyfarwydd a gweld cadair wag. Mae honno'n llefaru mwy na phetai'r gadair â rhywun ynddi. Mi wn am ambell ysgytwad a gefais yn Ysbyty Môn ac Arfon yn cerdded i ystafell a chael y gwely'n wag.

Yma fe ddaeth y cyfan fel sioc i Pedr a pheri dryswch iddo, nad oedd dim ar ôl ond y llieiniau. Ymddengys mai dyna oedd ymateb cynta'r disgyblion. Ofn a dryswch fod rhywun wedi dwyn Iesu, heb ddim ar ôl ond yr allanolion.

Ai dyna fyddai profiad rhyw Bedr o gredadun a ddeuai i Fangor heddiw? Byddai'n gwybod i Iesu rodio daear Cymru yng ngrym yr Ysbryd, gan danio calonnau a newid bywydau, iacháu a dysgu'n rymus. Eithr ni welai ddim bellach ar y stryd ond Penuel a Thŵr-gwyn a Phendre, a meddwl tybed ai'r allanolion difywyd yw'r rhain? Ai defodau difywyd yw'r emyn a'r weddi a'r bregeth, a'r rheini heb anadl einioes ynddynt ar gyfer y genhedlaeth newydd?

Mae yna bosibilrwydd bellach na thaflwyd lliain y bedd, ac mai hynny a welir yn awr yn Turin. Os hynny, diolch i bwy bynnag a gadwodd yr hen liain y dyddiau cyntaf hynny ac wedyn drwy'r canrifoedd tywyll. Mae'n rhyfedd ar un olwg nad oes gair o sôn am y lliain yn Llyfr yr Actau neu yn llyfrau'r eglwys fore. Os Amdo Turin yw'r lliain, diolch am ei gadw, oherwydd fe all droi yn ysbrydoliaeth i rywrai. Dros bont y canrifoedd fe all fod yn ganllaw i eneidiau. Diolch i bawb a feddyliodd am gadw oedfa yn ddiogel, a chadw'r emyn a'r defodau drwy'r blynyddoedd tywyll, oherwydd fe all y rheini eto fod yn ganllaw i eneidiau.

Peidiwn, serch hynny, â galaru gormod uwchben y llieiniau. Yn fuan iawn fe ddaeth Pedr i sylweddoli arwyddocâd y 'gweld dim ond y llieiniau' (Luc 24:12) mewn bedd gwag. Gyda hyn, fe fyddai'r Iesu byw atgyfodedig yn dod i oedfa'r oruwchystafell, yn dod ar alwad y gweddïau. Felly, fe allwn ni faddau i'r disgyblion a'r gwragedd ac awdur Llyfr yr Actau iddynt anghofio'n llwyr am y llieiniau wedi cael Iesu yn ôl. Yr oedd y Person byw yn ôl yn eu plith.

26 Mawrth 1978

Y Gweiddi Ofer

Fe ddywedir mai'r hyn sy'n cyffroi anifeiliaid yw clywed un o'u rhywogaeth yn gweiddi mewn trallod. Mae hynny'n wir am ddyn. Mewn byd llawn sŵn dyw'r dadwrdd mwyaf yn tarfu dim arnom. Fe glywn awyren yn rhuo'n isel uwchben nes crynu'r tŷ, yna fe'i hanghofir. Ond cerddwch heibio i ystafell claf yn gweiddi yn ei boen, ac fe fydd hynny'n gafael yn eich calon chi. Yn wir, mae yna floeddiadau mawr wedi rhwygo o enau dyn dros y canrifoedd, heb neb fel petai yn gwrando, heb sôn am ymateb.

Gwelwn waedd ddi-sŵn fwyaf erchyll yr ugeinfed ganrif yn Guernica. Mae'r llun brawychus hwnnw gan Picasso yn mynegi dychrynfeydd y dre a ddarniwyd gan awyrennau'r Natsïaid. Mae llun yr ymosod yn symbolau yn y darlun. Yr arteithiau tân yn cael eu poeri i lawr o'r awyr. Yna yn nwy ochr y llun, pennau wedi eu troi i fyny mewn arswyd, a'u cegau ar agor fel pe'n gweiddi eu protest groch yn erbyn y gelyn. Fe ddifrodwyd y lle a'i bobol. Gwaedd mewn arswyd oedd hi, a'r waedd yn ofer.

Gwaedd mewn angen sydd gan Dewi Emrys yn ei gerdd i Bwllderi.

> A chithe'n meddwl am nosweth ofnadwi,
> A'r morwr, druan o'r graig yn gweiddi –
> Yn gweiddi, yn gweiddi, a neb yn aped
> A dim ond hen adarn y graig yn clŵed;
> A'r hen girillod, fel haid o gythreilied
> Yn disgwyl i'r gole fynd mas o'i liged.

Dyw gwaedd eich angen ddim bob amser yn cael ei hateb. Fe ellwch weiddi o'ch cyfyngder ar ddyn neu Dduw, ond bydd y byd yn swnio'n wag, fel Pwllderi. Yr unig ateb fydd adlais eich gwaedd hyd y graig. Y waedd yn ofer.

Mae dyn bellach yn gweiddi i'r gwagle. Bydd gwyddonwyr yn anfon negeseuon allan i'r gofod, i weld a ddaw ateb o ryw fyd arall rywle yn y gwagle. Lluchio negeseuon i'r gwynt, fel petai, heb ddim yn dod yn ôl. Bydd rhai yn barod iawn i'n cyhuddo ni, ffyliaid ffydd, a chyhuddo saint y canrifoedd a'u gweddïau dwys. Fe'n cyhuddir ni mai taflu gweddïau i'r gwagle a wnawn ni, heb obaith byth y daw yna ateb yn ôl.

Ond y mae hynny yn croes-ddweud tystiolaeth yr oesoedd; 'Y dydd y llefais y'm gwrandewaist' (Salm 138:3), dyna dystiolaeth un ohonyn nhw. A byddai'n hawdd i chi gael dau, a phedwar, a chant a channoedd a miloedd a miliynau, i gyd yn un côr yn canu mawl i'r Duw sy'n gwrando ac wedi ateb eu gweddïau hwy.

23 Ebrill 1978

Yr Ysgrifen na Ellir mo'i Dileu

Pan oeddwn i gynt yn gorfod cofnodi priodasau byddwn mewn ofn a dychryn wrth feddwl am ddefnyddio'r inc annileadwy yna ar y llyfrau cofrestru. Roedd yr inc hwnnw yn bwyta i mewn i'r papur i adael ei ôl yn barhaol. Un gwall, ac fe fyddai yno am byth.

Roedd tad y Parchedig Meurwyn Williams yn saer maen celfydd. Rwy'n cofio'i wylio unwaith yn ei weithdy ym Mrynaman yn paratoi ar gyfer torri enw ar garreg fedd, a gwyliwn y gofal a gymerai, ar bapur i ddechrau, i wneud yn siŵr fod maint a lleoliad y llythrennau'n gymwys. 'Mae'r deunydd sy gyda chi yn y marmor yma,' meddai, 'yn rhy werthfawr i gamgymeriadau.'

Sylweddolais wedyn y meini yr oeddwn i wedi ysgrifennu arnyn nhw ag ysgrifen na allwn i byth mo'i dileu. Ysgrifennais yn fy nhro lawer mewn atgofion na allaf bellach eu croesi allan. Yn anffodus, pan edrychaf ar faen y cof, y camgymeriadau sydd bob tro yn amlwg ac yn taro fy llygad. Gweld y gwallau, y ffolinebau sy'n gwneud imi wrido. Mi fûm yn ysgrifennu wedyn ar fywydau pobol eraill. Dyna feini rhy werthfawr i gamgymeriadau. Mi wnes fy siâr o gamgymeriadau yn y mannau hynny hefyd, gwaetha'r modd, a'r dylanwadau cam yn aros yno am byth.

Doedd hi ddim yn rhyfedd i Peilat ddweud, 'Yr hyn a ysgrifennais a ysgrifennais.' Wrth gwrs, fel pob gwleidydd arall, ni fyddai byth am newid ei feddwl na chydnabod camgymeriad yn gyhoeddus. Fodd bynnag, mae ystyron dyfnach o lawer i'w eiriau. Ni all fyth ddadwneud yr hyn a wnaeth y dydd Gwener hwnnw.

Yn ddyfnach a dwysach na hynny, ysgrifennwyd mewn un digwyddiad ar Galfaria y gair Iachawdwriaeth. Ni allai Peilat na Herod wneud dim i'w ddileu. Ysgrifennodd Duw yn annileadwy ar Galfaria yr hyn na all y byd na'i bechod fyth mo'i ddileu.

4 Chwefror 1979

Rwy'n mynd i Bysgota

Dyma eiriau arweinydd y gang. Byddai Nathanael wedi gofyn, 'Beth am i ni fynd i bysgota?' Byddai Iago wedi gofyn, 'Beth amdani, bois, awn ni i bysgota?' Byddai Ioan wedi gofyn, 'Oes yna rywun am ddod gyda fi yn ôl i'r hen gwch?' Byddai Thomas neu'r ddau arall efallai wedi gofyn, 'Beth am roi cynnig arni gyda'r rhwydi yma?' Ond gan mai Pedr yw Pedr, dweud mae hwnnw beth yw ei fwriad ef, 'Rwy'n mynd i bysgota' (Ioan 21:3), gan gymryd yn ganiataol y byddai'r lleill yn dilyn. Yr un hen Bedr sydd yma.

Y mae'r un hen griw gyda'i gilydd hefyd. Buasai rhai wedi disgwyl y byddent wedi hen wasgaru erbyn hyn. Pedr at ei deulu, Iago ac Ioan at eu mam, Thomas at ei efaill, a Nathanael i'w hen fro. Eto mae rhyw linyn cuddiedig yn eu clymu yn dynn wrth ei gilydd. Fe gerddon nhw yn ôl i Galilea gyda'i gilydd, heibio Bethffage a Bethania, a'r ffigysbren wedi crino, a sycamorwydden Sacheus yn Jericho. Pob man ar y daith yn eu hatgoffa am y Gwaredwr. Cerdded hen daith gyfarwydd oedden nhw; taith a olygai fwy o lawer iddyn nhw bellach oherwydd i'r Arglwydd fod yno gyda nhw. Pob man â'i atgofion. Dyna sy'n gwneud capel yn gysegredig i ni. Dyna un esboniad ar deyrngarwch cyfeillach y gynulleidfa fach yn Seion neu Soar neu Fethlehem. Lle cyffredin wedi ei droi yn anghyffredin, oherwydd fod yr Arglwydd wedi bod gyda ni yno.

Dirwyn y daith oedden nhw yn ôl i'r dechreuadau, at lan môr Tiberias lle clywson nhw'r alwad gynta, lle cawson nhw eu tynnu oddi wrth y pysgota at waith y Deyrnas. Felly, ai ailafael yn yr hen waith oedd bwriad Pedr? Chreda i fawr. Geiriau dyn ar goll yn llwyr wela i fan hyn. Am nad yw'n gwybod beth i'w wneud ag ef ei hun, y mae'n reddfol yn gafael yn y gwaith agosaf. Eto doedd ei galon ddim yn y gwaith. Pa ryfedd na ddalion nhw ddim, tan i'r Arglwydd ddod atynt.

Bore drannoeth fe gafodd Pedr gyfweliad am swydd a fu'n swydd iddo am byth wedyn.

15 Ebrill 1979

Newid Aelwyd

Cyn hir fe fyddwn fel teulu yn newid aelwyd yma ym Mangor. Byddwn yn gadael llawer o hen atgofion yn yr hen gartre, a fu'n rhan o'n bywyd ni. Dyna pam y bu i minnau, am unwaith, gofio gwraig Lot.

Mae yna gerdd gan Rhydwen Williams o dan y teitl 'Gwraig Lot' lle dywed:

> Adroddais yr adnod amdani ganwaith gynt
> A'i dychmygu'n hen wraig fach ddoniol fel
> Mrs Ifans Drws nesa;
> Un ffraeth ei thafod a pharod ei chymwynas i bawb,
> A rhyw duedd hoffus yn yr hen chwaer i fusnesa.

Ond darlun trist sydd gyda fi ohoni. Cymeriad trasiedi yw gwraig Lot, yn ffoi gyda'i gŵr o Sodom, ac yn rhywle yn troi yn ôl i gael un olwg olaf ar yr hen le. Fyddech chi wedi gwneud yr un peth?

Yn Sodom y cafodd ei magu. Ar strydoedd y ddinas y bu'n chwarae ac yn tyfu gyda phlant annwyl y lle. Roedd yna hen ffrindiau plentyndod ganddi yn Sodom, a llu o atgofion melys am oriau difyr yn ferch fach ac yn ferch ifanc. A dyma'r tân a'r brwmstan yn dod ar y gorffennol yna i gyd. Fyddech chi ddim wedi troi i edrych yn ôl?

Yn Sodom y cafodd hi gartre. Roedd bedd ei thad a'i mam yno, a'r hen dŷ yr oedd ganddi gymaint o atgofion amdano. Roedd yno bethau rhwng ei furiau y byddai'n cofio amdanyn nhw am byth. Y nenfwd a wyliodd ar ei gorwedd gyda'r teulu yn y nos, a'r ford yn y gegin lle bydden nhw'n cael bwyd. Erbyn hyn roedd y pethau hynny i gyd o dan y tân a'r brwmstan. Byddai'n anodd i chithau beidio â throi i edrych yn ôl.

Yn Sodom y symudodd i dŷ newydd at ei gŵr, a oedd wedi dod i Sodom i fyw. Yno y cadwodd hi aelwyd. Roedd hi wedi treulio'i dyddiau a'i blynyddoedd o gylch y cartre. Roedd hi'n nabod ei ddodrefn a'i lestri yn well na neb, yn ogystal â'r dillad y bu hi'n eu golchi a'u cywiro o wythnos i wythnos. Ar y pethau hyn i gyd yn awr yr oedd y cawodydd tân a brwmstan. Fyddech chi ddim wedi troi i edrych yn ôl?

Wrth i ni symud tŷ ymhen rhyw fis neu ddau fe gawn ryw syniad beth oedd teimladau gwraig Lot, ond go brin y cawn ni ein troi'n golofnau halen. Felly, rhaid holi'r cwestiwn, pam yr oedd edrych yn ôl i wraig Lot yn gymaint o bechod? Yn Luc 17:33 y ceir yr ateb. Iddi hi, yn y man a'r lle hwnnw, roedd yna ddewis dirfodol ac oesol: marw gyda'r gorffennol yr oedd hi wedi cartrefu ynddo, neu fyw gyda'r dyfodol. Marw gyda'r bydol neu fyw gyda'r tragwyddol.

29 Ebrill 1979

Torri ar Draws

Un o'r pethau sy'n boen i mi yw cael rhywbeth yn torri ar fy nhraws. Pan fyddaf ar ganol dweud stori wrth blant, ac yn meddwl 'mod i wedi llwyddo i gael eu sylw yn bur dda, rhywun neu rywbeth yn sydyn yn tynnu fy sylw neu eu sylw nhw. Pan fyddaf ar ganol ysgrifennu rhywbeth, a'r syniadau yn dod yn weddol hawdd, a minnau'n gwybod rhediad fy meddwl, y ffôn neu gloch y drws yn canu, a dyna golli'r trywydd, a'i golli am byth.

Manion yw'r rheina. Ar lwyfan mawr bywyd fe all afiechyd amharu ar eich cynlluniau. Fe all marwolaeth cyfaill chwalu eich dedwyddyd. Yn *Reaching Out* y mae gan Henri Nouwen baragraff am yr ymyriadau hyn:

> Tra oeddwn yn ymweld â Phrifysgol Notre Dame, lle bûm yn dysgu am rai blynyddoedd, cyfarfûm â hen athro profiadol a oedd wedi treulio'r rhan fwyaf o'i fywyd yno. A thra rhodiem yn hamddenol dros y campws hardd, meddai gyda rhyw dristwch yn ei lais, 'Wyddoch chi . . . ar hyd fy mywyd rwy wedi bod yn achwyn am bethau byth a hefyd yn torri ar draws fy ngwaith, hyd nes i mi sylweddoli mai'r pethau oedd yn torri ar draws oedd fy mhriod waith i.

Fe feddyliais am Paul (Actau 9:1–19) a'i fusnes mawr pwysig yn Namascus. Roedd ganddo gynlluniau manwl, roedd ganddo fwriadau clir, ac roedd ganddo ddogfennau i hyrwyddo'r gwaith. Roedd o fewn cyrraedd Damascus, a dyma Iesu yn torri ar draws y cyfan. Fe ddaeth Paul yn fuan iawn i sylweddoli mai dyna'r ymyrryd mwyaf gogoneddus a ddigwyddodd iddo erioed. Y gamp yw troi'r ymyrraeth yn waith.

3 Chwefror 1980

Wrth Ochr y Bocs

Ymhlith gwirioneddau bywyd, un o'r rhai sydd yn boen i mi yn aml yw dioddefaint y cyfiawn. Os methodd awdur Llyfr Job â setlo'r broblem pa obaith sydd gen i? Mae yna bobol ddiniwed yn cael eu niweidio, y dieuog yn cael eu cosbi, y daionus yn gorfod dioddef drygfyd, a'r cariadlon yn gorfod derbyn casineb. Yn waeth na hynny, calonnau annwyl yn cael eu dolurio a'u cleisio a'u clwyfo gan fywyd.

Ar y pwnc arbennig hwn, nid esboniad a geir gan Kierkegaard yn gymaint â dameg drawiadol iawn. Mewn llyfr ar Simone Weil y gwelais y dyfyniad:

> Fel y bydd haen ucha'r pysgod mewn bocs o benwaig wedi eu gwasgu a'u difetha, a'r ffrwythau sydd wrth ymylon y bocs yn gleisiau i gyd ac yn ddiwerth, felly hefyd ymhob cenhedlaeth y mae yna bobol ar y tu allan ac yn cael eu dolurio gan ochrau'r bocs. Ond y rheini sy'n amddiffyn y rhai sydd tu fewn.

Bob tro bellach pan welaf yr eneidiau prin hyn mewn cymdeithas byddaf yn cael fy nhemtio i gydio'n dyner ynddynt. Hwythau a'u harchollion yw pris fy nedwyddwch a'm diogelwch i. Does dim modd imi esbonio'r cyswllt hwnnw, ond byddaf o hyd yn edrych arnyn nhw fel y bobol tu fas. Ac yn cael fy arwain wedyn i gofio am yr Un sydd ar ei ben ei hun tu fas:

> Draw, draw ymhell mae gwyrddlas fryn
> tu faes i fur y dref
> lle'r hoeliwyd Iesu annwyl gynt
> o'i fodd i'n dwyn i'r nef.

29 Mehefin 1980

Ddoe ac Oedd

Mae yna gyd-ddigwyddiadau mewn iaith weithiau, a dyma un ohonyn nhw, fod y ddau air bach yma yn perthyn mor agos at ei gilydd o ran ystyr a llythrennau, ond eu tarddiad yn hollol wahanol. Pethau oedd yw pethau ddoe, a phethau ddoe yn bethau oedd.

Mae yna golyn poenus gan y gair 'oedd'. Fe gofiwch y poster a ddefnyddiwyd mewn etholiad cyffredinol lle gosodwyd llun y cabinet gyda'r geiriau odanyn nhw, *yesterday's men*. Bu honna yn ergyd farwol.

Rwy'n cofio Mr Gwyn Davies, ysgrifennydd yr eglwys lle cefais fy ordeinio, fel rhan o hanes yr alwad a gefais i fod yn weinidog, yn sôn gyda gwerthfawrogiad am wasanaeth fy rhagflaenydd a fu yno am 33 blynedd. Roedd yntau, y Parchedig F. H. Davies a'i briod, wedi parhau yn aelodau yn yr eglwys wedi i mi gartrefu yno, a gelwais i'w gweld yn fuan ar ôl diwrnod yr ordeinio. Cyfeiriais at eiriau rhagorol Gwyn Davies amdano, ond dyma ymateb F.H.: 'Glywest ti'r "oedd" yna ym mhob brawddeg?' Yr hyn a glywais i oedd y sôn am ei wasanaeth gwych ar hyd y blynyddoedd, ac fel yr oedd wedi cyfoethogi eu bywyd fel eglwys. Eto y gair 'oedd' a arhosai ar ei gof ef.

Ai rhyw brofiad felly gafodd Iesu wrth glywed y ddau ar y ffordd i Emaus: '. . . dyn oedd yn broffwyd nerthol ei weithredoedd a'i eiriau . . . Ein gobaith ni oedd mai ef oedd yr un oedd yn mynd i brynu Israel i ryddid' (Luc 24:19–21). Dyna ichi bentwr o 'oeddau'! Dyna osod Iesu yn daclus yn ddyn ddoe.

Diolch am doriad y bara, ddweda i, a'r ddau wedyn yn rhedeg yn ôl i Jerwsalem i'w gyhoeddi yn ddyn yfory.

6 Gorffennaf 1980

Yn y Tîm

Rwy'n cofio Gwyn Gelligeti yn gwylio gêm bêl-droed rhwng Castellnewydd Emlyn a thîm o ardal Llanelli. Roedd hi'n gêm galed, agos, ac at y diwedd roedd y tîm o bant wedi torri mas yn annisgwyl ac wedi saethu at y gôl. Llwyddodd yr hen Ben yn y gôl ei harbed hi, ond yn ei ymdrech roedd ar ei gefn ar lawr, a'r bêl yn rhydd. Fe'i trawyd eilwaith at y gôl a oedd yn awr yn wag, ergyd bwrpasol ofalus. Roedd y bêl yn rholio'n hamddenol i gyfeiriad y rhwyd, a'r gwylwyr a'r chwaraewyr i gyd yn gweld ei bod hi'n mynd i mewn.

Roedd Gwyn, cefnogwr mwyaf tanbaid a ffyddlon Castellnewydd, yn gwybod hynny'n well na neb, ac fe redodd i'w rhwystro gyda chic gyhyrog i lawr y cae. Aeth pawb yn fud, y chwaraewyr a'r gwylwyr. Bu'r gêm farw am ysbaid, heb neb yn gwybod beth i'w wneud. Ond roedd y reffarî yn gwybod. Caniatawyd y gôl i'r gwrthwynebwyr, a dangoswyd 'iet y cae' i Gwyn. Felly y dangoswyd i bawb na all gwyliwr fod yn chwaraewr.

Mewn gêm fe ellir cael cannoedd o swyddogion yn gweithio i glwb, yn rheolwyr, athrawon, hyfforddwyr, gweinyddwyr a stiwardiaid o bob lliw a llun, pobol y mae'r clwb yn dibynnu llawer arnyn nhw. Eithr i'r reffarî, ac i bwrpas y gêm, dim ond dau fath o berson sydd, y chwaraewr a'r gwyliwr.

Fe all gwyliwr fod yn eithriadol o debyg i chwaraewr. Fe all fod wedi ei wisgo o'i ben i'w draed yn lliwiau'r tîm. Fe all fod yn fasgot bach yng ngwisg y tîm. Eto gwyliwr yw e. Fe all hyd yn oed fod yn un o'r eilyddion yn eistedd ar y fainc yn lifrai'r tîm ac yn barod i neidio i'r cae ar amrantiad yn ôl yr angen. Ond i'r reffarî, does yna ronyn o wahaniaeth rhyngddo ac unrhyw un o'r miloedd eraill sydd o amgylch y cae. Os nad yw yn un o'r un ar ddeg sy'n swyddogol ar y cae yn chwarae, gwyliwr ydyw.

Ni all chwaraewr fod yn wyliwr. Mi all fod yn debyg i wyliwr. Yn wir, yn ôl Wil Bryndioddef, roedd yna un neu ddau felly yn nhîm Castellnewydd. Rhoddodd gyngor i un ohonyn nhw ar draws y cae tua diwedd un gêm: 'Rho fenthyg dy sgidie i dy fam-gu dydd Sadwrn nesa.' Ond tra bydd chwaraewr yn y tîm, rhaid iddo wynebu ei gyfrifoldebau i gyd yn ymdrech fawr y gêm. Er gwaetha'r blinder a'r poenau, rhaid iddo chwarae ei ran.

Felly ai gwell yw bod yn wyliwr? Na. Y gorfoledd pennaf yw bod yn y tîm. Mae hynny'n codi'r cwestiwn sut mae newid drosodd o fod yn wyliwr i fod yn chwaraewr. Yn sicir, nid drwy esgus a ffugio. Allech chi ddim dod at ddrws y rheolwr yn eich crys coch a dweud, 'Mae'r crys a'r sgidie gen i, felly rwy'n un o'r tîm.' Dyw'r olwg allanol ddim yn ennill lle yn y tîm.

Nid wrth fynd drwy'r arferion ychwaith, y gweithredoedd a'r defosiynau amlwg, y mae dod i'r tîm. Fe allwch fod yn rhedwr da ac yn helaeth eich nerth a'ch anadl, ond rhaid wrth ddawn arall cyn cael eich dewis i'r tîm. Er i Paul restru'r ymarferion allanol yn 1 Corinthiaid 13, ni fyddai'r campau godidog hynny yn ddigon.

Rhaid cael ein galw, ac o'n galw ymatebwn mewn ffyddlondeb a theyrngarwch llwyr i'r Un a'r unig Dîm. Rhown ein hunain i gyd yn y gêm, a chawn orfoleddu fod y Gwaredwr yn yr un tîm. 'Os yw Duw trosom, pwy a all fod i'n herbyn?' (Rhufeiniaid 8:31), a'r pencampwyr yn chwarae drosom ni.

Mae cwmni'r apostolion,
ardderchog lu'r merthyron,
a thyrfa'r gwaredigion
    drosom ni;
mae Duw a'i holl angylion
    drosom ni.

14 Medi 1980

Y Rhosyn Arhosol

Dyma Fangor wedi ei weddnewid eto, fel sy'n digwydd bob blwyddyn gyda dyfodiad y myfyrwyr. Fel y mae'r coed yn chwythu eu dail ar hyd ein gerddi ni, mae cartrefi Cymru a Lloegr yn chwythu eu hepil i'n strydoedd ni. Mae yna sylweddoli fod yna symud o dymor i dymor yn hanes daear a dyn.

Yn achos y rhai a ddaeth yma ar gyfer eu blwyddyn gyntaf, y mae yna wahanu wedi digwydd. Mae llawer pâr o rieni wedi dod â'u mab yma ac wedi troi am adre hebddo. Daeth awr ymadael. Fe ŵyr llawer ohonom am y profiadau yna yn ein bywydau ni ein hunain. Gorfod ffarwelio, a'r ffarwelio yn golygu mwy na ffarwelio dros dro â phlentyn. Mae'n golygu ffarwelio am byth â chyfnod yn eich perthynas chi â'r plentyn.

Daeth amser ym mherthynas Iesu a'i ddisgyblion pan fu'n rhaid iddo yntau ddweud, fwy nag unwaith, ei fod yn ymadael. Eto, meddai, 'Wele yr ydwyf i gyda chwi bob amser' (Mathew 28:20). Gyda Iesu'r dysgu ac Iesu'r athrawiaethu ac Iesu'r gwyrthiau, y mae yna dymhorau. Ond gyda Iesu'r Groes a'r Atgyfodiad, a'r Gwaredwr tragwyddol, y mae hwnnw gyda ni bob amser.

Y mae Olive Wyon yn sôn yn *The School of Prayer* amdani hi ei hun ryw ddiwrnod tyner o Ragfyr, mewn pentre anghysbell yn Llydaw yn siarad â gwraig ger drws ei bwthyn.

> Pan oeddwn i ar ymadael sylwais ar rosyn dringo yn ei flodau yn erbyn y waliau gwyngalchog. Roedd y blodau yn binc a bychain, ond yn drawiadol o hardd berfeddion gaeaf.
>
> 'Beth ydych chi'n galw'r rhosyn yna, Madame?' gofynnais.
>
> 'Rhosyn y pedwar tymor, Madame,' atebodd.
>
> Bu'r enw yn goglais fy nghof am flynyddoedd, fel petai ganddo ryw arwyddocâd dwfn ysbrydol. Yna un dydd fe ddarganfûm y weddi hon o eiddo Thomas o Acwin: "Caniatâ, O Dad trugarog, i'm henaid gael doethineb yn dy bresenoldeb di, a'm gallu i weithio gael gogoniant buddugoliaeth yn dy bresenoldeb. Yn dy bresenoldeb di,

> lle nad oes perygl, ond llawer o drigfannau a chytundeb dymuniadau, y mae hawddgarwch y gwanwyn, goleuni'r haf, ffrwythlondeb yr hydref a gorffwys y gaeaf."
>
> Gwyddwn i mi ddarganfod ystyr yr enw, Rhosyn y pedwar tymor, yng ngogoniant digyfnewid Duw.

Mae tymhorau i deulu ac i goleg ac i fywyd myfyriwr, ond does yna ddim tymhorau i gwmni Iesu'r Ceidwad.

5 Hydref 1980

Y Syrjeri

Heddiw bydd meddyg lleol yn ymuno â phartneriaeth i ddechrau gafael yn ei alwedigaeth. Problem meddyg slawer dydd wrth ddechrau ei yrfa oedd ple i fynd i agor practis a chael syrjeri. Fe gawn hanes meddyg newydd felly ym mhennod gyntaf Efengyl Marc. Mae'n bennod orlawn, a chawn ein sgubo o'r naill ddigwyddiad i'r llall fel petai'r awdur am wthio faint a fedrai i mewn i'r bennod.

Rwy'n cofio Dylan ddechrau tymor newydd yr ysgol fis Medi diwetha yn achwyn fod ei athrawes ffiseg, Gwen Aaron, wedi rhoi gwers lawn iddyn nhw y diwrnod cynta heb ddim hamddena na rhagymadroddi. Felly gyda Marc yn y bennod hon wrth sôn am y Meddyg Da yn agor ei bractis.

Roedd yn rhaid iddo ddechrau o ddim. Nid oedd modd hysbysebu, dim ond dibynnu ar eirda. Ond 'aeth y sôn amdano ar led ar unwaith' (Marc 1:28), a dyna ddatrys y broblem gynta.

Y broblem nesa, adnoddau a chyfarpar. Ffydd a gweddi, ac ymddiriedaeth lwyr yn ei Dad nefol. Dyna'r ail broblem wedi ei setlo.

Pa le gallai agor syrjeri? Yr ateb: ym mhob man, yng Ngalilea, yn Jwdea a hyd yn oed Samaria. Yn wir ple bynnag y byddai pobol yn eu cael eu hunain mewn cyfyngder, ac Iesu yn ymyl, roedd yna syrjeri yno hefyd.

Pryd y dylai gynnal syrjeri? Bob awr o'r dydd, a'r hwyr. 'Gyda'r nos, a'r haul wedi machlud, yr oeddent yn dwyn ato yr holl gleifion . . .' (Marc 1:32). Dyma pryd y gwelwn ni werth y Meddyg Da yn llawn, pan fydd ein haul yn machlud. Gwyddom beth yw haul gobaith yn machlud.

Faint o le sydd yno? Lle i bawb, yn yr ystafell aros. 'Ac yr oedd yr holl dref wedi ymgynnull wrth y drws' (Marc 1:33). Ond lle i un claf yn unig sydd yn y syrjeri ei hun. 'Wedi cau dy ddrws, gweddïa ar dy Dad' (Mathew 6:6).

Roedd yna arbenigwr yn Ysbyty Môn ac Arfon ym Mangor a gâi ei barchu'n fawr gan gleifion. Yr hyn a edmygai pobol ynddo oedd, nid yn unig arbenigrwydd ei wybodaeth, ond hefyd arbenigrwydd ei ddull wrth siarad â'r claf. Dangosai yn amlwg wrth bob gwely mai'r claf hwnnw yn unig oedd yn bwysig yn ei olwg yn y munudau hynny. Yr un claf hwnnw yn unig oedd yn cyfri.

I Iesu, un yn unig sy'n cyfri, a thi yw hwnnw. Ymgynghoriad wyneb yn wyneb rhwng Duw a dyn sydd yn syrjeri'r Meddyg Da ac, er mwyn cael yr ymgynghori'n hollol bersonol, Duw sy'n dweud wrthym am ddod i mewn a chau'r drws.

7 Rhagfyr 1980

Canu'r Gân

Mae yna gannoedd o ganeuon yn y Beibl, ond caneuon ydynt sydd *wedi* eu canu. Cân y genedl wrth y Môr Coch, cân Moses, cân Deborah, cân Hannah, cân Dafydd, cân Mair. Roeddent i gyd yn perthyn i le addas, amser addas a chanwr addas, a'r geiriau yn addas i'r amgylchiad. Ond y mae Eseia 26:1, 'Yn y dydd hwnnw cenir y gân hon yng ngwlad Jwda', yn sôn am gân y dyfodol, cân heb ei chanu eto, ac ni chaiff ei chanu tan iddi gael ei lle iawn a'i hamser iawn a'i chantorion iawn.

Y mae'r oes electronig wedi golygu ysgaru cân oddi wrth le, nes difa rhan o'i heffaith. Mae ambell ddarn o gerddoriaeth yn perthyn i bensaernïaeth eglwys, ond byddwn ni yn gwrando arno o flaen y seidbord neu'r tebot. Er bod ein hemynau ni yn perthyn i addoliad, fe'u cenid gynt mewn hwyl ar drip ysgol Sul neu mewn mannau eraill am un ar ddeg ar nos Sadwrn. Y lle addas i'r gân hon fydd y wlad honno a Duw yn ddinas gadarn o'i mewn.

Mae'r gân hon yn disgwyl am ei hamser addas. Canu difeddwl yw'r canu sy'n canu o hyd, ar ein radio'n ddiddiwedd. Yn aml iawn mae'r geiriau'n embaras o ddisylwedd. Eithr am y gân hon, bydd ei geiriau yn gweddu i'r dydd a'r dydd i'r geiriau, am fod y cantorion wedi dod i weld ystyr y geiriau. Cofiaf am frawd o Goed-poeth yn sôn fel y daeth, wedi triniaeth lawfeddygol ddwys ar ei lygaid, i 'adnabod ystyr' llinell W. Rhys Nicholas, 'Lle roeddwn gynt yn ddall, rwy'n gweld yn awr', ac arwyddocâd 'Tydi a wnaeth y wyrth'.

Mae'r gân yn disgwyl ei chanwr. Rwy'n cofio darllen yn rhywle ryw gerddor yn dweud, wedi clywed Kathleen Ferrier yn canu un o ganeuon mawr Handel, 'I know that my Redeemer liveth', fod y gân honno o'r diwedd wedi cael ei chantores. Wedi cael y llais a'r dehongliad. Pwy fydd yn canu'r gân 'yn Jwda'? Nid llais ond calon fydd yn ei chanu hi, côr o galonnau mewn mawl a diolch. Y calonnau edifeiriol fydd yn gwneud cyfiawnder â'r gân hon.

22 Mawrth 1981

Surni yn y Tir

Wedi sefydlu'r Cyngor Eingl-Wyddelig ar 6 Tachwedd 1981

Tanerdy oedd gynt ar y tir lle'r adeiladwyd capel Pendref, Bangor. Fel gyda phob tanerdy byddai pyllau yn y ddaear lle gosodid y crwyn a rhisgl y deri i'r tannin weithio arnyn nhw. Ar ôl yr holl flynyddoedd aeth y tannin a'r surni i'r tir. Wedi adeiladu'r capel ychydig iawn a dyfai yn y tir o'i amgylch. Ond soniai John Davies, un o'r hen ddiaconiaid, mai un o ryfeddodau gras iddo ef yn ei hen ddyddiau oedd gweld y tir yn glasu, a'r planhigion yn gwreiddio o amgylch y capel.

Beth sydd wedi digwydd, meddai, yw fod y borfa wedi dechrau dangos y ffordd a glasu'r lle. Cymerodd y llwyni'r awgrym nad oedd y tir mor sur â hynny bellach, a dyma hwythau'n dechrau egino a magu brigau. Buan iawn dechreuodd y coed fentro i'r llecyn, gan weld fod y surni wedi cilio o'r ddaear. Mae'r tyfiant yn heintus bellach.

Mae yna adnod gan Paul, 2 Corinthiaid 2:10, yn awgrymu y gall maddeuant fod yn heintus: 'Y dyn yr ydych chwi'n maddau rhywbeth iddo, yr wyf fi'n maddau iddo hefyd.' Dyna fel y troir y byd eto yn ardd Duw. Hyderaf y bydd mudiad heddwch Gogledd Iwerddon, fel glaswellt gwan ar y tir sur, yn dechrau gafael ac yn troi'n lawnt. Pwy a ŵyr na fydd cedyrn gedrwydd gwleidyddol y dalaith honno yn gweld ymhen blynyddoedd mai maddeuant piau hi? Pwy a ŵyr na fydd yna ardd?

8 Tachwedd 1981

Y GOFALWR

Ar noson ymddeoliad Mrs Idris Roberts o'i swydd fel gofalwr capel Pendref, Bangor

Fe welwch rai pobol yn tyfu yn fwy na'u swydd. Nid pawb a ŵyr beth fu gwahanol swyddogaethau Bob Owen Croesor, ond gŵyr pawb ei fod yn hanesydd a hynafieithydd. Nid pawb a wyddai mai clerc mewn swyddfa cwmni llechi oedd Eifion Wyn, ond gŵyr pawb ei fod yn fardd.

Mae 2 Corinthiaid 8:18 yn cyfeirio at rywun dienw: 'Yr ydym yn anfon gydag ef y brawd sy'n uchel ei glod drwy'r holl eglwysi am ei waith dros yr Efengyl . . .' O'r canrifoedd cynnar credwyd mai Luc yw'r un y cyfeirir ato fan hyn, ac mae hynny'n debygol o fod yn wir. Does neb yn gwybod sut feddyg oedd Luc, ond petai wedi treulio'i oes i fod yn feddyg yn unig ni fyddai neb bellach yn gwybod amdano.

Gallaf ddychmygu fod yr adnoddau i gyd ganddo i fod yn feddyg rhagorol. Roedd yn wybodus, a gwyddai sut i chwilio am wybodaeth. Gwyddai sut i drin pobol. Mae'r ffordd yr adroddodd y damhegion yn dangos hynny. Byddai wedi gwneud cofrestrydd da mewn ysbyty, oherwydd medrai gadw cofnodion a nodiadau manwl. Medrech ymddiried yn llwyr ynddo, oherwydd fe'i hanfonwyd ar daith gasglu gyda Titus. Fel pob meddyg da, medrai gadw cyfrinach a chau ei geg, oherwydd fe ysgrifennodd fyrgofiant i Paul yn Llyfr yr Actau heb ddatgelu dim beth oedd natur afiechyd ei wrthrych. Eithr daeth â'r doniau hyn i gyd i wasanaeth yr Efengyl. Petai wedi aros yn ddim ond meddyg byddai ei enw wedi diflannu am byth o gof pawb.

Dichon fod gwneud pebyll yn waith parchus, ond ni fyddai neb yn sôn gair heddiw am Paul petai wedi glynu at wneud pebyll. Dyna eto ddyn a dyfodd ymhell uwchlaw ffiniau ei grefft.

Mae yna yn yr Hen Destament enwi gofalwr arbennig iawn. 'Goruwch ystafell Maaseia mab Salum, ceidwad y drws' (Jeremeia 35:4). Dyn ag enw cyffredin. Roedd Maaseia i Iddewon fel Jones yng Nghymru, ac efallai mai dyn o alluoedd cyffredin oedd y Maaseia hwn. Efallai na châi mo'i ethol yn archoffeiriad nac yn uchel swyddog. Dyn cyffredin mewn swydd gyffredin, meddech. Ar un olwg, ie. Eithr ar olwg arall, oherwydd mai ef oedd ceidwad y drws, roedd ganddo ystafell arbennig mewn lle amlwg yn y deml.

Cyflawnodd y Maaseia hwn ei swydd mewn ffordd mor arbennig nes i'r ystafell gael ei henwi ar ôl ei enw ef. Mae yna lawer ohonom yn gadael i'n swydd ni roi ei stamp arnom ni, a'n hegni ni a'n gweledigaeth yn cael eu mygu gan ein swydd. Fe dyfodd Maaseia yn ei swydd a'i chyflawni hi i'r ymylon, nes iddo osod ei stamp ei hun arni.

Felly y gwelsom ni yn yr eglwys hon ym mywyd a gwasanaeth Mrs Roberts. Mae ei henw hi a'i phersonoliaeth wedi rhoi urddas i'r swydd.

7 Chwefror 1982

Y Daran

Fel gyda phob cwmni clòs, yr oedd sawl un o'r disgyblion wedi cael llysenwau. Thomas yr efaill, efallai oherwydd ei fod yn un o efeilliaid, neu oherwydd ei fod fel efaill i Iesu, gydag ef ym mhobman, hyd yn oed yn barod i farw gydag ef. A'r jôc fawr i'r gweddill wedyn oedd nad oedd Thomas yn yr oedfa pan ddaeth yr Iesu Atgyfodedig yn ôl! Seimon y graig. Ioan yr un annwyl.

Mae'n wir am lawer cymeriad anffodus iddo gael ei lysenw dim ond am ryw air byrbwyll o'i enau rywbryd, a rhywun yn clywed ac yn cofio. Mae'n bosib i Jwdas gael y llysenw, 'Boi'r Golled', wedi iddo weiddi am 'y golled' (*apoleia* yn Mathew 26:8) pan welodd yr ennaint yn cael ei wastraffu ar Iesu (Ioan 12:1–8). Dichon mai defnyddio'r llysenw a wnâi Iesu ei hun yn ei weddi, 'Gwyliais drostynt, ac ni chollwyd yr un ohonynt, ar wahân i fab colledigaeth' (*apoleias* yn Ioan 17:12).

'Meibion y Daran' oedd Ioan ac Iago, meibion Sebedeus. Dyn bach tawel a disylw oedd Sebedeus, yn ôl fy nychymyg i beth bynnag. Ond am ei wraig, dyna fater cwbwl wahanol. Fe fu honno yn ddigon haerllug i hawlio gan Iesu roi lle anrhydeddus i'w meibion yn y Deyrnas (Mathew 20:20–28). Pa ryfedd i'r ddau fab druain gael y llysenw, 'Meibion y Daran'? Ac fel mae'n digwydd yn aml mewn sefyllfa felly, y deg yn digio wrth Iago ac Ioan (Marc 10:41), a'r llysenwi efallai'n rhan o'r dicter. Ceryddwyd yr uchelgais teuluol yna gan Iesu. Peth hawdd yw gwthio i ymyl Iesu yn adeg ei boblogrwydd.

Diflannodd y Daran o'r golwg wedyn, a minnau'n dweud ei bod hi'n iechyd i Iesu gael ei gwared hi. Ond mi ges i sioc o ddarllen am y gwragedd, a oedd wedi ei ddilyn o Galilea, ac a oedd yno gydag ef ar fryn Calfaria: 'yn eu plith yr oedd Mair Magdalen, Mair mam Iago a Joseff, a mam meibion Sebedeus' (Mathew 27:56).

Ac rwyf am ofyn maddeuant ganddi nawr am ei chamfarnu hi. Bendith ar dy ben di, yr hen Daran o fenyw. Os buost ti yn rhy barod i gysylltu ag Iesu pan oedd y torfeydd yn ei arddel, fe fuost ti wedyn yn fendigedig o ffyddlon iddo pan oedd y byd wedi cefnu arno.

4 Ebrill 1982

Howard Hughes a'i Gyfoeth

Rwy'n falch fod yr ymadrodd 'anchwiliadwy olud Crist' (Effesiaid 3:8) wedi ei gadw yn y cyfieithiad newydd. Ni ellir meddwl am eiriad gwell. Daeth y cyfan yn fyw imi yn ddiweddar o glywed am bobol yn delio â chyfoeth y biliwnydd, Howard Hughes a fu farw ym 1976.

Ni ŵyr neb yn iawn ymhle y mae ei olud. Ni allwn ddweud ymhle y mae golud Crist ychwaith. Byddai rhai yn dweud mai mewn byd delfrydol y byddai dysgeidiaeth Iesu yn dod i'w llawn werth. Na, meddai eraill:

> Nid yw'r Iesu'n well yn unman
> nag yng ngwaetha'r storom gref . . .

Gwelwn ei werth yn llawn pan fyddwn ni mewn argyfyngau.

Ni ŵyr neb beth oedd natur cyfoeth Howard Hughes. Y mae ei olud mor amrywiol ei elfennau. Mae hynny'n sicir yn wir am Iesu. Y mae ganddo gysuron, y mae ganddo oleuni a dysg, y mae ganddo ddoniau iacháu, y mae ganddo ras a chariad a thrugaredd, heb sôn am iachawdwriaeth fel y môr.

Cwestiwn anodd ymchwilwyr i gyfoeth Howard Hughes yw beth oedd swm ei olud. Pan fyddwn yn gofyn y cwestiwn hwn am gyfoeth Iesu, does dim rhaid i ni ond troi i'n llyfrau emynau, neu at yr Apostol Paul, a gweld fod yr ymgais i ateb y cwestiwn hwn am olud Crist yn cyrraedd ffiniau iaith.

Y cwestiwn mwyaf dyrys i'r ymchwilwyr yw sut all neb brofi perthynas â Howard Hughes er mwyn iddyn nhw fedru etifeddu ei gyfoeth. Doedd yntau ddim wedi arddel perthynas â neb. Gydag anchwiliadwy olud Crist nid oes problem yn y byd yn y cyfeiriad yna. Mae Duw yng Nghrist wedi arddel perthynas â ni cyn llunio'r byd, a'n galw yn gydetifeddion â Christ. Cawn ein galw yn blant i Dduw. Yr hyn sy'n syfrdanol yw fod yr anchwiliadwy olud yn disgwyl amdanom, a ninnau'n dal i fynnu peidio ag arddel perthynas â'r Brawd a'r Prynwr sydd gennym.

29 Awst 1982

Llygaid yn Cwrdd

Rwy'n cofio saer yng Nghastellnewydd Emlyn a oedd yn perthyn i'r Gwasanaeth Tân. Un flwyddyn daeth y Sioe Amaethyddol i Gaerfyrddin, a gofynnwyd i aelodau'r hen NFS fynd yno i fugeilio'r dorf ar ddiwrnod ymweliad rhyw dywysoges â'r Sioe. Byddai yntau Ifan a'i briod yn ymweld o dro i dro â llawer aelwyd yn y dre a'r cyffiniau, ac fe gadwyd sawl teulu yn ddiddan am flynyddoedd wedyn yn gwrando hanes y diwrnod hwnnw. Yn arbennig, hanes uchafbwynt y diwrnod: 'Pan ddaeth hi gyferbyn â fi, fe wenodd hi arna i.' Byddai'r ffordd yr adroddid yr hanes yn peri inni feddwl mai dyna drobwynt y diwrnod i bawb, gan ei chynnwys hi. Fe allech ddychmygu pan fyddai hi wedi dychwelyd i Lundain y byddai ei thad wedi gofyn iddi, 'A gest ti wên gan Ifan?'

Pwy all ei feio oherwydd hanfod llawer perthynas yw llygaid yn cyfarfod â llygaid. Mae yna fannau felly yn hanes wythnos y dioddefaint. Mae'n siŵr i Jwdas gael edrychiad gan Iesu wrth y bwrdd cyn iddo godi a mynd, neu ar ôl y gusan yn yr ardd. Fe edrychodd Iesu ar Pedr yn y llys. Fe edrychodd o'i groes ar ei fam ac ar y disgybl.

Mae llu o emynwyr wedi sôn am glywed griddfannau Iesu ar ei groes. Llawn mor aml am wn i yw'r sôn am edrych arno.

> Bechadur, gwêl e'n sefyll
>   yn llonydd ar y groes . . .
>
> Cefais olwg ar ogoniant
>   fy Ngwaredwr ar y pren,
> drwy ffenestri ei ddoluriau
>   gwelais gariad nefoedd wen.

Ond nid yw hynny ond cysgod o'r profiad dirdynnol a gafodd y rhai a welodd ei lygaid ef yn cwrdd â'u llygaid hwy yn nyfnder ei ddioddefaint. Dyna ysgytwad mwyaf ein profiadau ysbrydol, cael llygaid y Gwaredwr arnom.

27 Mawrth 1983

Dysgu Cerdded

Un o'r profiadau mwyaf gwefreiddiol y gall rhieni eu cael yw gweld eu plentyn yn dechrau cerdded. Mae yna ryw deimlad cartrefol yn yr adnod hon i mi, 'Myfi hefyd a ddysgais i Effraim gerdded' (Hosea 11:3).

Bydd Duw yn ei gariad yn dechrau ein dysgu drwy adael i ni deimlo'n traed odanom. Yr ydym mor hoff o gropian, ac mor saff a chartrefol ar ein pedwar yng nghanol pethau difyr y llawr, fel ei bod hi'n anodd ein hargyhoeddi fod sylweddau gwell i ymgyrraedd atynt.

Fe'm ganwyd i lawenydd uwch
nag sy 'mhleserau'r llawr,
i gariad dwyfol, gwleddoedd pur
angylion nefoedd fawr.

Bydd wedyn yn rhoi hyder i ni drwy ein cymryd gerfydd ein breichiau. Sylfaen pob hyder yw gwybod fod Duw yno o hyd, ac ymddiried ynddo sydd raid, a dod yn gyfarwydd â'i bresenoldeb.

Y cam tyngedfennol yw dysgu gollwng, yn arbennig gollwng dodrefnyn er mwyn dod i freichiau agored y Tad. Teimlwn ein hunain yn ddynion wrth rodio o gwmpas yn gafael yn y dodrefn. Rhaid inni sylweddoli na allwn ni fyw ymhlith y dodrefn am byth. Mae yna fyd mawr tu fas i'r tŷ y gall y Tad ein harwain ni iddo petaem ond yn dysgu cerdded yn ysbrydol.

Dwg ni o afael pethau mân
i blith dy bethau mawr.

3 Gorffennaf 1983

Heb Gwpan

Yn ei llyfr *Patterns of Culture*, mae Ruth Benedict yn cyfeirio at hen Indiad o Galiffornia sy'n galaru fod dyddiau ei bobol wedi dod i ben. Ac fe ddaeth hyn mas yn hollol naturiol gydag e pan oedd hi yn ei holi am y bwydydd y bydden nhw yn arfer eu bwyta. Pan oedd ar ganol disgrifio sut y bydden nhw'n paratoi cawl mes dyma'r hen Indiad yn dweud:

> Yn y dechreuad fe roddodd Duw gwpan yn llaw pob cenedl, cwpan o glai. Ac roedden nhw i gyd yn cael codi dyfroedd eu bywyd o'r un ffynnon. Ond roedd cwpan pob cenedl yn wahanol. Mae cwpan bach ein cenedl ni wedi torri nawr. Mae e wedi mynd.

Os yw'n wir am genhedloedd, mae'n wir am unigolion hefyd. Cawsom fyw i weld dechrau 1984. Yr un flwyddyn fydd hi i bawb o ran amser, ond nid yr un cwpanau fydd gennym i godi'n bywydau mas ohoni. Fe fydd rhai â chwpanau llydan gyda nhw ac fe godan nhw lawer iawn o'r flwyddyn hon. Fe fydd rhai eraill ohonom â chwpanau bach iawn, a'r rheini'n doredig a bregus, ac fe fyddwn ni'n sarnu mwy nag a yfwn ni.

Cofiwn am y 'Gŵr wrth Ffynnon Jacob' nad oedd ganddo gwpan o gwbwl (Ioan 4:11), ond a allai roi i'n genau ddyfroedd gwahanol, dwfr y bywyd.

1 Ionawr 1984

Cadw'r Caniedydd

Roedd côr ein teulu ni yn ymyl y wal, ac rwy'n credu fod enw un ohonom wedi ei gerfio ar yr astell. Efallai nad yn ystod un bregeth fwy maith na'r arfer y torrwyd yr enw hwnnw, ond fesul tipyn yn ystod llawer pregeth. Byddem bryd arall yn astudio'r cadno oedd am wddf y wraig a eisteddai o'n blaen. Ond yr oedd yna un ddefod y byddem yn edrych arni gydag edmygedd bob nos Sul.

Byddai pâr ffyddlon a defosiynol drwsiadus yn cyrraedd y côr gyferbyn â ni ar draws yr ale, hi gynta yn mynd mewn ac yntau wedyn tu fas. Gwyliem y ddau yn plygu ymlaen, gyda'i gilydd, i offrymu gweddi dawel eu hymgyflwyniad. Codai'r ddau eu pennau wedyn, gyda'i gilydd fel un, ac eistedd yn ôl. O'i flaen yntau, wedi ei lunio a'i osod yn gelfydd o dan wefus eu hastell loyw, lân a dienw nhw, yr oedd bocs a chlo iddo. Gwyliem ei law wedyn yn codi at boced ei wasgod, a thynnai mas ohoni allwedd fach ddu. Clic cynnil, i'w glywed weithiau os byddai'r organ yn cymryd ei hanadl rhwng dau ddarn, a drws y bocs yn agor am lawr. Daliai y drws bach â'i law dde, a heb eu cymell syrthiai dau lyfr emynau glân, du a di-blyg, mas o'r bocs ac i'w law chwith. Rhoddai y naill lyfr ar yr astell o flaen ei briod, a'r llall o'i flaen yntau. Weithiau byddai ei llaw hithau yn twtio lleoliad y llyfr ar yr astell. Byddai'r drws bach, a'r allwedd ynddo yn cael hongian fel ceg agored drwy'r oedfa.

Ar derfyn y gyfeillach, wedi canu'r Weddi Apostolaidd, byddai'r ddau yn eistedd am ysbaid. Yna byddai yntau yn cymryd ei llyfr hi ac yn rhoi'r ddau yn barchus yn ôl yn y bocs. Cau'r drws a'i gloi, a'r allwedd fach yn ôl yn yr un boced wasgod am wythnos arall.

Erbyn heddiw, rwy'n sylweddoli mai darlun ydyw o'r ffordd y byddwn i gyd yn gadael i grefydd aros ynghlo yn y capel. Wedi'r cwbwl meddyliwch am y difrod a'r amarch a gâi'r *Caniedyddion* druain gan rai eraill rhwng Ffinnant a iet y clos, heb sôn am y darllen a'r trafod ysgaprwth a fyddai arnynt rhwng y gegin a'r llofft. Ond chi sydd i farnu ymhle y byddai orau gan *Y Caniedydd* fod.

11 Mawrth 1984

Gêm Ryngwladol

Pedair blynedd yn ôl fe wrthododd America a'i dilynwyr ymuno yn y Gêmau Olympaidd yn Moscow, a'r mis hwn y mae Rwsia yn gwrthod ymuno yn y Gêmau yn Los Angeles

Mae Iesu'n sôn mewn dameg (Mathew 11:16–19) am blant yn eistedd yn y marchnadoedd ac yn achwyn ar ei gilydd eu bod yn gwrthod chwarae. Dameg yn dangos mor wrthun oedd ymateb pobol i Ioan Fedyddiwr ac i Iesu. Roedd Iesu newydd ganmol dewrder Ioan yn gwrthod dilyn awelon a ffasiynau'r dydd ac meddai, 'Beth yr aethoch allan i'r anialwch i edrych arno? Ai brwynen yn siglo yn y gwynt?' Hynny yw, ai ceiliog y gwynt, gan y defnyddid brwynen weithiau i ganfod cyfeiriad y gwynt fel y bydd chwaraewr rygbi cyn cicio am gôl yn taflu porfafyn i'r awel i weld ei chyfeiriad a'i nerth. Doedd Ioan ddim yn un i droi gyda mympwyon cyfoes.

'Beth yr aethoch allan i'w weld?' gofynnodd Iesu wedyn. 'Ai dyn wedi ei wisgo mewn dillad esmwyth?' Hynny yw, un a fyddai'n gwisgo dillad ffasiynol. Doedd Ioan ddim yn ddyn ffasiwn y dydd. 'Na,' meddai Iesu. 'Yr oeddech yn mynd i weld proffwyd. Ond doedd Ioan ddim yn plesio. Pregethwr cas, bygythiol, sarrug oedd Ioan. Chawsoch chi ddim digon o ryddid i fwynhau rhialtwch gan Ioan.'

'Yna,' meddai Iesu, 'mi ddois innau, ac roeddech chi'n fy ngweld i yn llawenhau yn eich gwleddoedd chi. Ac meddech chi, "Dyw hyn ddim yn iawn i athro a dysgawdwr. Fe ddylem gael ychydig bach mwy o ddifrifoldeb. Mae angen ychydig mwy o naws angladdol," meddech chi, a doeddwn innau ychwaith ddim yn plesio.'

Dyna ergyd y ddameg. 'Rydych fel plant. Roeddech wedi canu ffliwt i Ioan a wnaeth e ddim dawnsio. Fe ganoch chi alarnad i mi a disgwyl imi fod yn sychdduwiol, a wnes i ddim wylo nac ymuno yn eich sychdduwioldeb chi.'

Yr hyn sy'n digwydd rhwng gwledydd mwya'r byd bellach yw pwdu fel plant am nad yw'r ochr arall yn chwarae. Y cwestiwn allweddol yw, pam mae'r farchnad mor ddiflas, y lle a ddylai fod yn llawn difyrrwch a sŵn chwarae? Pam mae byd chwaraeon wedi suro? Ateb parod ac arwynebol pawb ohonom yw, am i ni ddwyn gwleidyddiaeth i mewn i chwaraeon. Na. Nid dyna'r ateb, ond am i ni ddwyn chwaraeon i mewn i wleidyddiaeth. Gêm yw'r cwbwl bellach. Gadaffi yn Libya yn chwarae gêm gyda Phrydain. Israel a Syria yn chwarae 'gêm bêl-droed' gyda Libya. Athroniaeth y gêm sydd bellach mewn gwleidyddiaeth, ac nid yw gwleidyddion bellach yn gwybod y gwahaniaeth rhwng gêm a byw.

20 Mai 1984

Colli'r Gair

Rwy wrth fy modd gyda chyfieithiad newydd y Testament Newydd, a bydd yn dda gennyf weld cyfieithiad newydd y Beibl cyfan pan ddaw. Serch hynny, rhaid imi gyfaddef, a hyn heb fod yn feirniadaeth ar y cyfieithwyr, rwy'n gweld eisiau ambell hen air. Yr oedd un ohonynt yn arfer bod yn Mathew 25:34. Yr hyn sydd yma nawr yw, 'Dewch, chwi sydd dan fendith fy Nhad, i etifeddu'r deyrnas a baratowyd ichwi er seiliad y byd.' Dyw'r hen air hoff ddim yno bellach.

Mae yma gyfres o ddamhegion. Wedi i Iesu sôn am y diwedd sydd ar ddod, a'i ddyfod yn annisgwyl, y mae'n pwysleisio angen gwyliadwriaeth. Dameg y gwas ffyddlon: gofal rhag i'r Meistr ei ddal ar fai. Dameg y merched a'r lampau: angen parodrwydd. Dameg y codau arian: angen gweithredu doeth a dygn. Ac yna deuir at ddarn 'Barnu'r Cenhedloedd'. Nid dameg sydd fan hyn, ond hanes yn darlunio'r Farn Fawr. Duw yn didoli'r da oddi wrth y drwg, ac yn arwain y da i'r Deyrnas. Defnyddia ddarlun y defaid a'r geifr, ac angen eu gwahanu ar derfyn y dydd. Mae'n rhoi'r defaid ar ei law dde a'r geifr ar ei law chwith. Yna meddai, yn ôl yr hen eiriau: 'Dewch chwi *fendigedigion* fy Nhad . . . '

O ble daeth y gair, wn i ddim. Fe ges hen gopi o gyfieithiad William Salesbury gan Dr Isaac Thomas, ac mae'n amhrisiadwy ar adegau fel hyn. A'r hyn sydd yn y fan honno yw 'Dewchwi vendigeidion vy-Tad . . .' gan ddefnyddio 'bendigeidion' o'r gair 'bendigaid'. Mae'n debyg i William Morgan wedyn benderfynu defnyddio'r gair 'bendigedig' a llunio lluosog o hwnnw, 'bendigedigion'.

O ble bynnag y daeth, mae sŵn y gair yn fendigedig. Rwy wedi clywed mwy nag un darllenydd yn rholio'r gair yna allan yn rhagorol. Rwy'n siŵr mai rhan o orfoledd etifeddion y Deyrnas fydd cael clywed Mab y Dyn yn dweud y gair yn y Farn. Fy ngholled i fydd hi os na chaf ei glywed.

24 Mawrth 1985

Peidiwch ag Addo

Wrthi'n rhoi petrol yn y car oeddwn i, ryw ddydd o haf o flaen y garej ym Mhorthaethwy. Gan ei bod hi'n wyliau ysgol roedd yna ambell gwlwm o blant i'w weld ar hyd y palmentydd. Bob yn ail â gwylio'r ffigurau'n troi yn ffenest y pwmp, rown i'n gweld ceir o Iwerddon yn mynd heibio bob yn ddyrnaid i gyfeiriad y bont. Yn sŵn y petrol yn hisian lawr i'r tanc, wnes i ddim breuddwydio y byddwn i, ymhen ychydig funudau, yn dysgu gwers nad anghofia i byth mohoni.

Rown i wedi bod i mewn yn talu, ac yn cerdded yn ôl am y car, pan glywais i sgrech teiers ar yr hewl a rhyw ergyd farw, feddal. Erbyn i fi ddod i lawn olwg yr hewl, beth welwn i ond car wedi dod i aros ar lyrw wrth y pafin, a'r gyrrwr yn neidio ohono. Wedyn y gwelais i hi, merch fach ar ganol yr hewl yn hanner eistedd ar y lein wen. Rwy'n credu i fi weiddi'n ôl drwy ddrws y garej ar iddyn nhw ffonio am ambiwlans, gan redeg wedyn, fel y byddech chi wedi rhedeg, draw at y ferch.

Roedd gyrrwr y car a'i trawodd hi yno o fy mlaen i, a dwi ddim yn gwybod ai fe neu'r ferch oedd wedi ei frawychu fwya. Doeddwn i fawr o gysur, mae'n siŵr, i'r un ohonyn nhw. Roedd ceisio tawelu braw dau mor wahanol i'w gilydd y tu hwnt i fi. Fe awgrymais iddo fe fynd 'nôl at ei gar i ddiffodd yr enjin. Yn yr eiliadau nesa rown i'n ddifrifol o falch nad oedd neb arall yno i glywed y siarad fu rhyngof fi a'r ferch. Ymhen ychydig fe weles fachgen dipyn hŷn na hi ar ochr y ffordd, ac fe alwes hwnnw draw. Roedd yn ei nabod hi ac yn gwybod ble'r oedd hi'n byw.

Tua'r naw neu ddeg oed oedd hi. Ond doedd hi ddim yn llefain. Roedd hi'n hawdd gweld wrth siâp ei chlun hi fod toriad crwn yn yr asgwrn, ond roedd gweddill ei chorff hi i bob golwg yn iawn. Y gamp oedd ei chadw hi rhag symud. Erbyn hynny, roedd yna wraig garedig wedi dod atom ni, a hithau'n ei nabod hi, ac yn gwybod yn union am ei theulu.

'Ydi dy dad gartre?' gofynnais i'r ferch.

'Ydi,' meddai hi. A phan welais i'r ambiwlans yn dod ar wib o gyfeiriad y bont, meddwn i wrthi, 'Fe fyddi di'n mynd draw i'r ysbyty yn yr ambiwlans nawr, ond fe af i lan i nôl dy dad, ac fe ddown ni draw ar dy ôl di ar unwaith.'

Fe'i llwythwyd hi'n garcus i'r ambiwlans, ac fe ddaeth y wraig ddierth lan gyda fi i chwilio am y tad. Profiadau i'w hosgoi yw gorfod dod â newyddion drwg i bobol, ac am un rheswm rown i'n arbennig o drwm fy nghalon yn mynd at y drws hwnnw. Fe eglurais i'r sefyllfa orau gallwn i, a chyn pen dim roedd y tad gyda ni yn y car ar ein ffordd i Fangor. Rown i'n ceisio egluro mai eiliad o frwdfrydedd i groesi'r ffordd i chwarae oedd wedi mynd â hi i lwybr y car. Rhyw ddamwain pan na ellid dweud fod llawer o fai ar neb. Yn fuan rown i'n troi trwyn y car i mewn i hen Ysbyty Môn ac Arfon.

Roedd hi'n rhyddhad clywed cadarnhau mai ei chlun yn unig oedd wedi ei chael hi. Fe bwysodd y tad arnom ni i beidio aros, gan y deuai eraill o'r teulu draw ato gyda hynny. Fe hebryngais y wraig ddierth yn ôl i'w thŷ, ac yna mi es innau am adre, yn ddyn rhyw ronyn bach yn ddoethach.

Pam doethach? meddech chi. Doeddwn i wedi gwneud dim ond beth fyddai pawb arall wedi ei wneud yn yr un sefyllfa. Pa wers ddysgais i wrth wneud hynny?

Nid beth fedrais i ei wneud oedd y wers, ond beth fethais i ei wneud. Ac fe gewch chi glywed nawr y darn yna o sgwrs fu rhyngof i a'r ferch ar ganol yr hewl, y darn y gwnes i osgoi ei ddweud wrthoch chi gynnau. Pan own i yn fy nghwrcwd ar ei phwys hi, yr hyn yr oedd hi'n ei ddweud wrtha i oedd,

'Rwy isio Mam.' Ei ddweud e, a'i ddweud e, a'i ddweud e gydag angerdd. 'Rwy isio Mam!'

A dyma finnau'n dweud, 'Paid â gofidio, y foment y daw'r ambiwlans fe af i nôl dy fam.'

Fe alla i glywed ei llais hi nawr yn fy ateb i, 'Mae Mam wedi marw, ond mi dw isio hi!'

Fi gafodd yr ergyd fwya ar yr hewl yna y prynhawn hwnnw. John bach, myntwn i wrthyf fy hunan, paid ag addo pethau na elli di byth mo'u cyflawni nhw.

20 Awst 1985

Y Fandal

Yn dilyn eu ffrae, ac ymadawiad Heseltine ar y nawfed, ddydd Iau diwethaf, ymddiswyddodd Leon Brittan o'r Cabinet, y ddau wedi 'clwyfo' ei gilydd mewn sgarmes wleidyddol

G. K. Chesterton biau'r gerdd ddigri honno, 'Wine and Water', lle sonia am y llwyrymwrthodwr yn atal yfed gwin yn yr Eisteddfod (gan ei acennu'n od er mwyn ei odli gyda 'God'). Yn niwedd y pennill cyntaf, a Noa a'i wraig yn yr arch:

And Noah, he often said to his wife when he sat down to dine,
'I don't care where the water goes if it doesn't get into the wine.'

Mae'n rhyfedd fel y cafodd testunau fel y dilyw eu trin yn ysgafn. Byddai'r anfarwol Dafydd Ifans, Ffynnon Henri yn pregethu ar Noa a Pharo gyda'r fath wreiddioldeb nes rhoi difyrrwch eithriadol i gynulleidfa. Testunau gwirioneddol ddifrifol ydynt, mae'n wir. Eto mae yna le i gael golwg ysgafn ar yr hanesion o dro i dro. Mae'r hyn sy'n wir a safadwy yn safadwy drwy bob digrifwch, hyd yn oed drwy wawd. Fe gafodd yr Eglwys ei gwawdio gan rai yn yr Ymerodraeth Rufeinig, ond syrthiodd yr Ymerodraeth, ac mae'r Eglwys yn fyw. Gwawdiwyd y Beibl gan ddoethion diwylliedig yr ail ganrif ar bymtheg a'r ddeunawfed ganrif. Mae eu dysgeidiaeth hwy wedi cilio, mae'r Beibl yn aros.

Rwy'n cofio i rywun roi paent unwaith ar gromlech Pentre Ifan. Roedd y cynghorwyr lleol yn gandryll. Dyma beth yw gwawd a sarhad, meddent, ac amarch i'r cyndeidiau. Ac un hen gynghorwr hirben yn cynnig sylw:

'Hawyr bach,' mynte hwnnw, 'os yw'r paent rywbeth yn debyg i baent William Dafis fan hyn, fe fydd wedi plisgo o 'na cyn y lecsiwn nesa. Dewch chi yn ôl yma mewn pum can mlynedd, ac nid gofyn fyddan nhw beth yw'r paent 'na ond beth yw'r gromlech 'na.' Y pethau sy'n dioddef o gael eu trin yn ysgafn yw'r pethau ysgafn.

Hanes gwirioneddol drist yw hanes y dilyw. Mae'r creu mor ogoneddus, a Duw yn cyhoeddi fod y cyfan yn dda. Wedyn trowch un ddalen a beth gewch chi ond '. . . llanwasid y ddaear â thrawsedd' (Genesis 6:11). Dyma beth yw fandaliaeth. Yr harddwch perffeithiaf a grewyd erioed wedi ei fandaleiddio. Pwy yw'r fandal? Pwy wenwynodd afonydd? Pwy sydd wedi gwenwyno Llyn Eerie yng Ngogledd America? Pwy sydd wedi suro daear, a hau radio egni marwol yn Awstralia a thraethau Prydain? Pwy sy'n difa fforestydd ac yn creu newyn mewn byd o ddigonedd? Pwy sy'n lladd miliynau o gyd-ddynion, yn adeiladu siamberi nwy a pharatoi bomiau i ddryllio byd? Yr ateb: dyn.

A'r hyn sy'n gwneud fandaliaeth dyn yn waeth yw ei fod yn fandaleiddio ei gartref ei hun a'i aelwyd ei hun a'i ystafell ei hun. Nid fandal oedd Noa oherwydd yr oedd yn parchu popeth yn ei arch, hyd yn oed y gwin, yn ôl Chesterton. Nododd Chesterton y gwin yn arbennig fel rhywbeth na charai Noa weld ei ddifrodi. Dyna ddechrau achubiaeth pob fandal: cael ganddo ddechrau parchu'r pethau nesaf at ei galon. Yna, y bobol nesaf ato. Pan allwch chi gael dau sy'n cydweithio i barchu ei gilydd, dyna obaith. Ond pan gewch chi ddau aelod o Gabinet Prydain Fawr yn fandaleiddio gyrfaoedd ei gilydd pa obaith sydd? Nid ar strydoedd Tottenham na strydoedd Lerpwl y mae magwraeth fandaliaeth a thrais, ond yn rhif deg Stryd Downing. Pan geir y fandal gwaethaf i ddechrau parchu'r pethau sy'n ei ymyl ef ei hun, fe fydd gobaith iddo barchu pethau ym mywydau pobol eraill. Pwy a ŵyr na ddaw fandaliaid mawr y llywodraeth wedyn i barchu ei gilydd?

27 Ionawr 1986

Pwyllgor Llety

Gresyn na fuasai ganddyn nhw ym Mhalesteina yn amser Iesu un o'r sefydliadau hanfodol hyn, petai ond iddo gael lle i gael ei eni. Trueni na fyddai yna Fwrdd Croeso i sicrhau fod yna le i Fab y Dyn roi ei ben i lawr yn rhywle. Yn anffodus, byddai Iesu yn gwsmer anodd iawn darparu ar ei gyfer gan ei fod yn mynnu torri'r rheolau.

Bydd yn ei wahodd ei hun i lawer lle, fel y gwnaeth gyda Sacheus (Luc 19:1–10). Y mae eisoes wedi ei wahodd ei hun i fywyd cannoedd a miloedd o seintiau yr hen ddaear hon, ac i nifer anhraethadwy o aelwydydd. Doedd e ddim yn dangos unrhyw gwrteisi, dim ond hawlio'i le, fel petai.

Yna bydd yn ei wahodd ei hun i'r mannau mwyaf anghymwys. Meddyliwch gynifer o Phariseaid ac Ysgrifenyddion da oedd yn Jwdea a Galilea yn amser Iesu, pobol barchus y medrai fod wedi cymysgu gyda nhw. Ond at bublicanod a phechaduriaid y byddai Iesu'n mynd. Ac arswyd y byd! Meddyliwch amdano'n ei wahodd ei hun i dŷ lleidr o greadur fel Sacheus. Doedd yna ddim chwaeth o gwbwl gan Iesu wrth ddewis llety.

Yn waeth na dim, mae yna hen duedd gas ganddo i landio pan nad yw pobol yn ei ddisgwyl. Fe dorrodd i mewn i fywyd Pedr ac Ioan. Mae'n siŵr y byddai'r rheini wedi meddwl y byddai fory neu'r wythnos nesa neu'r flwyddyn nesa, hyd yn oed, yn fwy cyfleus. Fe wnaeth yr un peth gyda Paul. Roedd hwnnw ar ganol gwaith arall pwysig eithriadol. Beth ar wyneb y ddaear ddwedwch chi am ddyn druan wedi cuddio mewn coeden, ac Iesu yn sydyn yn dweud wrtho am ddod lawr oherwydd ei fod am aros yn ei dŷ. Nid wythnos nesa, nid yfory, ond heddiw.

Pob clod i Sacheus, fe ddaeth i lawr ar frys ac fe roes groeso tywysogaidd, nid yn gymaint yn y te a'r cacennau, ond 'Dyma hanner fy eiddo, syr . . .' Hwyrach i luoedd o'r torfeydd a groesawodd Iesu i wahanol fannau fynd yn ôl ar derfyn dydd i'w hen ffyrdd a'u hen gartrefi digyfnewid. Yn achos Sacheus, fe ganiataodd ef i'r Lletywr aildrefnu'r llety yn llwyr.

9 Tachwedd 1986

Lladron yn y Capel

Wedi i leidr dorri i mewn drwy do'r gegin a dwyn rhai llestri cymundeb ym Mhendref

Mae llawer ffordd i ddod i mewn i gapel. Daw rhai drwy fagwraeth, rhai drwy lythyr, a rhai drwy argyhoeddiad. Daw pawb o'r rheini i mewn drwy'r drws. Mae'r Beibl yn sôn am yr un sy'n dringo ffordd arall, mai lleidr ac ysbeiliwr ydyw. Fe welsom ni'r wythnos hon fod hynny'n wir.

Mae hefyd yn sôn am ddulliau amrywiol gan bobol i ddod at Iesu. Rhai'n cael eu cyfeirio gan angylion, rhai'n dilyn seren. Clywsom am rai yn cael eu dwyn ato gan eu mamau, ac un gan ddisgybl. Galwyd Mathew o fwrdd ei swyddfa, a Sacheus o ben coeden. Cafodd pedwar eu galw o'u cychod.

Mae yna hanes yn yr Efengylau am rai yn dod i mewn i'r oedfa drwy'r to (Marc 2:1–12), oherwydd fod pobol yn eu rhwystro nhw rhag dod drwy'r drws. Mae yna rwystrau eraill dirifedi yn cael eu henwi sy'n atal pobol rhag dod at Grist. Iau o ychen gan un, bywyd y cartre gan un arall, angladd gan un arall wedyn. Roedd y disgyblion yn ceisio rhwystro rhai, ond y dyrfa oedd y rhwystr fan hyn. Efallai fod hynny wedi digwydd yng Nghymru: poblogrwydd crefydd wedi rhwystro rhai rhag dod i wir adnabod y Gwaredwr.

Mae Dr Alan Brash yn sôn am ddulliau amrywiol pobol i ddod at Dduw. Yn Affrica bu'n addoli gyda chynulleidfa a ddawnsiai. Yna gwelai rai yn gweddïo a'u talcennau ar y llawr a'u sgidie oddi am eu traed. Yn Indonesia cydweithiai â gweinidog a âi i'w waith yn droednoeth, ond pan oedd ganddo wasanaeth arbennig. Yn Rwsia bu'n penlinio am ddwy awr gyda hen ŵr dros ei bedwar ugain. Mae'r amrywiaeth yn amlwg, ond roedd yna un peth yn gyffredin rhyngddyn nhw yn eu hymroddiad i'r addoli, sef yr awydd i dorri trwodd at Dduw.

Ryw ddydd efallai y down ni tua'r capel a gweld, fel y gwnaeth y lleidr yr wythnos hon, fod pob llwybr i'r cysegr wedi cau. Drws yr emyn wedi cau. Drws y weddi a'r gyfeillach a'r cymundeb, i gyd wedi cau. Os gwelwch chi ryw noson felly'n dod yn eich bywyd, dangoswch yr un dycnwch a dyfeisgarwch â'r lleidr ym Mhendref a'r pedwar yn Efengyl Marc. Chwiliwch ffordd arall ddirgel. Ffordd megis y weddi dawel yn y galon.

Gallaf ddychmygu'r pedwar a oedd yn tynnu'r meini o'r to yn nesu at Iesu. Synhwyro oeddent i ddechrau fod Iesu rywle yn fanna odanynt. Wedi cael rhai darnau'n rhydd, dechrau clywed ei lais, yn aneglur, efallai, i ddechrau. Tynnu rhagor, ac nid yn unig ei glywed wedyn ond ei weld, a'i weld yn edrych fyny atyn nhw. Dyna'r profiad a ddaw inni bob tro y ceisiwn ni nesu ato mewn gweddi. Ei glywed yn dod yn nes ac yn nes o hyd.

7 Rhagfyr 1986

Cael ein Cyflwyno

Profiad sydd wedi dod i lawer ohonom yw cael ein cyflwyno i rywun. Nawr fe allwn ddod i'r cyflwyniad mewn llu o wahanol ffyrdd. Fe allwn fod wedi gweld y dyn hwnnw lawer gwaith cynt. Wedi ei nabod o bell megis. Yna, yn sydyn, cael ein cyflwyno yn ffurfiol iddo. Dyna'r cyflwyniadau sy'n aros yn arwyddocaol yn y cof wedyn.

Fe gewch gyflwyniadau newydd i rywun nad ydych erioed wedi ei weld o'r blaen, efallai mewn sefyllfa newydd a dieithr. Rydych yn siŵr fod y llall wedi cael clywed eich enw chi yn eglur ac wedi ysgwyd llaw â chi. Eto o fewn munud fe fydd wedi cael ei gyflwyno i rywun arall, ac fe wyddoch yn iawn na fydd yn cofio dim amdanoch chi na'ch enw.

Ofnaf mai dyna'r math o gyflwyniad a geir yn aml heddiw. Cymeradwyir Iesu fel dyn dieithr i blant a phobol ifanc. Iesu heb gefndir ydyw, Iesu heb achau, Iesu heb hanes. Dyna anodd yw cyflwyno rhywun di-berthynas. Mae'n rhaid cael rhyw gyswllt yn rhywle: dyma fy mrawd, neu fy nghydweithiwr, neu fy nghymydog. Mor ddiystyr yw enw yn unig, Mr Jones neu hyd yn oed Azariah Harriman Talbot. Os nad oes gan y llall ryw gyswllt o gwbwl does dim disgwyl ei gofio wedi ei gyflwyno. Bydd plant yn cael eu cyflwyno i Iesu mewn ysgol neu ysgol Sul, heb le na theulu na pherthynas. Yn fuan wedyn cânt eu cyflwyno i ddysgawdwr arall, a Iesu'n angof.

Sut daethoch chi i'w adnabod? Darllenais am un yn dweud iddo ddod i nabod Iesu cyn iddo ddysgu siarad.

'Roedd Crist ar yr aelwyd,' meddai. 'Gweld fy nhad yn gweddïo cyn deall y geiriau oedd ar ei wefusau. Pan ddaeth hi'n amser cyflwyno'r Iesu i mi, dyna hawdd oedd hi.'

Cafodd amryw o Gymry eu cyflwyno i Grist ar hyd llwybr tebyg. Wedyn colli golwg arno, a chael eu gwahanu. Am amryw resymau, ac amryw rwystrau, cafodd Crist ei adael a'i anghofio.

Mewn un man yn yr Efengylau y mae Crist fel petai yn cael ei ailgyflwyno gan ddisgybl i ddisgybl arall: 'A dyma'r disgybl hwnnw yr oedd Iesu'n ei garu yn dweud wrth Pedr, "Yr Arglwydd yw"' (Ioan 21:7). Bydd yn rhaid i ni gael rhywun arall sy'n nes at Iesu i ddehongli'r profiad inni pan ddaw, er mwyn inni sylweddoli mai Iesu sydd yno, yr Iesu y buom gymaint yn ei gwmni gynt. Dyna wedd newydd a gawn ni arno wedyn. Agorwyd llygaid Pedr i adnabod y Crist Atgyfodedig o'r newydd.

Mae Kenneth Graham yn sôn am blentyn yn ailgyflwyno Iesu i'w fam. Roedd wedi cael llawdriniaeth mewn ysbyty, ac allan yn y dre yn siopa gyda'i fam am y tro cynta. Yn sydyn, gwelodd mewn siop lun Iesu, a dweud wrth ei fam, 'Dyna fe, fy ffrind i, y saer yna yr own i'n sôn wrthoch chi amdano fe, oedd yn dod i 'ngweld i bob nos.' Fe agorwyd llygaid y fam i ddod i adnabod Iesu mewn ffordd syfrdanol o newydd.

22 Mawrth 1987

ADEILADU TŶ I GRIST

Yn ei hen ddyddiau soniodd Carl Jung fel yr ymddangosai diwinyddion ac athronwyr yn rhyfedd iddo am eu bod yn trafod bodolaeth Duw fel syniad haniaethol, tra iddo ef yr oedd bodolaeth Duw 'mor eglur â bricsen yn disgyn ar eich pen'. O'r ochr arall cyfeiriodd at oedfaon fel dioddefaint iddo, oherwydd fod pregethwyr yn siarad mor hy am Dduw, a Duw mor ddirgel iddo ef, yn un na wyddai ddim amdano.

Meddai Simone Weil wedyn: 'Y mae siâp y goruwchnaturiol yma islaw yn ddirgelwch, yn fud, yn anweledig bron, ond yn dyngedfennol.'

Felly pa le mae cael gafael arno? Y mae fel harddwch yng ngherdd T. Rowland Hughes. Fe ellwch chwilio a chwilio amdano yn ofer. Mae'r Dr Stanley Jones yn sôn am fachgen yn edrych ar lun ei dad, ac yn dweud, 'O na wnâi gerdded allan o'r llun!' Mae'r hiraeth hwnnw wedi bod yng nghalonnau llaweroedd o broffwydi, a welodd ei lun.

Pa fodd y mae ei gael i ddod? Yr ateb yw drwy i rywun gynnig llety iddo, '. . . cael eich adeiladu i fod yn breswylfod i Dduw' (Effesiaid 2:22). Dyna a ddigwyddodd ym Methlehem a Chapernaum a Bethania.

10 Mai 1987

Bom

Anerchiad ar gyhoeddi'r Beibl Cymraeg Newydd

Mae bom yn y neuadd yma, ond does dim angen ichi gyffroi, oherwydd fe wneir pob ymdrech bosib i'w datgymalu hi cyn iddi ffrwydro. Rydych chi wedi clywed am fomiau fel hyn o'r blaen, ac mae yna laweroedd o fywydau bach esmwyth wedi cael eu chwalu ganddyn nhw. Fe welodd Cymru ei siâr ohonyn nhw dros y canrifoedd. Cymru yw Gogledd Iwerddon a Beirŵt y byd ysbrydol, gyda bomiau yn Llangeitho tua 1738 a 1762, bom fawr Trecastell yn 1786 a bom Llanbryn-mair y flwyddyn wedyn. Ffrwydriad Beddgelert yn 1817 ac mewn llawer lle yng Ngheredigion tua 1859. Yna bron ganrif yn ôl, bomiau 1904 a 1905 drwy Gymru i gyd, a'r rheini wedi newid bywydau ac aelwydydd dirifedi.

Yr un *semtex* yn union a ddefnyddiwyd ar Saul o Darsus pan oedd hwnnw yn bennaeth yr uned ddifa bomiau, a'r un deunydd yn y bom a adawodd Philip yng ngherbyd yr eunuch o Ethiopia. Mae'r Dwyrain Canol erioed wedi bod yn lle peryg am fomiau. Nid pethau i chwarae â nhw yw'r rhain. Maen nhw'n beryg bywyd, yn arbennig y bywyd hunanddigonol a chysurus a bodlon.

Rhaid cydnabod fod Cymry'r ugeinfed ganrif yn gall iawn a doeth, ac wedi dysgu sut i drafod y bom yma. Pan welir bom yn rhywle, y peth doethaf a saffaf yw gwagu'r lle, yr hyn a eilw'r Sais yn *mass evacuation*. Os na ellir tynnu'r bom o astell y pulpud, fe ellwch chi dynnu'r bobol o'r seddau. Er clod dirfawr i ddoethineb y genedl, fe arweiniwyd y gynulleidfa mas o'r oedfa. Yn gymwys iawn, fe arweiniwyd y plant a'r bobol ifanc mas i ddiogelwch i ddechrau.

Fe fu rhai ohonom yn anlwcus iawn. Fe fu'n rhieni yn hollol ddifeddwl yn mynd â ni i ddannedd y peryglon. Mynd â ni i olwg y bom mewn oedfa ar ôl oedfa, ac fe gawsom ni'n dala. Ond daeth cenhedlaeth gallach bellach. Hyd yn oed os yw'r rhieni eu hunain yn dal i fentro, o leiaf y maen nhw'n gadael eu plant gartre'n saff.

Ond beth os gwelwch chi un o'r bomiau yma yn eich cartre?

Er mwyn popeth, rhowch e mewn lle diogel. Mae'r fam-gu wedi ei symud o ford y gegin i ford y parlwr. Dyna'r cam cynta mewn ymarfer diogelwch. Mae'r fam wedi ei symud o ford y parlwr i'r atic. Beth fydd y ferch yn ei wneud tybed? Rwy'n cofio rhieni yma ym Mangor yn achwyn yn ddifrifol am eu mab:

'Dydan ni ddim yn dallt beth ddaeth dros ben yr hogyn 'cw. Ei drwyn yn ei Feibl yn ddiddiwedd. Roeddan ni wedi trefnu y basa fo'n mynd am job fach neis yn Ferrantis, ac yn awr dyma fo'n canu am fynd i Goleg Diwinyddol.'

Rydym ni i gyd yn gweld dyfnder siom y rhieni. Y ffordd orau i chi, rieni ifanc y dyfodol, osgoi sefyllfa felly yw gofalu na fydd eich plant ar unrhyw gyfri yn eich gweld chi yn gafael mewn bomiau fel y Beibl. Galwch y criw difa bomiau mor aml ag y medrwch chi. Mae'r rhain ar gael ym mhobman, mewn ysgolion, colegau, byd masnach, byd hamdden, materoliaeth, gwybodaeth unllygeidiog, gwyddoniaeth unllawr, technoleg a diwylliant di-Dduw.

Eleni mae'r peryg wedi cynyddu'n ddifrifol, oherwydd mae'r bom wedi cael ei rhoi mewn pecyn newydd. Mae'r cyfieithwyr cynllwyngar yma wedi gwneud ei chynnwys hi i edrych yn rhyfedd o debyg i unrhyw becyn diniwed arall mewn diwyg modern. Mae hyd yn oed ei golwg hi a'i chlawr hi'n ei gwneud hi'n ddifrifol o debyg i gyfrolau eraill ein silffoedd ni.

Wedi dweud hyn i gyd rhaid imi gyfaddef y gallech fod yn defnyddio'r bom er eich lles chi eich hunan. Rwy'n cofio gweld ffilm yn dangos lladron yn torri mewn i fanc, ac wedi gosod ffrwydron i rwygo drws yr ystafell 'ddiogel'. Wedi'r ffrwydriad, a'r llwch yn dechrau clirio, gwelem wynebau'r lladron yn rhyfeddu mewn gorfoledd at y cyfoeth a chwythwyd i'r golwg. Cofiais am luniau'r bugeiliaid o gwmpas y preseb mewn beudy tywyll, lle gwelir eu hwynebau wedi eu goleuo gan syndod o weld gogoniant wyneb Iesu. Rhyfeddent o weld y trysor. Meddyliwch y trysor a welech o ddefnyddio bom y Gair 'sy'n fyw a grymus' (Hebreaid 4:12) i chwythu'r drws sy'n eich cadw rhag dod at y Ceidwad.

18 Medi 1988

Yr Aelod Newydd

Ymhen blynyddoedd rwy'n siŵr y bydd yn rhaid i lyfrau anatomi newid un bennod, sef y bennod sy'n rhestru rhannau'r corff. Oherwydd cafodd y corff dynol un ychwanegiad pwysig yn ystod yr ugeinfed ganrif. Fel'na, meddai esblygwyr, y mae'n cyrff ni wedi datblygu yn y gorffennol. Roedd ein hen hen gyndeidiau ni wedi colli eu cynffonnau am nad oedden nhw'n eu defnyddio. Roedden nhw wedi datblygu bysedd hirion a hyblyg ar eu dwylo, oherwydd eu bod nhw'n defnyddio'r rheini. A dilyn yr ymresymiad yna, mae yna un ychwanegiad y bydd dyn yn siŵr o fod wedi ei ennill yn ystod y ganrif yn rhan o'i gorff. Y rhan rwy'n cyfeirio ati yw'r watsh.

Nawr mae gan bron bawb watsh, o'r lleia at y mwya, o'r ifanca i'r hyna. Mae hyd yn oed y plant bach fydd yn ddigon hen i gerdded i mewn i ddosbarth y babanod, hyd yn oed rai o'r rheini weithiau yn gwisgo watsh. Maen nhw'n cael eu cyflyru i feddwl fod watsh yn rhan o'u bywyd nhw. Fe ddaw'r rhain i feddwl am eu traed fel pethau eitha defnyddiol ar brydiau, ac ysgwydd fel rhywbeth sy'n iawn yn ei le. Ond am watsh, fe fydd honno iddyn nhw yn hanfodol, y darn bach gloyw 'na o liw arian neu aur ar eu braich chwith nhw.

Mae'n wir y byddwn ni'n tynnu'r watsh ambell waith, fel ar ambell ddiwrnod pan fyddwn ni'n mynd i ymdrochi yn y môr. Dyw hynny ddim yn beth newydd i rannau o'r corff. Fe fydd rhai ohonom ni'n cofio pan fyddem ni'n aros mewn ysgolion adeg yr Eisteddfod Genedlaethol, fel y byddai Griff Llanfair yn tynnu ei ddannedd dodi yn y nos, gan eu rhoi nhw'n barchus mewn dŵr a halen yn ei gwpan siafo *George the Fifth*. Ydi, fel dannedd Griff Llanfair, mae'r watsh hithau yn symudol.

Dyma'r gwahaniaeth: fe allech chi anghofio rhoi eich dannedd yn ôl, a heb sylweddoli hynny nes y byddech chi'n cyrraedd drws rhagbrawf yr unawd tenor, fel y digwyddodd hi i Griff. Eithr go brin yr elech chi o'r fan hyn i ddrws y car heb sylweddoli fod rhywbeth ar goll os oeddech chi heb wisgo'r watsh.

Fe ellwch chi fynd drwy ddiwrnod cyfan heb edrych ar eich bysedd. Fe ellwch chi fynd am wythnos heb weld eich traed. Fe ellwch chi fyw am oes heb weld eich *appendix*. Ond mae'n gamp i chi fyw am awr heb edrych ar eich watsh.

Mae hi yn ein hymyl ni ddydd a nos, yn sicrach ei churiad na'r galon. Hon sy'n ein gyrru ni i fannau, ac yn ein tynnu ni o fannau. Hi yw rheolwr ein diwrnod ni, yn brysur bob eiliad, a hyd yn oed ran o eiliad. Dyma i chi weithwraig gydwybodol. Mae hon fel petai hi'n gweithio'n fwy dygn a phrysur pan na fyddwn ni'n edrych arni. Yn wir, fe fyddwn ni'n synnu mor bell y bydd hi wedi cerdded tra byddwn ni wedi bod â'n meddwl ar rywbeth arall.

Mae hi'n gweithio lawn cystal yn y nos ag yn y dydd. Pan rown ni hi i lawr i orwedd yn ymyl y gwely er mwyn i ni gael gorffwys, nid gorffwys fydd hi. Bydd hi'n ein sïo i gysgu yn y tywyllwch. Pan ddaw'r bore a'n llygaid ni ond prin yn medru agor, fe fydd ei llygad hi led y pen ac yn barod ei gwasanaeth. Hyd yn oed ym mherfeddion nos, a ninnau'n methu cysgu, wnawn ni mo'i dal hi byth yn hepian.

Fe all y corff gael ei ddyddiau mewn iechyd a'i ddyddiau mewn afiechyd, ei ddyddiau chwim a'i ddyddiau araf. Digyfnewid yw hon heb ildio eiliad. Ac o holl rannau'r corff, dyma'r rhan fydd yn gweithio ola. Pan fydd hen fegin yr ysgyfaint wedi llonyddu, a hen gamre'r galon wedi gwanhau a chloffi, a chloi, fe fydd hon ar y cwpwrdd bach 'na wrth erchwyn y gwely yn dala i weithio, yn rhannu munudau ac oriau byd amser. Erbyn hynny, fe fyddwn ni mewn byd lle na bydd arnom ni angen na llaw na throed nac *appendix*, na hyd yn oed watsh.

12 Hydref 1988

Credu

Rwy'n dal i'w chael hi'n anodd credu'r hanes yma, a gadarnhawyd gan wasanaeth newyddion Tass, am y llong ofod yn Rwsia. Fe ddaeth hi i lawr yng nghanol dinas Voronezh tua hanner nos neithiwr, a rhyw fodau yn dod allan ohoni, rhai tebyg i ddynion, ond eu bod nhw yn ddeuddeg troedfedd o daldra a thair o lygaid gan bob un yn ei ben.

Y peth oedd yn peri syndod i lawer oedd fod pobol Rwsia yn barod i gredu adroddiadau'r papur fod y peth yn wir. Ddylai hynny ddim bod yn syndod i ni. Oherwydd pan fo pobol yn gweld eu hen gredoau mawr yn cael eu datod – fel y gred mewn comiwnyddiaeth – fe fyddan nhw'n barod i droi i gredu unrhyw beth. Wedi i'n gwlad ni golli ei ffydd yn Nuw, mae'n troi at bob math o ofergoeliaeth wedyn, fel credu proffwydoliaethau'r sêr mewn papur newydd.

Wedi'r cyfan, nid pobol Voronezh a gâi'r wobr gynta gen i am grediniaeth y dyddiau hyn. Mae pethau lawn mor anghredadwy wedi cael eu dweud o lwyfannau Brighton a Blackpool ers wythnos a mwy, a llond neuaddau o bobol yn barod i'w credu nhw. Mae yna bobol bore heddiw yn credu fod yr Ysgrifennydd Cartre yn ddeuddeg troedfedd o daldra, ac yn barod i gredu fod gan y Canghellor fwy na'r arfer o lygaid yn ei ben.

Wedi dyddiau o glywed yr anghredadwy, y credu sydd wedi codi fy nghalon i yw gweld bachgen ifanc, wedi cael triniaeth dyngedfennol yn yr ysbyty, bellach yn credu fod fory ar ei gyfer ef. Os ydych chi'n chwilio am rywbeth i'ch ysbrydoli a'ch gwefreiddio, peidiwch â ffwdanu mynd i Blackpool. Fe allwch ei weld ym Mangor, wrth erchwyn gwely bachgen sy'n gwella.

11 Hydref 1989

Colli Codwr Canu

Un o'r golygfeydd mwya erchyll welais i erioed ar deledu oedd yr hyn welais i ar fwletin newyddion ryw wythnos neu fwy yn ôl, sef menyw yn codi canu ar ddechrau gêm rygbi. Mae'n gas 'da fi weld arweinydd yn arwain cynulleidfa i ganu 'Hen Wlad fy Nhadau'. Mae'r peth yn gwbwl groes i holl natur y gân, pan ddylai pob llygad fod yn syllu, nid ar freichiau'n chwifio, ond yn wyneb cenedl a chydwybod. A phob tro y bydd yna arweinydd, beth sy'n digwydd wedyn yw fod hwnnw mor awyddus i barhau ei berfformiad nes peri i'r gynulleidfa ganu'r gytgan yr eilwaith a llurgunio'r anthem. Mae'n rhaid i fi gyfaddef, o barch i Evan James a'i fab James, ac o barch i draddodiad ein cenedl ni, dyma un sy'n mynd ar streic bob tro y cenir yr encôr ar y gytgan 'na.

Wn i ddim a ganwyd y gytgan eilwaith ar Barc yr Arfau. Doeddwn i ddim wedi medru gwylio'r gêm. Ond roedd gweld menyw fanna yn peri i ddyn deimlo i'r byw dros bob codwr canu o'r iawn ryw drwy Gymru gyfan. Beth oedd ym mhen Undeb Rygbi Cymru eu bod nhw wedi meddwl am y fath beth? Dyna fe, mae'n amlwg ers blynyddoedd eu bod nhw wedi colli pob diddordeb mewn rygbi. Mae'n rhaid eu bod nhw wedi troi eu golwg i gyfeiriad byd y canu bellach. Wel, os caiff y criw yna eu gafael ar gerddoriaeth Cymru eto, dyna hi ar ben ar ganiadaeth y genedl. Os rhaid cael codwr canu, oni ddylid fod wedi cynnal rhagbrofion ar gyfer y gwaith? Wedi'r cwbwl, maen nhw weithiau'n cynnal rhagbrofion ar gyfer y chwaraewyr. Rwyf innau, fel eraill ohonoch chi a gafodd ymweld â llawer o gapeli drwy Gymru ar y Sul, yn gwybod am aml i godwr canu a allai fod wedi rhoi gwres ei thraed i honna.

Neu efallai y dylwn i fod wedi dweud, yr oeddwn i'n gwybod. Wath mae'r codwr canu wedi mynd yn greadur difrifol o brin erbyn hyn ar lawr gwlad. Yn wir, mae hi wedi dod yn bryd i ni ystyried o ddifri sefydlu Cymdeithas Gwarchod Codwyr Canu. Mae 'na berygl y gallem ni fod yn eu colli nhw i gyd. Os aeth cân yr eos yn brin, a sŵn rhegen yr ŷd yn ddierth, a chân yr ehedydd yn beth anghyfarwydd i glustiau'r nawdegau, dwedwch wrtha i, pryd glywoch chi godwr canu ddwetha? Mae elfennau ein byw modern ni yn difa'u cynefin nhw, a rhai ohonyn nhw yn eu dygn newyn wedi gorfod mynd i ddibynnu ar ambell gystadleuaeth canu emyn dros drigain er mwyn ymgynnal.

Syniad da gan adarwyr yw agor gwarchodfeydd i adar prin. Llefydd ardderchog yw'r rheini i ofalu fod yr adar yn cael digon o faeth a chael crwydro'n rhydd oddi wrth bob ymyrraeth gan eu gelynion, ac yn arbennig ymyrraeth dyn. Wel, pam na allwn ni gael gwarchodfa i'r codwr canu? Rhyw fan agored anenwadol lle y gall grwydro o'r *Caniedydd* i'r *Llawlyfr Moliant* ac i'r *Llyfr Emynau a Thonau* heb fod neb yn ei feirniadu. Fyddai yna neb sy'n elyn naturiol iddo fe yn cael dod mewn i'r warchodfa. Dim arweinyddion gwadd fel maen nhw'n eu cael nhw ar 'Dechrau Canu'. Dim un pregethwr sy'n cyhoeddi emynau lletchwith nad oes yna donau canadwy ar eu cyfer nhw, nac ychwaith organyddion sy'n mynnu llusgo hanner llinell y tu ôl i bawb arall. Rhyw nefoedd fach dawel, ddi-gystadleuaeth a di-gymhlethdod a diwrthwynebiad i godwyr canu.

Erbyn meddwl, onid gwell o lawer fyddai eu diogelu nhw o fewn i'w cynefin naturiol. Un peth pwysig iawn yw diogelu eu nyth nhw, sef y côr bach cyfleus yna sy'n union tu flaen i'r côr mawr ac yn ymyl yr organ. Mae 'na ryw nâd wedi dod i gapeli nawr i dynnu'r côr hwn o'na, er mwyn gwneud lle i hen biano a phethach felly. Hyd yn oed os nad oes codwr canu 'da chi nawr, gofalwch er mwyn popeth na wnewch chi dynnu'r nyth o'na, wath efallai y daw rhyw godwr canu eto yn ôl i nythu yna rywbryd.

Mae pobol sydd â diddordeb mewn adar prin yn codi cuddfannau yn eu cynefin nhw er mwyn gwylio arferion y gwahanol adar yn mynd a dod. Pwy ŵyr na welwn ni rywbryd y naturiaethwyr yn codi sied ddirgel tu fas i gapeli er mwyn gwylio'r codwr canu yn dod i'w gynefin. Fe allwch chi ddychmygu'r wefr fydde'n mynd drwy'r gwylwyr cuddiedig yn y sied, pan fydden nhw'n gweld Twm Williams, Grugar yn cyrraedd Siloam yn ei *Rover* am bum munud i ddeg y bore. Fe fydden nhw'n gallu ei wylio fe yn agor drws ei gar ac yn tynnu'r *Llawlyfr Moliant* mas o ganol y darnau o gorden bêls sy ar y sêt ôl. Hwnnw yn blyg yn ei law e, yn llyfr meddal gan amlder oedfaon ac yn greithiau dros ei glawr, a chorneli ei dudalennau i gyd wedi eu troi lawr rywbryd yn eu tro. Yn ôl arfer yr un rhywogaeth, fe fydde fe'n bwrw golwg ar y ceir fydde wedi cyrraedd eisoes er mwyn cyfri sawl alto fydde gydag e. Yna, wedi carthu ei lwnc a phoeri i fôn y clawdd, a hymian bar neu ddau o'r intrada, camu i mewn drwy'r iet at ei waith.

Felly, os ydych chi'n ffaelu cysgu'r nos oherwydd fod mathau arbennig o redyn yn mynd i golli, neu am fod clwpfrwynen y morfa yn mynd yn blanhigyn prin, ymunwch hefyd â chymdeithas cadw'r codwr canu. Trefnir tripiau arbennig i gymanfa bwnc ac ysgol gân a mannau eraill o ddiddordeb naturiaethol. Dowch i ni gael diogelu aderyn prinnaf Cymru cyn iddi fynd yn *rallentando* olaf arno, ac yn amen am byth.

10 Chwefror 1990

Gwlad Pob Peth o Chwith

Gyda chyfeiriadau at ymosodiad gan yr IRA yn Downpatrick a'r brotest yng ngharchar Strangeways am dros dair wythnos

A fyddwch chi'n cael yr argraff weithiau eich bod chi'n byw 'yng ngwlad pob peth o chwith'? Fe ddaw ambell wythnos fel yna heibio yn awr ac yn y man, pan allwn i dyngu 'mod i mewn breuddwyd. Mae yna gymaint o bethau anhygoel yn digwydd y naill wrth gwt y llall. Cofiwch, y mae yna bethau normal yn digwydd yn eu canol nhw sy'n drugaredd i fi ac yn dangos 'mod i'n dala i fyw yn yr un hen fyd ag arfer, ac yn yr amser presennol: yr heddlu yn chwilio drwy Sir Benfro i gyd am ryw bâr ar eu gwyliau nes i rywun ddweud wrth y pâr eu bod nhw i fod ar goll, a'r rheini'n gwadu; gwleidyddion yn Llundain yn chwilio am eiriau newydd i ddweud mor ddychrynllyd o atgas yw'r IRA; ac yna sylwebyddion criced o Loegr yn enllibio dynion duon am eu bod nhw'n meiddio maeddu tîm y Saeson. A dyna fi wedi dihysbyddu digwyddiadau normal yr wythnos i gyd.

Fydd yna ddim gobaith imi gwmpasu gwallgofrwydd y digwyddiadau eraill, rhai fel y rhaglen deledu a wnaeth ffyliaid llwyr o'r Llywodraeth drwy gael actor celfydd i drosleisio dros lun Gerry Adams yn cael cyfweliad, ac Irac yn archebu corn simdde enfawr gan ryw waith dur yn Sheffield, a phawb yn meddwl mai canon mawr oedd e. Mwy anhygoel na hynny yw'r golygfeydd y tu allan i garchar Strangeways. Chlywais i erioed enw mwy pwrpasol i garchar, Y Ffyrdd Rhyfedd. Mae ffyrdd y carcharorion o gynnal eu gwarchae yn rhyfedd. Mae ffyrdd yr awdurdodau o geisio dod â'r gwarchae i ben yn rhyfeddach fyth. Ond y rhyfeddod pennaf o'r cyfan i mi yw meddwl am garcharorion mewn carchar yn ymladd dros beidio â dod mas, a phawb o'r awdurdodau yn ymbil arnyn nhw i ddianc. Yn y seiat ddyddiol ar ben y to, y cwestiwn yn cael ei ofyn, 'Pwy sydd am fynd mas?' Pawb yn ysgwyd ei ben. Neb am fynd allan o'r carchar. A rhyw druan unig wedyn ymhen dyddiau ym mrig y nos yn crwydro ar hyd y to yn chwilio am ffordd mas, a'r ceidwaid yn ei gyfarwyddo fe. Roedd y cyfan yn fy atgoffa am hanes y carchar hwnnw yn Philipi (Actau 16:25–40).

Coron newyddion gwlad pob peth o chwith i fi neithiwr oedd clywed fod y Fam Teresa yn ymddeol. Chlywais i erioed o'r blaen am fam yn ymddeol. Cofiwch, mae pawb fel petaen nhw'n ymddeol yn gynnar y dyddiau hyn, pawb ond actorion a gweinidogion. Ond a allwch chi ddychmygu rhyw fam yn troi at ei theulu ryw ddiwrnod a dweud wrthyn nhw, 'Rwy'n credu 'mod i wedi cael hen ddigon ar y job yma bellach. Rwy'n credu 'mod i wedi gwneud pethau drosoch chi lawn digon erbyn hyn. Rwy wedi bod yn gofidio amdanoch chi yn y dydd a phryderu amdanoch chi yn y nos. Rwy'n credu 'mod am switsio'r gofal bant nawr ac ymddeol er mwyn cael heddwch. Rwy'n credu 'mod i wedi gwneud hen ddigon o'ch caru chi bellach, carwch eich hunain nawr o hyn mas. Rwy'n ymddeol.'

Dyna pam mai newyddion o wlad pob peth o chwith i mi oedd yr hanes am y Fam Teresa yn ymddeol. A allwch chi ddychmygu honno yn ymddeol o garu'r amddifad, yn ymddiswyddo o anwesu'r truan newydd eni o gornel stryd? Rwy'n cofio Nhad a Mam yn dweud fel y bydden nhw wedi ymddeol o'r ffarm a mynd i fyw yn y dre, yn dihuno yn y nos yn siŵr eu bod nhw wedi clywed buwch yn breifad, ac yn ceisio meddwl ai lawr yng nghors Parc Gwair oedd hi, neu ar lethrau Parc y Pwll, cyn sylweddoli eu bod nhw ymhell allan o gyrraedd y gwartheg a'r hen gaeau. Fe fydd hon yn dala i glywed cri'r tlodion ac ochenaid y cloff ble bynnag y bydd hi'n byw. Dyma beth yw ymddeol rhyfedd! Does ganddi ddim tŷ ar ei henw i ymddeol iddo, dim ond tŷ ei thrugaredd hi a'i thosturi. Dyw hi ddim wedi gwneud trefniadau doeth a hirben gyda'r un cwmni yswiriant, dim ond yswiriant gweddi. Ac i ble y bydd hon yn mynd i dynnu ei phensiwn? Nid i'r post fe allwch chi fentro, ond i ysbytai a chlafdai'r ddinas.

'Rŷch chi'n meddwl,' mynte hi, 'mai fi sy'n dwyn cysur iddyn nhw. Nhw yw ffynhonnau fy nghysur i. Nhw sy'n fy nerthu i.'

Fe allwch chi fentro felly mai i'r un lle y bydd hi'n mynd eto i dynnu pensiwn ei nerth a'i chysur.

26 Ebrill 1990

DIM MYNEDIAD I DDUW

Echdoe yn Ysbyty Gwynedd yma ym Mangor, fe es i mewn i un stafell. Roedd brawd yno ar ei wely yn ei wendid wedi gofyn i'r nyrs ei godi fe lan ar ei obenyddion er mwyn iddo gael gweld Eisteddfod yr Urdd. Ddoe roeddwn innau ar Faes yr Eisteddfod, yng nghanol egni a brwdfrydedd a bwrlwm y plant. Heddiw fe fydda i yn ôl gyda'r cleifion, un yn ei gartre a rhai yn Ysbyty Gwynedd ac un yn Ysbyty Dewi Sant. Dwi byth yn peidio â rhyfeddu mor wahanol y gall cylchoedd bywyd fod. A phetawn i'n gofyn y cwestiwn i chi nawr: ble ddwedech chi y bydd Duw heddiw, ai ar faes yr Eisteddfod neu gyda'r dioddefwyr? Rwy'n ofni y dwedai'r rhan fwya ohonoch chi mai gyda'r dioddefwyr y bydd. Fe dybiwn ni nad oes angen i Dduw fod lle mae yna fwrlwm a miri.

Mae 'na ymadrodd Saesneg a boblogeiddiwyd yng Ngogledd Iwerddon sef *no go area*. Rŷm ni am ryw reswm wedi penderfynu fod hapusrwydd a rhialtwch y tu allan i diriogaeth Duw. Gall Duw fynd at y dioddef, ond does dim o'i angen yn y miri. Ar ddrws ein llawenydd mae 'na arwydd DIM MYNEDIAD I DDUW.

Eto a yw'r ddau le mor wahanol i'w gilydd wedi'r cwbwl? Yn y ddau le fe welwch chi yr un amrywiaeth o brofiadau. Fe gewch chi ar faes yr Eisteddfod y llygaid yn chwilio'r sgrin i weld pwy sy wedi cael llwyfan. Yna, o fewn i'r un twr o blant, y gwahanol adwaith. Fe ellwch chi weld y diflastod, y plwm yna yn y stumog, y des i'n gyfarwydd iawn ag e dros flynyddoedd o gystadlu, o weld nad oedd fy enw i ymhlith y tri oedd wedi llwyddo yn y rhagbrawf. Yr un pryd fe ellwch chi weld y gorfoledd, y naid a'r sgrech gan barti sy wedi llwyddo. Ar y maes fe welwch chi'r wefr yn llygad plentyn sy wedi cael gafael am y tro cynta mewn balŵn. Ewch gam ymlaen ac fe welwch chi un arall yn torri ei chalon am fod ei mam yn gwrthod iddi gael dal ei chornet hufen iâ ei hunan.

Heddiw ar fy nhaith fach i ymhlith cyfeillion fe wela i yr un amrywiaeth o brofiadau. Fe fydd torcalondid a digalondid yn difa egni ambell un, ond bydd gobaith a gwên gorfoledd yr un mor amlwg yn llygaid rhai eraill – hyd yn oed yn eu poen. Mae

Duw i'w weld yn llawenydd y claf sy'n gwella. Wel, os gall Duw fod yn llawenydd y claf, fe all fod yn llawenydd y Brifwyl hefyd. Rhown yr hawl iddo i fod yno.

Pan dynnwn ni'r arwyddion DIM MYNEDIAD I DDUW oddi ar ddrysau'n miri ni, fe fydd mwy o obaith i ni ei gael wedyn yn gymorth hawdd ei gael mewn cyfyngder.

1 Mehefin 1990

Cwpan y Byd

Atgof am y gystadleuaeth yn yr Almaen 1974

Ychydig iawn fyddem ni fel rhieni yn siarad am bobol eraill yng nghlyw'r plant, ar wahân i'r adegau hynny pan fyddem ni o bwrpas yn dymuno canmol rhywun. Rhyw fath ar bolisi fu hynny erioed rhyngom ni'n dau, rhag i'n rhagfarnau ni gael eu plannu yn eu bywydau nhw. Wrth gwrs, fe fyddai mân newyddion yn cael eu crybwyll, yn ddigon naturiol, a hwythau weithiau'n ymuno yn y sgwrs.

Rwy'n cofio un sgwrs felly yn arbennig, pan ddechreuon ni'n dau siarad am frawd o'r cylch, a oedd wedi marw ryw ddeufis neu dri ynghynt. Mae'n rhaid ein bod ni wedi bod wrthi'n siarad am amser heb sylweddoli ar y pryd fod yna glustiau eraill yn gwrando. Ryw haf tua chanol y saithdegau oedd hi, pan oedd y plant yn fân. Yn ddirybudd dyma un ohonyn nhw, wedi dilyn y siarad yn astud, yn torri i mewn a gofyn y cwestiwn,

'Pryd wnaeth e farw?'

Fe fydda i yn cael fy nal a 'nharo'n fud gan ryw gwestiynau dirybudd fel yna. Wedi cael amser i feddwl,

'Mis Ebrill diwetha,' myntwn i.

'O, na drueni,' mynte fe.

Distawrwydd wedyn. Ac mi ofynnais i iddo fe, 'Pam wyt ti'n gweud hynna, 'te, Dylan?'

'O,' medde fe, 'fe gollodd e'r *World Cup*.'

Byth oddi ar hynny, bob tro y bydd cystadleuaeth Cwpan y Byd yn dod ar y gorwel, fe fydda i'n cofio'i eiriau. Nid 'mod i yn mynd i wneud ymdrech arbennig eleni eto i geisio cadw'n fyw. Beth bynnag, y mae bywyd bellach yn mynd braidd yn rhy llawn i feddwl am gael amser i wylio rhyw lawer ar y gêmau. Ond mae ei eiriau wedi peri i mi feddwl lawer gwaith beth sy'n werth byw er mwyn cael ei weld e. Yr ateb yw, y peth hwnnw y byddech chi'n fodlon marw wedi ei weld e.

Go brin y byddai'r cefnogwr pêl-droed mwya gorffwyll, wedi gwylio'r gêm fwya gorfoleddus o fendigedig a welir yr haf yma, yn dweud, 'Rwy'n fodlon marw nawr.' Ond pan welodd yr hen Simeon y Gwaredwr yn cael ei gyflwyno yn faban yn y deml, fe ddwedodd hwnnw, 'O Dduw, fe elli di ollwng dy was nawr, oherwydd rwy wedi ei weld e.' Yng ngeiriau Luc, 'Oherwydd y mae fy llygaid wedi gweld dy iachawdwriaeth.' Petai Simeon wedi marw cyn cael gweld Ceidwad y Byd, hynny fyddai wedi bod yn drueni.

8 Mehefin 1990

AR EI BEN EI HUN

Wedi marw John Evans, ymhell dros ei gant

Pan fyddem ni gartre ar y fferm yn torri llafur neu wenith yn y ffordd hen ffasiwn nawr, gyda beinder, fe fyddem yn cylchu'r cae, a'r gwenith yn mynd yn llai bob cylch. Yn y diwedd dim ond un rhes denau fyddai'n sefyll heb ei thorri. Dyna hardd oedd y rheini'n edrych a'u gwellt yn dal ac yn gadarn. Fyddech chi ddim wedi sylwi ar y rheina pan oedden nhw yng nghanol llond cae o wenith cyffredin yn ysgwyd gyda'r gwynt. Ond am mai nhw oedd yr ola roedden nhw'n edrych yn anghyffredin iawn.

Yr wythnos yma rydym wedi ffarwelio â dyn cyffredin a oedd yn eithriadol o anghyffredin. Petai unrhyw un ohonoch chi wedi digwydd cwrdd â John Evans, Llcwitha ryw drigain mlynedd yn ôl, efallai mewn angladd neu gymanfa ganu ym Methlehem Cadle, fyddech chi ddim wedi meddwl fod yna arbenigrwydd yn perthyn iddo. Fe fyddai yna yn y galeri yn morio'i gân gyda'r werin gerddgar. Ond am mai fe oedd yr ola o'i genhedlaeth drwy'r byd i gyd i wynebu hen bladur marwolaeth, fe gawsom ni bawb gyfle i ryfeddu at ei hynodrwydd arbennig e. Am iddo fe sefyll ar ei draed yn hwy na neb arall y daeth arbenigrwydd John Evans i'r golwg.

Mae'r profiad yma wedi bod yn addysg i fi. Mae hedyn arbenigrwydd ynom ni i gyd, ond ddaw hwnnw ddim i'r golwg yn hawdd mewn byd torfol. Am bawb ohonom ni, fe fyddwn ni'n cwympo ar ganfas yr hen feinder yna yn un pentwr gyda'n gilydd. Dyna drueni na chaem ni gyfle, cyn i'r beinder ddod i'n torri ni i lawr, cyfle i ryfeddu at hynodrwydd arbennig y gwenith o bobol sy o'n hamgylch ni. Maen nhw yma, y caredig a'r ymroddgar a'r pwyllog a'r tanbaid a'r brwdfrydig a'r cymwynasgar. Ac os methwch chi weld sylwedd yn eu cymeriadau nhw, mae yna Waredwr sy'n siŵr o weld sylwedd yn eu heneidiau nhw, bob enaid byw ohonyn nhw.

10 Mehefin 1990

TAI EASTENDERS

Wedi daeargryn yn Zanjan a Gilan

Pan adeiladodd y BBC set ar gyfer y gyfres 'EastEnders' fe gynlluniwyd y cyfan yn y dybiaeth y byddai angen i'r tai a'r adeiladau a'r stafelloedd ddal ar eu traed am bymtheng mlynedd. Ac maen nhw'n dala ar eu traed bore heddiw. Mae yna stafelloedd, a thai ac adeiladau yn Iran y bore 'ma yn gandryll ar lawr. Dyna i fi yw un o drasiedïau anesboniadwy bywyd. Fod tai ac ystafelloedd ac aelwydydd lle'r oedd yna bobol bore ddoe yn bwyta pryd o fwyd, ac yn siarad a threfnu eu diwrnod, y rheini'n cael eu chwalu i'r llawr. Tra bydd tai y breuddwydion nad oes neb real yn byw ynddyn nhw, nac wedi byw ynddyn nhw erioed, y rheini yn cael sefyll ar eu traed fel petaen nhw i fod yno am byth.

Yr amser yma bore ddoe roedd yna fam fel chi yn molchi wyneb plentyn fel eich plentyn chi. Roedd yna dad fel chithau yn paratoi i fynd am ei waith. Pobol fel ni oedd yn codi i wynebu'r dydd ym mhentrefi a threfi Zanjan a Gilan bore ddoe. A bore heddiw does yna ddim tŷ yno, a does neb yn fyw yno.

Edrychwch ar yr ystafell yna sy o'ch amgylch chi bore heddiw. Edrychwch ar y bwyd sydd o'ch blaen chi, a hyd yn oed ar y ford sy'n ei ddala. Dyna un o freintiau mawr bywyd i chi, fod y pethau oedd o'ch amgylch chi ddoe gyda chi eto bore heddiw. Nawr 'te, edrychwch ar y bobol sy gyda chi ar yr un aelwyd â chi bore heddiw, yr un cwmni a oedd gyda chi bore ddoe. Os felly rŷch chi'n fwy breintiedig fyth. Gwnewch yn fawr ohonyn nhw. Fe allai miloedd bore heddiw yn Iran fod yn hiraethu am gael yr un fraint â chi.

Pam ar wyneb y ddaear mai ni sy'n cael byw, a'n tai ni sy'n cael sefyll ar eu traed? Ni, a'n bywydau afreal, sy'n byw breuddwydion gwag mewn opera sebon o fyd, yn treulio'n hwyrnosau yn trafod yr *European Exchange Rate Mechanism* a chyfraddau llog cronfeydd tramor, a phryderu fod y farnish coch yn masglo oddi ar ein hewinedd ni. Pam mai ni, yn ein tai 'EastEnders' pymtheng mlynedd, sy'n cael byw, tra bod eneidiau Allah oedd yn trigo yn hen gartrefi'r cenedlaethau, y rheini'n cael eu claddu dan y meini?

Does dim ateb yn y byd i'r cwestiwn yna. Eto mae gwybod gymaint o fraint anhaeddiannol yw cael byw y bore 'ma yn mynd i beri i ni ddefnyddio'r diwrnod dipyn yn well gobeithio.

23 Mehefin 1990

Pwy Biau'r Bêl?

Y noson o'r blaen pan ddigwyddais weld rhan o ryw gêm o'r Eidal rhwng dau dîm talentog iawn, fe welais i un o'r chwaraewyr gorau yn pwdu, ac yn gorwedd ar lawr am fod y reffarî wedi gwrthod galw'r hyfforddwr ato fe. Yn wir, fe bwdodd e gymaint fel y gwrthododd symud oddi yno nes iddyn nhw ddod â stretsier i'r cae i'w gario fe bant. A bant aeth e, ar ei orwedd ar hwnnw, yn hanner marw allech chi feddwl. Cyn pen dwy funud roedd y rheolwr wedi ei argyhoeddi fe mai ar y cae yr oedd ei le fe, ac fe'i gwelwyd fel oen bach yn gorfod gofyn i'r reffarî am ei le'n ôl.

Fe aeth fy meddwl i yn ôl ugain mlynedd, a chofio amdana i yn gwylio rhyw gêm Cwpan y Byd yng nghwmni'r ddau grwt bach. Ar ganol y gêm, pan oedd hi wedi mynd yn dân golau rhwng y reffarî a rhyw chwaraewr a oedd wedi berwi'n ei natur wyllt, fe ofynnwyd cwestiwn fel hyn i fi gan Eilir: 'Ai'r chwaraewr yna biau'r bêl?'

'Pam wyt ti'n gofyn?' myntwn i.

'Wel,' mynte fe, 'mae'n well i'r reffarî watsho, wath os mai'r *player* 'na piau hi, a'i fod e'n gweld ei fod e'n dechre colli, fe all e fynd gartre â'r bêl.'

'O nage,' meddwn i, 'nid fe bia'r bêl 'na.' A rhag cymhlethu pethau ar adeg go dyngedfennol fe ddwedais i mai'r reffarî oedd piau hi.

Pan welson ni wedyn y reffarî yn cario'r bêl oddi ar y cae ar ddiwedd y gêm, 'Roech chi'n iawn,' mynte fe, 'y reff sy piau hi.'

Peth dwl hollol yw digio – pwdu a gadael y gêm; fe aiff y gêm ymlaen hebddoch chi, oherwydd nid chi biau'r bêl. Pan fyddwch chi'n pwdu a chefnu ar eich ffrindiau neu'ch teulu, chi sy ar eich colled, oherwydd fe fydd bywyd a gwaith yn mynd ymlaen lawn cystal hebddoch chi. Hyd yn oed pan fyddwch chi'n apelio at bob tegwch a chyfiawnder, does 'na ddim sicrwydd fan honno chwaith y cewch chi'ch bodloni. Dyw Reffarî rhagluniaeth hyd yn oed ddim yn medru plesio dwy ochr ar unwaith. Y peth dwla allwch chi ei wneud yw pwdu, oherwydd nid chi ond y Reffarî biau'r bêl.

29 Mehefin 1990

Afonydd Babilon

Dyw hanes byth yn dysgu gwers i ni, neu fasen ni ddim yn caniatáu iddo ei ailadrodd ei hun mor aml. Dyna'n union beth sy wedi digwydd unwaith eto. 'Ger afonydd Babilon yr oeddem yn eistedd ac yn wylo wrth inni gofio am gartre,' meddai'r hen Iddew yn ei gaethglud chwe chanrif cyn Crist. Roedd yn un o'r caethion yng nghyffiniau Baghdad.

Ger afonydd Babilon, mae caethion heddiw a dagrau yng nghorneli eu llygaid nhw yn dweud wrth y Nebuchadnesar modern eu bod nhw am fynd adre. 'Gofynnodd y rhai a'n caethiwai am gân, a'r rhai a'n hanrheithiai am ddifyrrwch. Canwch inni,' meddent, 'rai o ganeuon Seion.' Dwedwch o flaen y camerâu sut ŷch chi'n mwynhau bod yma. Dangoswch fel yr ŷch chi'n mwynhau chwarae gêm fach o bêl-droed a gwyddbwyll, ac yn mwynhau'ch llaeth a chornfflêcs yn y bore. Yr un ateb sy i'w weld yn eu hwynebau nhw ag a ddwedodd yr hen Iddew dros bum canrif ar hugain yn ôl: 'Sut y medrwn ganu cân yr Arglwydd mewn tir estron?'

Maen nhw mewn sefyllfa enbyd, ac arnoch chi a finnau y mae'r bai. Ein harfau ni sy wedi gwneud y peth yn bosib, a'n bygythiadau ni nawr sy wedi peri eu defnyddio nhw fel tarian. A pheidiwch â chondemnio Saddam Hussein am ddefnyddio pobol fel tarian i amddiffyn ei safle. Dyna'n union beth y mae pob prif weinidog ac arlywydd rhyfelgar wedi ei wneud erioed, hyd yn oed gyda'u pobol eu hunain. Lluchio bywydau eu milwyr i ryfel er mwyn amddiffyn eu safle a'u hawdurdod.

Os yw'r gwystlon mewn caethiwed yn Baghdad, mae yna un unben sy mewn caethiwed gwaeth o lawer erbyn hyn, a hynny mewn cell o'i wneuthuriad e'i hunan, sef George Bush. O, roedd y dyddiau cynnar yna mor wefreiddiol pan oedd yn medru siarad dryllau ac awyrennau, a chael mwynhad aruthrol o geisio profi nad oedd e'n wimp, a chael ambell un arall o wleidyddion Prydain i gyfarth cefnogaeth y tu ôl iddo wrth ei hysio ymlaen. Bellach y mae wedi ei gloi ei hun mewn carchar o eiriau a gweithredoedd byrbwyll.

26 Awst 1990

Terry Waite

Ar ôl clywed am Brian Keenan, yntau'n garcharor yn Beirut, yn clywed sŵn carcharor arall am y wal ag ef

Fe ddaeth un hanes yn ôl yn fyw i mi bore heddiw, hen hen hanes a ddarllenais i flynyddoedd lawer yn ôl. Ymhlith y tasgau a osodwyd ar Culhwch, cyn y byddai'n cael Olwen merch Ysbaddaden yn wraig iddo, roedd yn rhaid iddo ddod o hyd i Fabon fab Modron a oedd yn cael ei gadw'n gaeth mewn cell yn rhywle. Fe aeth y cwmni ar eu taith i chwilio amdano. Roedd yna gymaint o amser wedi mynd heibio oddi ar i Fabon gael ei gipio, fel nad oedd yr un dyn yn fyw a oedd yn gwybod dim amdano. Felly, roedd yn rhaid mynd i holi'r anifeiliaid, hen greaduriaid hyna'r byd.

Mynd at Fwyalch Cilgwri a gofyn i honno, 'A wyddost ti rywbeth am Fabon fab Modron a ddygwyd yn dair noswaith oed rhwng ei fam a'r pared?'

'Na,' meddai hi, 'er mor hen ydw i. Ond fe alla i fynd â chi at un sy'n hŷn o lawer na fi.'

Draw aeth hi â nhw at Garw Rhedynfre a gofyn yr un peth iddo yntau. 'Na,' mynte hwnnw, 'ond fe af i â chi at un sy'n llawer hŷn na fi. Efallai y bydde hwnnw'n gwybod.'

Dyna nhw'n mynd draw wedyn at Dylluan Cwm Cawlyd. 'A wyddost ti rywbeth am Fabon fab Modron?' medden nhw wrth y dylluan. 'Na,' meddai hithau, 'ond fe alla i fynd â chi at y creadur hyna sy yn y byd, Eryr Gwernabwy. Os bydd rhywun yn gwybod, fe fydd e'n gwybod.'

Draw â nhw at yr hen eryr a holi hwnnw. 'Na,' meddai yntau wedyn, 'ond fe alla i fynd â chi at un sydd yn gwybod.' A dyna sut yr aethon nhw at Eog Llyn Llyw. Pan ofynnwyd y cwestiwn i'r hen bysgodyn, meddai hwnnw, 'Neidiwch ar fy nghefn i, ac fe af i â chi at y lle lle'r wy'n meddwl y mae e.'

Lan yr afon yr aeth e, a Chai a Gwrhyr ar ei gefn, hyd nes y daethon nhw i'r man lle llifai'r afon heibio wal fawr Caer Loyw. Yn y fan honno, dyma nhw'n aros a gwrando, a chlywed rhywun yn cwynfan a griddfan y tu arall i'r wal.

Meddai Gwrhyr, 'Pa ddyn sy'n cwyno yn y maendy hwn?'

Yna llais yn dod yn ôl drwy'r wal: 'O, ddyn, mae gan y sawl sydd yma le i gwyno. Mabon fab Modron sydd fan hyn yn ei garchar. Ac ni charcharwyd neb erioed mewn modd mor boenus â fi.'

Dyna'r hanes ddaeth yn ôl i mi pan glywais i Brian Keenan y bore 'ma yn sôn am y sŵn a glywodd ef drwy'r wal yn Beirut. Hyn yw hanes carcharorion ein byd ni i gyd: griddfan y maen nhw y tu draw i wal ein difaterwch a'n hanghofrwydd a'n hegwyddorion bondigrybwyll ni. O'r diwedd, y mae'r byd wedi cael gwrando drwy'r wal ar gwynfan un o wystlon ein byd ni. Pa bryd y down ni i glywed drwy'r wal gwynfan y ffoaduriaid a'r miliynau newynog? A yw'r wal yn rhy drwchus rhyngom a'r rheini?

27 Medi 1990

DWY CHWAER WAHANOL

Bron hanner can mlynedd yn ôl ar y Cyfandir dinistriwyd cartref un teulu'n llwyr a gadawyd dwy ferch fach yn amddifad. Chwarae teg i'r cymdogion, fe benderfynon nhw eu mabwysiadu.

Ar y dechrau, gan fod y teuluoedd yn gymdogion, fe ddaliodd y ddwy ohonyn nhw i weld tipyn ar ei gilydd. Yna penderfynodd y teulu oedd wedi mabwysiadu'r ferch ifanca symud ymlaen. Fe fudon nhw i ardal well ac fe wellodd eu byd yn aruthrol. Fe dyfon nhw'n deulu llewyrchus a chyfoethog, ac fe gafodd y ferch ifanca fywyd esmwyth mewn digonedd a breintiau.

Bob hyn a hyn fe glywai hanes ei chwaer fawr. Teulu tlawd oedd wedi ei mabwysiadu hi. Teulu a arhosodd yn yr un hen bentref, gan suddo gan bwyll bach yn ddyfnach i dlodi. Tyfodd y chwaer fawr i fod yn ferch dlawd a llwydaidd yr olwg ac yn gynefin â chaledi. Yn y diwedd aeth pethau i'r pen ar y teulu druan, fel na allen nhw ei chadw hi mwy.

Yna fe glywodd y teulu arall yr hanes, ac er clod iddyn nhw fe benderfynon nhw ar unwaith fabwysiadu'r chwaer hŷn, dlawd er mwyn i'r ddwy chwaer gael dod at ei gilydd yn un teulu unwaith eto. Er hynny, fe synnech chi yr amheuaeth a'r pryder a fynegwyd yn y *lounge* pan oedd y teulu cyfoethog yn trafod ei dyfodiad hi. 'Druan ohoni,' medden nhw, 'sut daw'r dloten i ben â byw ar aelwyd mor wahanol, a'r holl dlodi 'na wedi tagu ei bywyd hi?' Dyna boeni fu y byddai'r ferch ifanca'n gorfod gweld un arall yn dod i mewn i'r aelwyd a chael rhan o'r etifeddiaeth, heb fod dim gyda honno i'w gynnig.

Ond anghofiais sôn am un peth: eu cymeriadau. Efallai fod y ferch ifanca yn gwybod sut i drafod y cytleri arian ar ford swper, ond mae'r arian wedi gwenwyno'i gwaed hi. Roedd y ferch hynaf wedi gorfod byw heb fawr o swper erioed, ond roedd hi wedi dod i sylweddoli fod yna bethau pwysicach mewn bywyd na chytleri. Ei swper hi oedd hiraeth am ryddid. Pwy a ŵyr nad hon, a'i chymeriad cadarnach a phurach, fydd yn medru cynnig y pethau da i fywyd yr aelwyd newydd? Wedi'r cwbwl mae 'na wahaniaeth rhwng pethau da a'r *goods*.

4 Hydref 1990

Y GWAS YN ARGLWYDD

Bron ddwy fil o flynyddoedd yn ôl yr oedd Gwaredwr y Byd ar brawf o flaen llys y genedl Iddewig. Y tridiau hyn mae'r genedl Iddewig wedi bod o flaen llys y byd yng nghyngor y Cenhedloedd Unedig. Y bore 'ma maen nhw'n dala wrthi, ac o fewn ychydig i ddod i ddedfryd.

Mae'r lladd yn Jerwsalem unwaith eto wedi dangos yr Iddew ar ei waetha. Mi wn i ei bod hi'n genedl sy wedi diodde, efallai fwy nag unrhyw genedl arall. Mae hi wedi cael ei dirmygu a'i sarhau a'i sathru dan draed a'i lladd. Gwas oedd yr enw a gymerodd hi arni ei hun, gwas dioddefus yr Arglwydd. Ond gwae'r byd pan mae'r gwas ei hun yn troi yn arglwydd. Mae'n troi'n falch a hunandybus. A meddwl am Albert Einstein yn medru dwcud, 'Dyma nodweddion yr Iddew: ymchwil di-ildio am wybodaeth, cariad eithafol at gyfiawnder, ac awydd angerddol am annibyniaeth, dyna nodweddion y traddodiad Iddewig, a dyna paham rwy'n diolch i ffawd 'mod i'n Iddew.' A fyddai'n medru siarad mor falch erbyn heddiw tybed?

Pan fydd y gwas wedi troi'n arglwydd mae'n arglwydd trahaus, yn ei weld ei hunan yn well na phawb arall. Meddyliwch am Samuel Wise yn dweud hyn, a hwnnw yn perthyn i'r cyfuniad peryglus o fod yn Iddew Americanaidd: 'Rown i'n Iddew cyn bod yn Americanwr. Rwy wedi bod yn Americanwr ar hyd fy mywyd am bedair a thrigain o flynyddoedd, ond rwy wedi bod yn Iddew ers pedair mil o flynyddoedd.' Cystal â dweud wrth y byd i gyd, 'Ni oedd yma gynta.' Yr wythnos hon eto mae'r gwas wedi troi yn arglwydd creulon a didrugaredd.

Goddefwch un dyfyniad bach arall, y tro yma allan o ddyddiadur Anne Frank:

> Beth bynnag y bydd unigolyn o Gristion yn ei wneud, ei gyfrifoldeb ef ei hunan yw hynny, medden nhw. Ond yr hyn y bydd un Iddew wedi ei wneud, bydd hynny yn cael ei daflu'n ôl yn wyneb y genedl Iddewig yn gyfan.

Fe ddylid condemnio'r Iddewon am ladd rhyw ugain o Arabiaid yn Jerwsalem ail echdoe. Maen nhw'n haeddu'r gwarth, hyd yn oed os mai unigolion byrbwyll a wnaeth y saethu. Ond arhoswch chi ychydig wythnosau, beth am yr unigolyn o Gristion Cymreig a all gael ei anfon mewn awyren i ladd cannoedd o Iraciaid? Fe fyddwn i'n cyfri hynny yn warth arnom ni fel cenedl.

11 Hydref 1990

BETH YW GWERTH BYWYD?

Petaech chi'n cael eich gwerthu y bore 'ma, faint fydde'ch teulu yn ei ofyn amdanoch chi? Beth yw eich gwerth chi mewn arian? Mae'n ymddangos i fi fod mwy a mwy o bobol yn dod i sylweddoli fod modd rhoi pris ar fywydau y dyddiau yma.

Mae 'na ddamwain awyren wedi digwydd, a chyn i'r tân gael ei ddiffodd fe fydd yna ryw gyfreithwyr ar eu ffordd i gynnig eu gwasanaeth i'r teuluoedd i droi cyrff yn arian. Bydd damwain bws yn rhywle, a chyn pen fawr o amser fe fydd yna ryw bobol yn ystyried erlyn y cwmni i droi trychineb yn arian. Bydd rhyw ferch un ar ddeg oed wedi ei threisio . . . a phobol yn prynu anrhegion iddi . . . fel petai'r rheini'n dileu'r cof. Bydd rhyw gamgymeriad wedi ei gyflawni mewn ysbyty, rhyw feddyg wedi rhoi cyffur anghywir i rywun, neu gwmni cyffuriau wedi gollwng cyffur o'u dwylo heb ei brofi'n ddigonol: ar unwaith fe fydd rhai twrneiod yn taflu ffigurau fel miliwn neu filiwn a hanner o gwmpas rhyw swyddfa.

Wrth gwrs mae angen cosbi diofalwch wynebgaled sy'n esgeulus ynglŷn â bywyd. Wrth gwrs y dylid rhoi cymorth teg i ofalu am yr un a anafwyd. Eto fe aeth cyfalafiaeth i'r pen pan fo pobol yn barod i lusgo profedigaeth a galar i'r farchnad. Mae pawb ohonom ni bellach yn chwarae monopoli gyda bywydau.

Petawn i ar werth y bore 'ma, pwy ar wyneb y ddaear fyddai'n barod i 'mhrynu i? Yn y diwedd, dydw i werth fawr ddim yn ariannol i neb. Llwch ydw i o ran corff, sorod o ran meddwl. Beth bynnag yr ydw i'n ei gyflawni y dyddiau hyn, mae 'na rywun arall a allai wneud y gwaith yn llawer gwell na fi. O ran haeddiant rwy'n golled i gymdeithas.

Ond hyd yn oed i un fel fi mae 'na brynwr. Nid ag arian, er iddo ef ei hun gael ei werthu am ddeg darn ar hugain. Nid ag arian y mesurodd ef werth ein bywydau ni, ond â'i fywyd ei hun. Yng nghanol yr hen farchnad fawr o fyd sy o'n hamgylch ni'r bore 'ma, yr unig gysur sy gyda fi yw 'Mi wn fod fy Mhrynwr yn fyw.'

18 Hydref 1990

Siampein

Ychydig o weithiau mewn bywyd fe ddaw i bawb ohonom ni brofiadau mawr a gorfoleddus. Maen nhw'n wefreiddiol tra paran nhw, ac yn drysorau i'w cofio. Ond y maen nhw i gyd, bron yn ddieithriad, yn brofiadau dwfn o bersonol, dirgel o bersonol yn aml. O bell yn unig yr oeddem ninnau yn medru cydlawenhau â theuluoedd o Gymru o weld anwyliaid yn cyrraedd adre. Ond yr hyn sy wedi fy nhristáu i yn ddiweddar yw'r modd y mae pobol wedi gwneud y profiadau prin yma yn sbloet arwynebol a rhad.

Erbyn hyn, mae'n amhosib i neb ddathlu unrhyw beth, mae'n amhosib i neb fod yn llawen gyda'i gyfeillion, ac yn sicir mae'n amhosib gorfoleddu mewn llwyddiant, heb fod ganddo lond gwydr o siampein. Petai'r mab afradlon yn dod adre fory, nid lladd y llo pasgedig fyddai'r tad ond agor potel. Croeso i chi ddathlu â siampein eich bod chi wedi ennill mewn ras geir, os mynnwch chi actio fel babis, neu ddathlu ennill raffl. Byddai dathlu gyda swigod yn y ddiod yn gweddu i'r amgylchiad. Ond mae dathlu mewn diod am i chi gael eich cyfri yn ddigon gwael eich iechyd i gael eich rhyddhau o gaethglud Irac, yn troi holl werthoedd bywyd wyneb i waered i mi, yn enwedig o gofio'r rhai a adawyd ar ôl.

Yn waeth na hynny, mae troi profiadau gwefreiddiol bywyd yn berfformiadau cyhoeddus yn cyrraedd y gwaelod. Petai'r mab afradlon yn dod adre fory, fe fyddai'r tîm camera, yn ddyn camera a dyn sain ac ymchwilydd a menyw goluro a chynhyrchydd, wedi cyrraedd o'i flaen e. Fe fydden nhw wedi gosod y cwbwl lan yn barod ar yr hewl y tu fas i'r tŷ. Fe fydden nhw wedi dweud wrth y tad ble yn union yr oedd y mab ar ei daith tuag adre, a phryd y bydde fe'n dod i'r golwg. Wrth gwrs, fase'r tad ddim yn ymgynghori â chynhyrchydd cyn rhedeg a chofleidio'r mab. Yna, wedi i'r sgwrs am y fodrwy a'r sgidiau ddod i ben, fe fyddai'r ymchwilydd yn cael ei anfon i egluro nad oedd y camera yn rhedeg ar y pryd, ac er mwyn cael clip teilwng i'r bwletin, bydd yn gofyn a fyddai modd i'r mab fynd yn ôl at y tro ar y ffordd er mwyn dod i'r golwg yr eilwaith, y tro yma er mwyn y byd, sef gwylwyr newyddion naw. Dyna'n union beth gawson ni neithiwr, perfformiad o ddyfodiad adre, perfformiad o gofleidio, a'r camera i mewn yn y parlwr yn barod.

Rŷm ni'n byw mewn cyfnod anhygoel. Mae gennym fwy o barch at yr amgylchfyd bellach nag at berson dyn. Mae rhyw ffug egwyddorion bondigrybwyll yn bwysicach na bywydau pobol, ac eiliadau cysegredig bywyd yn ddim byd ond eitemau i'w masnacheiddio.

25 Hydref 1990

Llwgrwobrwyo Cenhedloedd

Heddiw mae yna ganmoliaeth fawr i'r Cenhedloedd Unedig am eu bod nhw bron â bod yn unedig. Rhaid i mi ddweud mai dyma un o'r penodau mwya gwarthus yn eu hanes nhw – bod un bwli o genedl yn medru llusgo'r Cenhedloedd Unedig fel cŵn bach ar ei ôl mewn ffordd mor haerllug. I feddwl fod James Baker wedi teithio o amgylch pleidleiswyr y Cyngor Diogelwch yn gwenu ac annog a bygwth a llwgrwobrwyo cenhedloedd, i blygu i gytuno â nhw fod angen lladd.

Ar dir egwyddor maen nhw'n mynd i ryfel, medden nhw, ac eto mae pob egwyddor wedi ei lluchio drwy'r ffenest er mwyn ceisio maldodi China a maldodi Syria, a hyd yn oed yr anhygoel – siarad â Cuba. Mae Baker wedi bod o amgylch palas pob Herod sy ar y Cyngor. A bore heddiw dyma'r canlyniad i law: o bymtheg gwlad, dim ond dwy hen elyn yn sefyll yn ei erbyn. Dyna'i dorthau fe i gyd o'r ffwrn. Y mae wedi cael ei *Baker's dozen* a hynny yn ddigywilydd hollol cyn cadeiryddiaeth Yemen y mis nesa.

Dyma beth fydd Adfent nawr. Mae hi'n mynd i fod yn Nadolig od iawn eleni. Os yw Baker y bore 'ma yn ei longyfarch ei hun am lwyddiant ei daith o amgylch brenhinoedd y byd, mi garwn ei atgoffa fe fod yna un brenin yr anghofiodd alw gydag Ef. Fe anghofiodd alw ym Methlehem. Petai wedi mynd yno beth fyddai Tywysog Tangnefedd wedi'i ddweud wrtho tybed? A fyddai Hwnnw wedi pleidleisio o'i blaid yn y Cyngor? Pwy ohonom ni eleni fydd yn medru adrodd y geiriau, 'Ar y ddaear tangnefedd ymhlith dynion sydd wrth ei fodd.' Nadolig Llawen i chi, a Blwyddyn Newydd Dda, blwyddyn a fydd yn flwyddyn newydd ddrwg i filiynau.

30 Tachwedd 1990

Bòs y Gêm

Pan oedd y plant yn fân ac yn chwarae gyda'u ffrindiau fe glywn un cwestiwn yn rheolaidd. A'r mater pwysig yr oedd yn rhaid ei setlo o hyd oedd, 'Pwy yw bòs y gêm?'

Wel, yr un hen gwestiwn sy'n poeni pobol yn eu hoed a'u hamser. Mae'n rhyfedd mor blentynnaidd y gall arweinwyr fod. Meddyliwch am y disgyblion yn cwympo mas â'i gilydd am bwy oedd bòs y gêm. Meddyliwch am weision y Goron yn y senedd yn pwdu wrth ei gilydd am nad oedden nhw'n cael bod yn fòs y gêm.

Rwy'n siŵr fod yna fwy nag un pwrpas gan Iesu wrth gymryd plentyn a'i osod yn eu canol nhw (Marc 9:36). Meddyliwch chi pwy oedd y plentyn. Yng Nghapernaum oedden nhw, y tu mewn i dŷ Pedr ac Andreas. Efallai mai plentyn Pedr oedd e, a hwnnw ar ganol cwympo mas yn dân golau gyda'i frawd bach am gael bod yn fòs y gêm. Iesu wedyn yn dweud wrtho fe, 'Dere yma fan hyn,' a'i dynnu fe draw i ganol y deuddeg. Roedd hynny cystal â dweud wrth ei ddisgyblion, 'Rŷch chi'n fwy plentynnaidd na'ch plant chi eich hunain, bois. Pwy bynnag sydd am fod yn flaenaf, mae'n rhaid iddo fe newid ei swydd a mynd yn was i bawb.'

Mae yna newid swyddi sydyn wedi digwydd tua San Steffan y dyddiau hyn. Yn y trysorlys mae yna un wedi cael yr un profiad â rhai ohonoch chi mewn gyrfa, wedi troi o fewn ychydig amser o fod yn was i fod yn fòs. Ond mae'r gwrthwyneb yn digwydd weithiau. Ymhen dwyawr a hanner fe fyddaf yn gwasanaethu mewn angladd lle bydd unig ferch a'i theulu yn ffarwelio â'i thad. Fe fu'n dad da iddi o'r dechrau, yn ofalus ohoni, yn ysgwyddo cyfrifoldeb drosti ar hyd y blynyddoedd.

Ac yna'n sydyn fe drawodd afiechyd, ac fe fu'n rhaid i'r ddau ohonyn nhw gyfnewid swyddi. Fe aeth y tad yn blentyn ac fe fu'n rhaid i'r ferch fynd yn fam. Lle'r oedd yntau wedi bod â'i ofal amdani hi, hi bellach oedd yn gweini arno fe. Wel dyna dro mewn cyfrifoldeb, meddech chi. Ie, ac eto mae hwnna'n brofiad cyfoethog iawn, pan fyddwch chi'n troi, nid o fod yn was i fod yn fòs, ond o fod yn fòs i fod yn was. Yng ngeiriau'r emynydd,

Ymhlith holl ryfeddodau'r nef –
hwn yw y mwyaf un
gweld yr anfeidrol, ddwyfol Fod
yn gwisgo natur dyn.

5 Rhagfyr 1990

HEN FLWYDDYN

Bore da i chi ar fore cynta'r flwyddyn, a gwahoddiad i'r funud gynta i feddwl ym 1991. Ond wrth i mi ddymuno blwyddyn newydd dda i chi, rwy'n gwneud hynny gydag ymddiheuriad. Rwy'n cofio darllen mewn rhyw erthygl am ryw rieni'n achwyn am eu mab. Pan oedden nhw wedi bod bant am rai dyddiau ac yn dod yn ôl i'r tŷ, beth oedd yn disgwyl amdanyn nhw, wedi ei lynu â *sellotape* dros glo drws y ffrynt, oedd nodyn: nodyn yn ymddiheuro iddyn nhw am gyflwr y tŷ wedi'r parti yr oedd wedi ei gynnal yno y noson cynt. Wel, nodyn fel yna yw'r croeso sy gyda fi i'w gynnig i chi wrth i chi ddod mewn i'r flwyddyn newydd.

Fi a 'nhebyg oedd wedi bod yn cadw'r tŷ dros yr hen flwyddyn, a nawr rŷm ni'n cyflwyno'r aelwyd i chi gydag ymddiheuriad. Fe gawsom ni'r flwyddyn yn llawn gobeithion. Roedd yna ryw bethau gwefreiddiol wedi digwydd yn sydyn yn Rwsia ac, o ganlyniad, yn Nwyrain Ewrop, ac roedd oes newydd fel petai ar wawrio. Roedd yr hen unbenaethiaid wedi syrthio o un i un, a phobol wedi dechrau cymryd eu lle. Erbyn hyn mae'r bobol yn dechrau tewi, ac unbenaethiaid newydd ar yr hen fynyddoedd.

Fe gawsom ni'r tŷ mewn heddwch, heddwch cymharol, a gobaith am heddwch. Bellach yr ŷm ni'n ildio'r tŷ drosodd i 1991 dan gwmwl rhyfel. Mae'r aelwyd yn sarn dan eiriau cas a bygythion dryllau a thanciau. Faint ohonom ni fydd yn byw drwy 1991? Ond yn fwy perthnasol na hynny, faint o bobol y byddwn ni yn fodlon caniatáu iddyn nhw gael byw drwy 1991?

Rwy'n dymuno blwyddyn newydd o benderfyniadau da, a geiriau da a gweithredoedd da i bawb ohonom ni, petai ond i ni gael cyfle i gymhennu tipyn ar gawl ac annibendod 1990.

1 Ionawr 1991

CHEKHOV A'I GYFARWYDDYD

Rwy'n cofio i mi ddarllen yn rhywle ryw gyfarwyddiadau gan Chekhov ar grefft cyfansoddi dramâu. Sôn yr oedd yn arbennig am ddisgwyliadau'r gynulleidfa. Ar hyd y ffordd, meddai, daliwch i greu disgwyliadau. Yn wir, y mae hynny'n rhan hanfodol o'r grefft. Yna meddai wedyn, gofalwch beidio siomi'ch cynulleidfa. A dyma'i eiriau fe: 'Os bydd dryll wedi cael ei ddangos yn hongian ar wal y parlwr yn yr act gynta, gofalwch ei fod yn cael ei saethu cyn diwedd yr act ola, neu cynulleidfa siomedig fydd gyda chi yn troi am adre.'

Mae'r Arlywydd Bush wedi rhuthro i hongian dryll ar wal Saudi Arabia yn yr act gynta. Yn waeth na hynny, y mae drwy'r ail act wedi bod yn pentyrru dryllau ar y waliau. Mae wedi codi'r tymheredd a'r tensiynau drwy'r cyfweliadau dramatig fan hyn a fan draw. Mae wedi siarad â phob meicroffon sy yn y wlad am wn i, ac wedi edrych i lygad pob camera sy dan haul, ond dyw e ddim wedi siarad gair wyneb yn wyneb â'r dyn y dylai siarad ag e. Rŷm ni'n dechrau nesu at yr uchafbwynt erbyn hyn, ac mae wedi anfon ei was i greu sefyllfa addawol o ddramatig fel diweddglo i'r ail act. Yn arbennig, mae am i'r gwas Jim Baker alw sylw'r byd at y dryllau ar y wal.

Mae 'na rai yn disgwyl ffeit. Mae 'na rai hyd y gwela i yn ysu am weld ffeit. Roedd hyd yn oed rai o'r disgyblion, mae'n debyg, yn gwyniasu am weld Iesu'n agor y frwydr fawr ola rhwng Duw a theyrnas y diafol, ac un ohonyn nhw hyd yn oed yn tynnu cleddyf. 'Rho dy gleddyf yn ôl yn ei le,' meddai Iesu. Dyna i chi siom. Roedd yna ddau o'r gynulleidfa siomedig yn ddiweddarach yn mynd adre i Emaus ac yn dweud, 'Ein gobaith ni oedd mai ef oedd yn mynd i brynu Israel i ryddid.' Ychydig oedden nhw'n ei sylweddoli ar y pryd eu bod nhw yn rhan o'r bedwaredd act, sef act buddugoliaeth Duw.

Er mwyn popeth, Bush, rho siom i gynulleidfa'r byd. Cer adref a dy ddryllau gyda thi, er mwyn i ni gael byw i weld y bedwaredd act, sef act buddugoliaeth Tywysog Tangnefedd, ac nid buddugoliaeth ddinistriol a chreulon dyn.

8 Ionawr 1991

Claddu Gwirionedd

Yr unig beth y carwn i ei wneud y bore 'ma yw cyhoeddi angladd. Heddiw, y pymthegfed o Ionawr 1991, wedi gwaeledd hir a phoenus, fe fu farw hen chwaer annwyl iawn yn ein golwg ni, lawer ohonom ni. Ei henw hi oedd y Gwirionedd. Roedd llawer ohonom ni wedi dala i obeithio i'r eitha y gallai hi fod wedi cael ei harbed, ond ers mis Awst diwetha rŷm ni wedi bod yn ofni'r gwaetha.

Pan fyddwn i'n agor ambell bapur dyddiol fe fyddwn i'n dweud wrthyf fy hunan, 'Wel wel, mae Gwirionedd wedi gwaethygu ei golwg.' Fe fyddwn i wedyn yn gwrando arni hi druan yn gwneud ei gorau i ddweud gair ar ambell raglen radio, ac fe fyddwn i'n clywed adwaith rhai o'i chyfeillion gorau hi'n dweud, 'Bobol bach, onid yw ei llais hi wedi mynd yn wan!' Ar ambell raglen hwyrol ar deledu, rhwng datganiadau cadfridogion a llygaid dideimlad plant y Pentagon, fe fyddwn i'n ei gweld hi wedi teneuo nes ei bod hi bron yn ddim.

Chwarae teg i un o'i meddygon hi, fe deithiodd filoedd o filltiroedd yn y gobaith y gallai ef ei hachub hi cyn iddi fynd yn rhy hwyr. Ond methu wnaeth yntau hyd yn oed. Ers dyddiau nawr mae hi wedi bod ar y peiriant anadlu, a phawb ohonom ni'n gwybod fod yna feddygon eisoes wedi nodi heddiw fel y *deadline*. Bellach, meddai'r rheini, fe ddaeth hi'n hen bryd tynnu'r pibau a gadael iddi farw.

Swyddogion y llywodraeth sy'n cyhoeddi marwolaeth y Gwirionedd yn swyddogol. Er clod iddyn nhw, dydyn nhw ddim yn gosod y peth mas yn gwbwl ddideimlad. Maen nhw'n defnyddio rhyw eiriau tyner fel dethol y newyddion, cuddio rhai pethau sensitif rhag ein gelynion, bod yn ddarbodus gyda'r geirwiredd, addasu'r ffeithiau, a dangos ein bod ni oll yn gefnogol i'n bechgyn ar y maes.

Fe welwn ni ei heisiau hi yn fawr iawn, ar aml i raglen radio ac ambell fwletin newyddion ar deledu. Bydd hi'n rhyfedd gwrando ar rai lleisiau cyfarwydd, hen gyfeillion y Gwirionedd y mae gyda ni barch mawr atyn nhw, gwrando ar y rheini nawr, a gwybod nad ydyn nhw'n dweud y gwir i gyd. Bydd hi'n od iawn troi i dudalennau'r *Western Mail* a'r *Daily Post* a gwybod na welwn ni fawr o'i gwaith hi, y Gwirionedd, yno yr wythnosau nesa 'ma.

Mae'n ddrwg 'da fi na alla i ddweud wrthych chi pryd fydd yr angladd. Yr unig beth a wn i sicrwydd yw, os caiff yr ymgymerwyr eu ffordd, y bydd ei hangladd hi yn gymysgedd o amlosgi a chladdu, ac y gwnân nhw eu gorau i roi concrit a charreg dros ei bedd hi mewn llai nag wythnos.

15 Ionawr 1991

Bomio'r Gelyn

Mae 'na un man yn y Testament Newydd lle mae dau ddisgybl yn cynnig rhywbeth od iawn i Iesu. Fe gewch chi ddigonedd o fannau lle mae ei ddisgyblion a phobol eraill yn gofyn iddo fe gyflawni gwyrth: Wnei di ddod draw i'r tŷ i weld y mab, mae yn wael iawn. Wnei di edrych ar fy mam-yng-nghyfraith i, mae hi'n achwyn ers blynyddoedd. Edrych, mae 'na ddyn a'i law wedi gwywo fan hyn. Trugarha wrthym ni, mae'r gwahanglwyf arnom ni. Ar wahân i un man, mae pawb am i Iesu wneud y wyrth. Pan mae'r disgyblion yn methu, maen nhw'n dod â'r claf at Iesu. Mae pawb yn sylweddoli, os oes angen gwyrth, Iesu yw'r un i'w chyflawni hi.

Mae yna un man, ac un man yn unig, lle mae'r ddau ddisgybl yma yn cynnig rhywbeth rhyfedd. Maen nhw'n cynnig i Iesu y gwnân nhw gyflawni gwyrth yn ei le fe. Yn y Dwyrain Canol maen nhw, yn Samaria, ar ganol hen gecraeth gas, fel sy'n digwydd yn aml yn y rhan honno o'r byd. Yn wir, bu'r Samariaid mor gas nes i'r disgyblion gynnig gwneud gwyrth: 'A wyt ti eisiau i ni alw tân i lawr o'r nefoedd a'u dinistrio nhw, eu lladd nhw, eu llosgi nhw'n fyw?' (Luc 9:54)

Pam, feddyliech chi, mai dyma'r unig dro i'r disgyblion gynnig i Iesu sefyll o'r neilltu er mwyn iddynt hwy ac nid Iesu wneud y wyrth? Am eu bod yn gwybod yn eu calonnau na wnelai Iesu mo'r fath beth. Felly, maen nhw wedi penderfynu yn eu meddyliau bach eu hunain: dyma hen job fach gas mae'n rhaid ei gwneud hi. Fel mae'r Archesgob Runcie, a wêl fod yn rhaid ymosod ar Irac, yn amlwg yn meddwl: saf di draw am ychydig bach, Iesu. Dyw'r syniadau od yna sy 'da ti am beidio lladd, a charu gelynion, dyw pethau fel yna ddim yn mynd i weithio fan hyn. Rhaid i ni stopio bod yn Gristnogion nawr am ychydig bach er mwyn i ni ladd y rhain, ac fe allwn ni ddod yn ôl atat ti wedyn. Fe lwyddodd Iesu i argyhoeddi Iago ac Ioan i beidio â bomio'r Samariaid. Fe wrandawon nhw. Ond amdanom ni, rŷm ni wedi galw'r tân i lawr o'r nefoedd hyd yn oed heb ymgynghori ag Ef.

22 Ionawr 1991

Mudandod yn Wyneb Ffolineb

Mi wn i fod rhai ohonoch chi'n disgwyl i ni, sy'n treulio rhyw funud i feddwl fel hyn bob bore, sôn am ryfel. Rwy'n ofni 'mod i'n mynd i'ch siomi chi. Roedd yna o leia dair ffordd gan Iesu i ymateb i'r hyn a welai ym mywyd dyn. Ambell waith fe fyddai'n ei dweud hi'n hallt. Bryd arall fe fyddai'n tynnu llun ohonyn nhw fel cartŵn a fyddai'n gwneud i'w gynulleidfa rolio chwerthin. Fel y llun hwnnw yn portreadu dynion yn gwyngalchu beddau. Bryd arall mudandod gaech chi gan Iesu, fel y tro hwnnw pan na ddwedodd e ddim wrth Pedr, dim ond edrych arno fe. Rwy'n ofni na alla i ddim edrych ar neb y bore 'ma. Yr unig beth alla i ei wneud yn wyneb gorffwylledd dyn yw bod yn fud.

Rwy'n cofio'r hen Berian James, Pen-y-groes yn sôn rywbryd am ryw werthwr ffrwythau ym Milffwrd. Roedd yn greadur braidd yn rhy ffraeth ei dafod, mae'n debyg, ac yn rhy barod o lawer i dyngu a rhegi ar yr achos lleia. Un bore roedd wedi bod wrthi yn paratoi llond cart o ffrwythau. Roedd wedi eu gosod nhw i gyd yn drefnus yn eu lle: y falau a'r orennau a'r grawnwin ar un ochr, a'r moron a'r tato a'r panas a'r bresych yr ochr arall. A'r rheini oll wedi eu codi yn byramidiau hardd.

Yna dyma fynd mas i ddechrau gwerthu. Ond fel yr oedd yn dringad lan o waelod Milffwrd, a bron cyrraedd brig y rhiw, a'r menywod a'u plant yn gynulleidfa o brynwyr yn dod mas o'u tai, fe aeth un o olwynion y cart dros ben carreg. Fe gafodd y llwyth dipyn o sgydwad nes i'r ffrwythau a'r llysiau ddechrau rhedeg, a'r pyramidiau'n ymddatod i gyd a rholio lawr y rhiw yn ôl i waelod Milffwrd.

Erbyn hynny, roedd y mamau wedi sylweddoli'r perygl mawr oedd yn eu hwynebu nhw nawr, pan fyddai'r gwerthwr ffrwythau yng nghlyw'r plant yn dechrau ar ei leferydd. Felly fe ddechreuon nhw redeg i gyd, fel un dorf, i sgubo'r plant i mewn i ddiogelwch eu tai cyn i'r bytheirio ddechrau. Ond dyma'r hen frawd yn gweiddi arnyn nhw. 'Fenwod bach,' mynte fe, 'peidwch ffwdanu: dwi ddim yn mynd i ddechre'r bore 'ma, rhag ofan na fydda i'n gwneud cyfiawnder â'r amgylchiad.'

29 Ionawr 1991

TRANNOETH Y FFAIR

Ddoe yr oedd hi'n Ddydd Sul y Pasg a'r bore 'ma yw'r bore drannoeth. Rwy'n cofio cerdded lawr i'r ysgol yng Nghastell-newydd Emlyn ar fore wedi Ffair Glanmai, a gweld golwg ar y dre nad oeddwn i wedi ei gweld erioed o'r blaen. Pentyrrau o sbwriel ar hyd y strydoedd, yn bapurach a bocsys gwag ac olion stondinau trannoeth y ffair.

Y bore 'ma mae yna luniau yn y papurau o'r angladd yng Ngogledd Iwerddon: drannoeth y claddu wedi'r saethu a'r lladd. Lluniau strydoedd dinasoedd wedyn yn Irac: drannoeth y rhyfel. Mae digwyddiadau'r wythnosau diwethaf yma wedi dangos eto gamgymeriad mor erchyll oedd hi i America fod wedi llusgo pawb i ryfel. Fel gyda phob rhyfel arall, mae yna ddengwaith mwy o greulondeb a lladd o ganlyniad i'r rhyfel ag a oedd yn achos y rhyfel i ddechrau, a chanwaith mwy nag a fyddai petai'r rhyfel heb fod o gwbwl. Ble bynnag y mae dyn wedi cael cyfle i hau ei gasineb a'i greulondeb, fe allwch chi fentro y bydd y ffyrdd yn drwch o sbwriel, a'r sbwriel hwnnw yn ddarnau o gyrff ac nid darnau o gardbord. Ar ôl ffeiriau creulon dyn, darnau pobol wedi eu lluchio ar wasgar gewch chi.

Sut oedd hi drannoeth yr Atgyfodiad? Yn hollol wahanol. Y darnau yn dechrau dod ynghyd. Dau a fu ar y ffordd i Emaus wedi cyrraedd yn ôl yn Jerwsalem. Disgyblion eraill, a gafodd eu gwasgaru gan brofiad Calfaria, yn ailddechrau dod ynghyd. Disgyblion a oedd wedi mynd i Galilea yn troi yn ôl am yr oruwchystafell. Hyd yn oed Thomas yr anghredadun yn dod yn ôl i'r oedfa. Drannoeth, wedi gwaith achubol Duw, mae'r darnau yn dechrau dod yn ôl i'w lle.

Rwy'n dymuno i bawb ohonoch chi drannoeth dymunol wedi'r Pasg, ac i chi glywed Duw o'r newydd yn cyfannu ei fyd; yn wir, yn cyfannu eich byd chi.

1 Ebrill 1991

Cymorth a Ddaw oddi wrth Yr Arlywydd

Ni chadwodd George Bush ei addewid i amddiffyn y Cwrdiaid rhag Saddam Hussein

'Dyrchafaf fy llygaid i'r mynyddoedd,' medd y Salmydd. A dyna'n union fu'n rhaid i'r Cwrdiaid ei wneud. Ac maen nhw'n gofyn nawr, 'O ble y daw cymorth i ni?' Petaen nhw'n digwydd bod yn llewod neu'n tsimpansîs yn Sw Llundain fe gaen nhw bob chwarae teg, a gwleidyddion yn pledio rhoi miliynau iddyn nhw. Ond casgliad diolew, diawyren a di-fraint yw'r Cwrdiaid. 'O ble y daw cymorth i ni?' gofynnant. Yr addewid dirgel a gawson nhw oedd:

> Dy gymorth a ddaw oddi wrth yr Arlywydd yr hwn oedd yn berchen y nefoedd a'r ddaear ryw fis yn ôl. Erbyn hyn fe ad efe i'th droed lithro ar lwybrau garw'r mynydd-dir, am dy fod ti wedi colli dy sgidie. Fe huna dy geidwad yn Camp David. Wele fe huna ac fe gwsg ceidwad Israel, am mai Israel yw'r unig wlad sy â dylanwad mawr etholiadol yn Washington, a'i bod hi'n iawn ar Israel bellach.
>
> Yr Arlywydd oedd dy geidwad drwy dy fomio di'n ddidrugaredd ryw ddeufis yn ôl, pan nad oedd yna ddim cysgod ar dy ddeheulaw. Yn dy fomio di â'i daflegrau llachar, fel na allet ti weld yr haul y dydd na'r lleuad y nos. Yr Arlywydd a daflodd bob drwg ar dy ben di, ac roedd ei waharddiadau masnach am ddifa dy einioes. Yr Arlywydd a geidw dy fynediad rhag i ti gyrraedd Twrci am ei fod e am gadw'n gyfeillgar â'r rheini. Yr Arlywydd a geidw dy fynediad drwy dy fomio di nawr â blancedi a bwyd er mwyn profi ei fod yn medru bod yn neis i ti. Yr Arlywydd a geidw dy fynediad o fewn terfynau ac o fewn i amodau'r Cenhedloedd Unedig, rhag i ti droi yn broblem arall yn y Dwyrain Canol. Yr Arlywydd a geidw dy fynediad a'th ddyfodiad yn ôl i grafangau Saddam Hussein, gan fod ffiniau gwladwriaeth yn fwy cysegredig na bywyd pobol o'r pryd hwn hyd yn dragywydd.

8 Ebrill 1991

Labelu Rhoddion

Ym Mawrth 1988 lladdwyd pum mil o Gwrdiaid yn Halabja â nwy gwenwynig gyda chymorth technoleg America

Os oes yna rai ymhlith y ffoaduriaid o Gwrdiaid ar ffiniau Twrci neu Iran yn medru darllen, fe fydd holl wladwriaethau'r Gorllewin yn gobeithio y gwnân nhw ddarllen y labeli sydd ar y cymorth a gân nhw. Edrychwch, mae'r torthau yma wedi dod oddi wrthym ni, bobol Twrci. Mae'r srinjis 'ma wedi dod oddi wrthym ni yn Ffrainc. Ni yn yr Almaen sy wedi anfon y pebyll 'ma i chi, a mawr dda i chi. Mae'r blancedi twym 'ma wedi dod oddi wrthym ni ym Mhrydain, a gobeithio y cofiwch chi mai ni a'u rhoddodd nhw i chi. Mae'r dillad a'r bwyd 'ma a'r caredigrwydd mawr 'ma wedi dod o America, eich ffrindiau chi ym mhob angen. Dyna'r labeli fydd wedi eu plastro ar y rhoddion. Mae Ann Clwyd y bore 'ma mor awyddus i bawb weld labeli, nes ei bod hi am i ni sylwi mai hi'n unig sydd wedi bod yn gweld y ffoaduriaid, a label y Blaid Lafur sydd arni hi.

Wrth gwrs, os ydych chi am i'r ffoaduriaid weld labeli fe allen nhw eu gweld nhw ar rai pethau eraill sydd wedi eu harllwys arnyn nhw. Fe arllwyswyd cynddaredd awyrennau Saddam Hussein arnyn nhw rai dyddiau yn ôl. Petai label ar y peilot fe fyddai hwnnw'n dweud 'Wedi ei hyfforddi ym Mhrydain'. Fe saethwyd bwledi atyn nhw, a phetaen nhw'n gweld y bocsys oedd am y rheini fe fydden nhw'n dweud 'Gwerthwyd i luoedd Irac gan gwmnïau arfau o'r Almaen.' Fe arllwyswyd napalm ar eu plant nhw a'u pobol ifanc nhw. Y label ar hwnnw fyddai 'Cyflenwad sbâr wedi rhyfel Vietnam, gyda chyfarchion y Tŷ Gwyn.'

Bydd y rhai mwya craff yn eu plith nhw yn medru darllen y label ar y casineb, a ddangoswyd tuag atyn nhw gan eu cydwladwyr, yr Iraciaid. A'r label hwnnw'n dweud 'Casineb a gynhyrchwyd gan ryfeloedd byd yr ugeinfed ganrif.' Label wedyn ar greulondeb, a hwnnw'n dweud 'Creulondeb a gynhyrchwyd yn swyddfeydd ymerodraethau'r byd.' Bydd label ar y difaterwch, difaterwch holl wledydd cred, yn chwarae pob tric posib er mwyn osgoi i'r Cwrdiaid ddod yn broblem iddyn nhw: Beth yw'r label ar hwnnw? O ble mae hwnnw wedi dod? Mae'r label yn dweud fod hwnnw wedi dod o Gymru, o'n bywydau ni, wedi ei greu bob tro yr aethon ni drwy ddiwrnod fel hwn mewn wythnos heb gynnig cario baich neb arall. Os awn ni drwy heddiw eto heb dderbyn neb arall yn faich i ni, yna arnom ni y bydd cyfran o'r bai am ddioddefaint y Cwrdiaid.

15 Ebrill 1991

Cyfrifiad

Os nad ydych chi eto wedi llanw ffurflen y cyfrifiad fe feddyliais y gallwn i fod yn rhoi gair o gyfarwyddyd i chi'r bore 'ma. Bydd yna gwestiwn ynglŷn â'r hyn sy gyda chi yn y tŷ, yr 'amwynderau': a oes gyda chi fàth neu wres canolog a phethau felly. Pan fyddwch chi'n meddwl am yr amwynderau sy gyda chi ar yr aelwyd, gobeithio y gwnewch chi feddwl am eiliad am y pwysica ohonyn nhw i gyd sef eich bywyd ysbrydol chi. Yng nghanol holl eiddo gweladwy eich tŷ chi, yr hanfodion anweladwy yw'r pwysica yn y diwedd:

> Nid ar deganau'r llawr
> yn awr y mae fy mryd,
> sylweddau tragwyddoldeb mawr
> yw'n nhrysor drud.

Fe ofynnir wedyn pa sawl ystafell sy gyda chi yn y tŷ, ac fe ddywedir nad oes raid i chi gyfri'r ystafelloedd bach sy'n llai na dwylath o led. Eithr pan fyddwch chi wrthi'n cyfri'r ystafelloedd, cofiwch am yr ystafell leia ohonyn nhw i gyd sy'n llai na throedfedd o led, ystafell y weddi:

> Ond pan fyddi di'n gweddïo, dos i mewn i'th ystafell, ac wedi cau dy ddrws gweddïa ar dy Dad sydd yn y dirgel . . .
> (Mathew 6:6)

Ble mae honno, meddech chi. Wel ystafell y galon yw honno. Os nad oes yna ystafell weddi gyda chi yn y galon, ofer cael unrhyw ystafell arall.

Gwyliwch y cwestiwn sy'n gofyn pwy biau'r tŷ. Ai chi neu gymdeithas adeiladu neu fanc. Fe fyddwch chi ar unwaith yn cael eich temtio i roi i lawr mai chi biau'r tŷ. Yn wir, fe fyddwn ni i gyd ar hyd yr wythnos yma yn byw yn union fel petai pob modfedd honno yn eiddo i ni. Ond Duw biau'r tŷ:

> Ti biau'r tŷ, dy eiddo yw mi wn,
> Ond calon falch sydd am feddiannu hwn.

Tenantiaid dros dro yn unig ydym ni yn y byd yma.

Y cwestiynau pwysica fydd y rhai sy'n gofyn pwy sy'n byw yn y tŷ. Sylwch yn fanwl pwy ddylech chi ei gynnwys: yn gynta, pwy sy wedi bod gyda chi yn ystod y nos, a neithiwr oedd nos y cyfri. O ran eich profiad fe allech chi ddweud am un sy'n nes na neb pan mae hi'n dywyll arnom ni,

> Pan fyddo'r enaid ar y noson dduaf
> Yn gwneud ei nyth ym mynwes Duw ein Tad.

Wedyn, meddai'r ffurflen, gofalwch gynnwys yr un sy'n arfer bod gyda chi. Efallai nad ŷch chi wedi ei weld y dyddiau diwetha 'ma. Mae rhyw bellter, rhyw ddieithrwch wedi dod rhyngoch chi ac ef dros dro. Ond mae wedi arfer cael lle yn eich calon chi. Wel, gofalwch ei gynnwys e, oherwydd mai yn eich calon a'ch bywyd chi y mae ei le fe. Os oes gan rywun hawl i fod yma, gydag e mae'r hawl.

Yn olaf, a hwn oedd yn ddiddorol i fi, gofalwch gynnwys yr un sy ar ei ffordd atoch chi. Efallai ar daith mewn car neu drên neu awyren, ond yr ŷch chi'n gwybod ei fod ar ei ffordd ac atoch chi mae'n dod. Does dim byd sicrach na bod yn rhaid i enw Iesu fynd lawr fan hyn. Mynd a'n gadael ni fydd pawb a phopeth arall sy yn y cyfrifiad: dod atom ni mae'r Iesu:

> Trwy ffydd y gwelaf Iesu'n dod,
> nid ar gymylau'r nef,
> ond yn nhreialon dua'r daith
> lle mae'i anwyliaid Ef.

Pan fyddwch chi'n gwneud eich cyfrifiad ysbrydol peidiwch â thrin Iesu fel y cafodd ei drin slawer dydd: 'Dirmygedig oedd, ac ni wnaethom *gyfrif* ohono.' Felly y dywed Eseia 53:3 yn yr hen gyfieithiad, cystal â dweud, 'Wnaethom ni ddim ei gynnwys yn y Cyfrifiad.'

22 Ebrill 1991

Llafur Ofer

Bore ddoe yn y festri roedd hi'n arholiadau, arholiadau'r Gymanfa Ysgolion. Plant bach o bedair oed lan wedi eu corlannu yn y festri, a'r ddwy fenyw ddierth, y naill yn stafell y diaconiaid a'r llall ar ganol llawr y capel y tu ôl i'r organ, yn barod i arholi'r ymgeiswyr. Roedd hi fel stafell ddisgwyl y deintydd, y plant am unwaith yn dawedog a llonydd a llwyd, a ffeithiau tragwyddol bwysig am Moses yn yr hesg, a Jacob ac Esau, yn corddi yn eu pennau.

Yr unig gyffro a ddigwyddai oedd pan fyddai'r drws yn agor ac un newydd ei gneifio o bob gwybodaeth yn cael ei ollwng yn ôl i'r gorlan, a llygaid pawb arno fe gan ei fod e wedi mynd drwy brofiad erchyll a oedd yn disgwyl pawb arall. Wedyn byddai llaw arolygwr yr ysgol Sul yn gafael yng ngwar y ddafad nesa a honno'n cael ei thywys fel oen i gyfeiriad ei laddfa. Fel y dywedai un tad, 'Wn i ddim beth yw'r ffŷs am asesu ac arholiadau i blant mewn ysgolion: mae'r peth wedi digwydd ar hyd y blynyddoedd mewn ysgolion Sul heb fod yr un plentyn yn cael pen tost na cholli cysgu.'

Cyn hir fe fyddan nhw ar hen lwybr yr arholiadau a'r profion blynyddol, fel y mae rhai ohonoch chi nawr. Mis sydd i fynd i lawer ohonoch chi cyn y TGAU a'r lefel A. Cymrwch gysur, fe allwch chi ddysgu llawer mewn mis. Mae miliynau wedi mynd drwy arholiadau ar sail beth ddysgon nhw mewn ychydig wythnosau. Ond, meddech chi, pa beth a ddysgaf? Fe alla i ddysgu popeth am seiclonau neu ddeddf disgyrchiant, heb gael unrhyw fath o gwestiwn yn dod lan ar yr un ohonyn nhw. Meddyliwch am holl lafur mis Mai yn mynd yn ofer.

Na, ddweda i. Dyw hynny byth yn digwydd. Dyw'r cwbwl ddim yn ofer. Cofiwch ddameg yr heuwr: chwarter yr had a gafodd dir da. Y gweddill i gyd yn ofer. Eto doedd e ddim i gyd yn ofer. Mae yna un Beibl trist iawn yn cael ei ddangos yn llyfrgell Cymdeithas Feiblaidd America. Beibl yw hwnnw a gyfieithwyd i iaith yr Indiaid Algonquin. Ond erbyn i'r Beibl yn gyfan gael ei gyfieithu, a'r gwaith yn barod i'w gyhoeddi, roedd llwythau yr Indiaid Algonquin i gyd wedi eu difa, fel nad oedd neb ar ôl yn fyw a allai ei ddarllen. Dyna lafur ofer, meddech chi.

Na, doedd y gwaith ddim i gyd yn ofer petai ond yn yr hyn a ddysgwyd gan y cyfieithwyr i gyfieithwyr eraill am ddulliau cyfieithu.

Neithiwr y clywais i am y bachgen bach o Rwsia y trefnwyd iddo hedfan i Brydain i gael triniaeth at ei lewcemia ac yntau'n marw yn yr awyren. Dyna daith ofer, meddech chi. Taith na chyrhaeddwyd ei diben. Mae'r daith yna yn ddarlun o'n taith ddaearol ni i gyd. Rŷm ni'n dioddef gan afiechyd marwol, ac fe fyddwn ni i gyd farw ohono ar y daith.

Neithiwr hefyd y clywais i am y teulu bach yng Nghaerdydd mewn car mewn maes parcio, a phiben y nwyon i mewn drwy'r ffenest. Dyna i chi daith ofer mewn car. Yng ngolwg y byd hwn, mae'r cwbwl yn ofer. Yng ngolwg y tragwyddol, fe all y bywyd byrra a'r trista fod yn ogoneddus o ystyrlon.

29 Ebrill 1991

Arholiadau

Rhyw lythyr bach sy gyda fi fan hyn y bore ’ma, ac er mwyn arbed stamp ac amser, yn hytrach na’i roi yn y post fe wna i ei ddarllen e.

Annwyl Gareth,
Erbyn heddiw rwyt ti ar ganol dy arholiadau. Rwy’n deall fod yna arholiad gyda ti’r bore ’ma. Fe gest ti noson o banic neithiwr, ac fe ddechreuest ti feddwl wrth edrych yn dy lyfrau fod y cwbwl yn ddierth i ti, a dy fod ti wedi anghofio’r cyfan. Paid â gofidio: mae pawb ohonon ni wedi cael yr un profiad yn union â ti rywbryd.

Fe alla i ddychmygu nad wyt ti’n cael rhyw lawer o flas ar dy frecwast y bore ’ma. Cymer beth fedri di: fe wnei di fwyta mwy o ginio. Ar dy ffordd i’r ysgol neu’r coleg cofia un peth: dyw arholiadau ddim o dragwyddol bwys. Beth bynnag ddigwyddith y bore ’ma fe fyddi di’n dala’n fyw i weld y prynhawn. Fe fydd y rhai sy’n dy garu di nawr yn dy garu di drwy’r cwbwl, llwyddo neu beidio. Mae’n dda nad oes dim rhaid i ni basio arholiad i ennill cariad neb.

Wedi cyrraedd, cyn mynd i mewn i weld yr hen bapur yna a’i gwestiynau, cofia fod pob arholwr yn eu gosod nhw, nid er mwyn dy ddala di, ond er mwyn rhoi cyfle i ti ddangos beth wyt ti’n ei wybod. Mae pob arholwr am i ti wneud cyfiawnder â ti dy hunan. Felly pan eisteddi di lawr, darllen gan bwyll bach. Efallai y gweli di nifer o gwestiynau nad oes llefeleth ’da ti sut mae eu hateb nhw. Darllen mlaen. Rwyt ti’n siŵr o ddod at rywbeth rwyt ti’n ei nabod. Nawr ’te, bwrw di ati. Ond paid â’i gorwneud hi. Rhanna dy amser rhwng dy atebion i gyd. Chei di ddim mwy na chant am unrhyw ateb, a gofala roi cyfle i arholwr roi rhyw farciau i ti am bob un o dy atebion di. A phaid â sgrifennu ar y diwedd fod yr amser wedi bod yn rhy brin. Fe gest ti lawn gymaint o amser â phawb arall, do, i’r eiliad.

Wedyn pan ddoi di mas, paid â chynnal *post mortem* yn y coridor. Rho’r papur yn dy boced ac anghofia’r cwbwl amdano fe. Cer gatre a thyn lyfre’r arholiad nesa mas. Pan ddaw'r arholiad hwnnw, yr un cyngor fydd gyda fi eto i ti ag a rown i i fi'n hunan ar ddechrau pob dydd o waith: cer gan bwyll, ond mesura dy amser; tacla dy brobleme, a gwna gyfiawnder â ti dy hunan. Wedyn, paid â difaru am gamgymeriadau ddoe: mae 'na ddigon o waith paratoi ar gyfer problemau fory.

4 Mehefin 1991

DILYN Y PAC

Bu'r Senedd wrthi y dyddiau hyn yn trafod yn helaeth fesur rheoli cŵn o ganlyniad i ymosodiadau ar blant

Does dim byd yn well i gadw cŵn yn eu lle na chwip. Gorau i gyd os yw hi yn *three-line whip*. Ac fe lwyddwyd i gadw'r cŵn y bore 'ma yn y cenel iawn yn y bleidlais yna yn Nhŷ'r Cyffredin. Am noson gyfan mewn tymor prysur doedd dim byd yn cyfri ym Mhrydain Fawr ond cŵn. Mae'r papurau a'r cyfryngau yn medru'n tylino ni i gyd fel y mynnon nhw. Rhowch lun neu ddau digon erchyll ar dudalen flaen yr *Express* neu'r *Sun* neu ar fwletin newyddion ar deledu, a dyna chi wedi argyhoeddi pedair cenedl nad oes dim byd pwysicach na'r pwnc hwnnw ar wyneb y ddaear.

Fel y dywedodd Alan Bullock wrth gyflwyno'i lyfr newydd ar Hitler a Stalin, 'Dyna beth difrifol o ddi-drefn yw trefn llywodraeth.' Ac fe welson ni'r bore 'ma mai dilyn y pac piau hi o hyd. Os yw'r dyrfa yn gweiddi yn erbyn cŵn, mae'r Senedd yn siŵr o ddilyn — yn enwedig o fewn blwyddyn i etholiad. O fewn golwg etholiad, dilyn mae pob llywodraeth ac nid arwain. Mae yna gynifer o bethau llawer pwysicach y gallai hi arwain arnyn nhw y bore 'ma.

Tra oedd y seneddwyr yn udo ar ei gilydd yn oriau mân y bore, roedd miloedd o ryfelgwn yn Washington yn dathlu eu bod nhw wedi malu wynebau cannoedd o ferched bach tebyg i'r un a gnowyd gan gi. Ac nid yn unig eu hwynebau nhw, ond eu cyrff a'u bywydau a'u teuluoedd a'u haelwydydd. Chlywais i ddim yn yr adroddiad y bore 'ma fod neb wedi cynnig cofrestru rhyfelgwn, heb sôn am eu difa nhw. Beth am gi rheibus alcohol ac ast gas y tobaco: oedd yna rywun neithiwr wedi awgrymu y dylid ffrwyno hysbysebion y rheini yng ngolwg y cyhoedd? Mae'r rheini wedi gwneud mwy o ddifrod i gyrff a bywydau na holl gŵn y greadigaeth. Ond dyna fe, os yw'r dorf yn bloeddio, pa mor ddrwg bynnag yw unrhyw Barabas, dymuniad y dorf sy'n bwysig yng ngolwg pob Peilat.

9 Mehefin 1991

NEWID YSGOL

Rwy wedi clywed llawer o bobol yn honni eu bod nhw'n cofio eu diwrnod cynta yn yr ysgol. Faint ohonoch chi tybed sy'n cofio'r diwrnod ola?

Y bore 'ma fe fydd miloedd o ddisgyblion yn dechrau ar eu hwythnos olaf mewn ysgol. Wythnos o ffarwelio â hen adeiladau y maen nhw wedi byw ynddyn nhw o ddydd i ddydd ers blynyddoedd. Yn gymaint felly nes eu bod nhw bron â theimlo fod yr ystafelloedd a'r coridorau a'r iard yn eiddo iddyn nhw. Ychydig feddylian nhw nawr y gallan nhw fod yn dod yn ôl i'r hen ysgol efallai ar ymweliad ymhen rhyw flwyddyn neu ddwy, a chael ergyd boenus, sef gweld eu cynefin nhw wedi ei feddiannu gan blant oedd gynt yn fach.

Fe fydd hi'n wythnos olaf gyda'r hen athrawon. Wedi blynyddoedd o fod o dan eu hawdurdod nhw, dyma ddiwedd y cyfnod yn dod. Fyddan nhw ddim yn eu nabod nhw fel athrawon byth mwy: fe fydd y berthynas wedi newid am byth. Mae'n siŵr y gwnân nhw eu gweld nhw yn rhywle dros y blynyddoedd fydd yn dod, ond fe fyddan nhw'n gwybod, a'r athrawon yn gwybod, nad yr un personau fyddan nhw. A bydd y sgwrs ar un olwg yn fwy rhydd, ond ar olwg arall bydd y berthynas newydd, ddierth yn achosi ychydig bach, bach o straen o'r ddwy ochr.

Fe fydd hi'n wythnos ola gyda'r hen griw. Wedi'r blynyddoedd o gyd-dyfu a chydaeddfedu a chydchwarae a chyd-ddioddef, mae 'na wahanu mawr yn mynd i ddigwydd mewn llawer ysgol ddydd Gwener nesa. Pa faint bynnag o nosweithiau aduniad byddan nhw yn eu cynnal, wnân nhw byth aduno. Fe fyddan nhw'n troi bawb i'w ffordd ei hun, un i'r maes ac un i'r môr. Bydd cylchoedd gwahanol yn rhoi creithiau gwahanol ar eu bywydau nhw. Bydd yr hen gwmnïaeth wedi ei chwalu am byth. A'r camgymeriad mwya allan nhw ei wneud yw meddwl y gallan nhw ddal i fod wedyn yn ffrindiau ysgol.

Oherwydd o'r holl wersi y byddan nhw wedi eu cael yn yr ysgol dros y blynyddoedd, efallai mai'r wythnos ola 'ma y cân nhw'r wers bwysica i gyd ar gyfer bywyd. Pan fydd y fechan flwydd yn anelu am ddechrau cerdded, y gamp iddi hithau yw dysgu gollwng. Wel, fel'na'n union ar derfyn cyfnod ysgol uwchradd, dysgu symud rhwng cyfnodau bywyd – dysgu gollwng a cherdded mas yn hyderus i fyd gwahanol.

7 Gorffennaf 1991

Wyau Mewn un Fasged

Ym mis Gorffennaf 1991 y gwelwyd
cwymp y banc byd-eang, BCCI

Gyda'r holl helbul yma ynglŷn â'r banc a aeth i'r wal rwy'n meddwl y dylwn i ddal ar gyfle i roi gair o gyngor y bore 'ma ar bwnc buddsoddi doeth. Yn gynta, rhowch eich wyau i gyd yn yr un fasged fel y byddai'r Sais yn dweud. Fe alla i gyfeirio at ddwy chwaer a oedd ag egwyddorion hollol wahanol i'w gilydd yn hyn o beth. Martha oedd enw un ohonyn nhw, ac roedd honno wedi trafferthu gyda llawer o wahanol bethau heb lwyddiant mawr. Roedd y llall, Mair, wedi buddsoddi mewn un cwmni yn unig a chael elw mawr iawn ohono. Felly, gwnewch fel y gwnaeth Mair, buddsoddwch gyda banc y Gwaredwr.

Os oes rhyw fusnes neu ddiddordebau eraill gyda chi, gwerthwch y cwbwl er mwyn rhoi'r cyfan i mewn yn y cwmni hwn. Roedd yna ddau frawd o'r enw Iago ac Ioan wedi gadael busnes teuluol proffidiol iawn er mwyn buddsoddi eu bywydau i gyd gyda'r cwmni yma, ac fe lwyddon nhw y tu hwnt i bob disgwyl.

Gofalwch na fyddwch chi'n ceisio chwarae'n saff a chadw tipyn bach naill ochor fel rhyw sicrwydd bach i chi'ch hunan a'r wraig. Fe geisiodd rhyw bâr yn Jerwsalem wneud hynny unwaith, rhyw Ananias a Saffeira, a'r canlyniad fu iddyn nhw golli popeth.

Mater pwysig arall wedyn yw a ddylech chi fynd am fuddsoddiad tymor hir neu dymor byr. Fe fyddwn i'n dweud ar ei ben mai tymor hir sydd orau. 'Rhy fyr fydd tragwyddoldeb llawn,' meddai un buddsoddwr o Eifionydd. Fe geisiodd un buddsoddwr cynnar o'r enw Jwdas fynd am dymor byr ac fe gollodd hwnnw bob darn o arian a enillodd erioed.

Peth arall ynglŷn â'r banc yma yw ei fod yn gwbwl ddiogel. Efallai, cofiwch, nad yw hynny'n ymddangos yn wir yn ôl safonau'r byd hwn. Yn enwedig pan fyddwch chi'n clywed y dylai un banc gael ei gau lawr am fod terfysgwr wedi bod yn gwsmer gyda nhw. Mae terfysgwyr ar fwrdd y banc yr ydw i'n ei gymeradwyo, neu o leia wrth y bwrdd. Roedd hanner ei sylfaenwyr wedi bod mewn carchar, ac fe fyddai'r gweddill ohonyn nhw wedi mynd i'r carchar hefyd petai'r awdurdodau wedi cael gafael arnyn nhw. Gwaeth fyth, terfysgwr yw pennaeth y cwmni, y rheolwr gyfarwyddwr ei hunan; *convict* oedd e, *crook* yng ngolwg yr awdurdodau.

Petaen nhw ond yn gwybod fe allen nhw fod wedi cyhuddo'r banc yma o wneud tipyn o olchi. Y mae wedi gwneud mwy o hynny nag unrhyw fanc arall y gwn i amdano. Nid golchi arian cwsmeriaid, mae'n wir, ond golchi'r cwsmeriaid eu hunain, hyd yn oed y rhai aflanaf.

Rwy'n mawr obeithio 'mod i wedi'ch argyhoeddi chi i fynd am y banc arbennig yma, y banc sy'n gwrando, yn gwrando gweddi. Wel, ddylech chi ddim cael llawer o drafferth i ddod o hyd iddo oherwydd mae yna ganghennau ym mhobman, yn enwedig yng Nghymru. Ac yn wahanol i bob banc arall, maen nhw ar agor ar ddydd Sul.

22 Gorffennaf 1991

Y Cyfle ola cyn yr Eisteddfod

Wythnos y cyfle ola yw'r wythnos hon i lawer o bobol. Fe fydd yna arweinyddion corau cymysg, o Lanpumsaint i Bwllglas, yn sylweddoli fod llai nag wythnos ar ôl i berffeithio ambell gymal a chael purdeb sain ar ambell far. Bydd neuaddau yn atseinio gan fandiau pres, ac ambell gwmni drama mewn panic. Yr wythnos hon fydd cyfle ola'r cwmnïau bwyd i archebu bara, a chyfle ola aml i gymdeithas i baratoi stondin.

Mewn rhyw barlwr yn rhywle fe fydd yna ryw adroddwr addawol yn caboli un o gerddi Leslie Richards. Yn yr un fro fe allwch glywed rhyw ddatgeinydd cerdd dant yn gorfod mynd y drydedd waith drwy bennill ola 'Y Cudyll Coch' er mwyn ei gael yn iawn. Gwelir carafanau yn cael eu glanhau a thannau newydd yn cael eu rhoi ar ambell delyn.

Bydd Llywydd y Dydd yn penderfynu ailysgrifennu ei araith, a'r wythnos hon fydd cyfle ola Maurice Loader i baratoi ei bregeth ar gyfer y gwasanaeth o'r Pafiliwn. Bydd corau cerdd dant yn gwefreiddio seddau gwag ambell festri, yn paratoi am y tro ola yr 'Halelwia' a all wefreiddio'r Pafiliwn ymhen wythnos. Bydd hyfforddwyr timau ambiwlans yn perffeithio techneg, ac enillydd y Goron yn prynu siwt. Bydd beirniaid yn prynu beiros a chynganeddwyr yn chwilio am dîm ymryson. Gallwch weld yr wythnos hon lwyfannau yn gwegian dan bartïon dawnsio gwerin, a chlywed rhyw soprano yn ymarfer y ddwy gân wrth dalcen piano.

Bydd y wlad i gyd yn ferw gan weithgarwch yr wythnos hon, am fod pawb yn sylweddoli mai dyma fydd ei gyfle ola. Y mae yna lawer o bethau y byddem ni i gyd yn eu gwneud nhw, petaem ni'n byw bob wythnos yn union fel petai hi'n wythnos y cyfle ola. Meddyliwch y cymwynasau da y byddem ni yn eu cyflawni, a'r geiriau caredig y byddem ni'n eu dweud wrth ein gilydd am mai dyna'r cyfle ola. Fe fyddai hi'n iechyd i ni i gyd, petaem ni'n cael byw drwy un wythnos ym mhob blwyddyn yn union fel petai hi'n gyfle ola i ni fod yn garedig wrth ein gilydd.

29 Gorffennaf 1991

Ffrâm Cysondeb

Yn nechrau 1992 lluniwyd patrwm newydd ar gyfer rhaglenni boreol Radio Cymru

Rwy'n cofio teulu mewn ffarm gyfagos i ni yn symud i fyw mewn ardal arall. Fe werthwyd y stoc, ond fe aethon nhw â'r ci defaid gyda nhw. Eto, cyn pen diwrnod yr oedd yr hen gi wedi cyrraedd yn ôl yn yr hen gartre, ac fe'i gwelwyd yn crwydro'r buarth a'r beudy a'r stabl a'r ydlan, yn chwilio am yr hen deulu.

Ac fel yna yr ydw innau'r bore 'ma, wedi dod mewn i hen stiwdio gyfarwydd, a chael nad oes neb o'r hen deulu yma. Ple mae Vaughan Hughes, a fyddai'n arfer eistedd fan'na y tu ôl i'w fwstas rhadlon? Ble mae Dei Tomos y bore 'ma? Ble mae Siân Parri Hughes? Dyw hithau ddim yma chwaith. Mae'r teulu wedi newid, ac mae 'na fugeiliaid newydd ar yr hen raglenni hyn y tu ôl i'r gwydr 'na. Rwy'n teimlo fel adyn ar gyfeiliorn y bore 'ma.

Os ydw i'n teimlo felly, beth amdanoch chi? Mae'n siŵr eich bod chithau ar goll i ryw raddau hefyd, ac yn dechrau drysu faint o'r gloch yw hi. Os y rhaglen hon oedd cyfeiliant y bore i chi ar yr aelwyd o'r blaen, mae'r cyfeiliant wedi newid o fore heddiw ymlaen. Nid yr un adroddiad newyddion glywch chi wrth ddod o'r gwely. Nid yr un crynodeb o hanes y chwaraeon wrth siafo. Ac nid yr un funud fydd y funud i feddwl i chi o hyn ymlaen.

Mi wn nad ŷch chi'n gwrando â dwy glust, na hyd yn oed ag un yn iawn. Ond fe fydd acenion cyfarwydd Dei Tomos a Hywel Gwynfryn yn dod yn ôl eto yn ffrâm newydd i'r bore i ni i gyd.

Un o hanfodion ein bywyd ni yw fod yna ffrâm o gysondeb iddo fe. Ffrâm rhyw arferion da, ffrâm rhyw safonau dibynadwy o ddydd i ddydd, sy'n dweud wrthym ni, heb yn wybod i ni bron, faint o'r gloch yw hi yn ein bywydau ni.

6 Ionawr 1992

Saboth y Dyddiadur

Eleni eto roeddwn i wedi cael tipyn o ffwdan i ddod o hyd i ddyddiadur derbyniol oedd yn gosod dyddiau'r wythnos yn yr hen drefn. Slawer dydd, roedd wythnos ym mhob dyddiadur yn dechrau ar ddydd Sul ac yn gorffen ar ddydd Sadwrn. Nawr mae'r rhan fwya ohonyn nhw yn dechrau ar ddydd Llun ac yn dod i ben ar ddydd Sul. Dydd Sul sy ar y gwaelod, bin sbwriel yr wythnos. Mae pob wythnos nawr fel petai hi â'i thraed lan. Ac wedi pythefnos o flwyddyn newydd rwy nawr yn gweld pam.

Mae 'na orchymyn newydd gyda ni erbyn hyn: Cofia'r dydd Saboth i'w gadw'n gysegredig – ar gyfer popeth. Chwe diwrnod y gwnei beth bynnag a fynni di, yn dilyn dy alwedigaeth neu'n mwynhau dy hunan, neu fynd am dro, neu i'r clwb neu i'r banc neu i'r siop wallt, neu aros yn y gwely tan amser cinio. Ond y mae'r seithfed dydd yn Saboth dyn. Gwna dy holl waith y dydd hwnnw. Y golchi a'r stilo a'r crasu a'r pobi a'r hwfro a'r glanhau a'r paentio a'r darllen papurau er mwyn cadw lan â materion y dydd. Gwna dy holl siopa y dydd hwnnw, oherwydd fe fydd cegau holl siopau mawr y greadigaeth ar agor ar dy gyfer di.

Mae'n ddiwrnod eithriadol o handi ar gyfer pob math o gynhadledd benwythnos gan na fydd neb na dim arall yn galw. Trefna dy bwyllgora ar ddydd Sul. Dyna'r unig ddiwrnod y medri dreulio dros wyth awr yn trafod dyfodol wyth o dimau pêl-droed yng Nghymru, a hynny heb ddod i benderfyniad. Pam? Am fod yna ddydd Sul handi i ddod eto cyn hir iti gael teithio i'r un pwyllgor i drafod yr un mater. Mae'n ddiwrnod i'w wario heb weld ei golli.

Gwna ynddo bob peth fedri di, ti a'th fab a'th ferch a'th was a'th forwyn — a'th gar. Ydi, mae hi wedi dod i hynny erbyn hyn. Wath mae'n debyg, rywbryd heddiw, fe fydd Clwb y Jocis yn trafod eu bwriad i gael raso ceffylau ar ddydd Sul. Nawr roeddwn i wedi meddwl y byddai'r anifeiliaid wedi cael llonydd gan fod y Beibl yn sôn yn benodol am orffwys i'r asyn. Ond dyna fe, does dim byd yn gysegredig erbyn hyn ond dydd Llun i ddydd Sadwrn.

13 Ionawr 1992

DRINGO GRISIAU CYFFURIAU

Un bore cyn hir, yn gynt nag a feddyliwn ni efallai, fe fydd bwletin newyddion saith yn dweud wrthym ni fod cyrch enfawr wedi ei wneud yng Ngogledd Iwerddon, a miloedd o filwyr wedi disgyn ar stadau tai a dwyn dynion a llanciau o'u gwelyau i garcharau. Pan weithredwyd y polisi yna o'r blaen yr unig beth welsom ni oedd i'r hen gasineb gael cyfle i wreiddio'n ddyfnach. Ond mae 'na un math o garcharu yn mynd i ddigwydd y bore 'ma a fydd, rwy'n gobeithio, yn tynnu un drwg o'r gwraidd.

Bore heddiw fe fydd bachgen ifanc yn mynd mewn i ganolfan Bywyd Newydd, canolfan i bobol sy'n gaeth i gyffuriau. Canolfan fach yw hi, wedi ei phatrymu ar ganolfan i droseddwyr yn Orlando Florida. Fel yn y ganolfan honno, fe fydd disgwyl i bawb sy'n dod mewn ddringo'r deuddeg gris. Bore 'ma fe fydd yn mynd mewn ac yn sefyll ar waelod y grisiau. Y ris gynta iddo fe fydd cyfaddef hyn:

'Rwy'n wan, heb nerth a heb allu. Rwy'n gwbwl gaeth i'r cyffur, ac mae 'mywyd i'n sarn.'

Cheith e ddim mynd gam ymhellach nes y bydd wedi medru dweud y geiriau yna o waelod ei enaid. O ris i ris y caiff ddringo wedyn, yn ei amser ei hun fel y bydd ei galon yn aeddfedu. Pan ddaw i'r bedwaredd, ar honno fe fydd yn gwneud cyfri llawn o gynnwys moesol ei fywyd, gan restru pob eitem unigol yn ei thro fel petai'n enwi pob dodrefnyn yn ei stafell.

Mae 'na ddeuddeg o risiau i gyd y bydd yn rhaid iddo fe eu hwynebu nhw. Maen nhw'n dweud mai'r wythfed yw'r un boenus. Ar honno fe fydd yn rhaid iddo fe wneud rhestr gyflawn o bob un y mae e wedi gwneud drwg iddo fe rywbryd yn ei fywyd. Bydd yn rhaid iddo fe chwilio'i gof am bob gair creulon, efallai wedi ei lefaru'n ddifeddwl ar y pryd, neu'r geiriau oedd wedi eu bwriadu i glwyfo. Pob dwyn, pob twyll, pob brad, pob celwydd, a phob cam. Yna rhaid iddo restru'r wynebau a gafodd gam gydag e. Pob dieithryn, pob athro a chydweithiwr, pob cyfaill, pob perthynas, pob anwylyd, pob brawd a chwaer, hyd at ei dad a'i fam. Os na fydd hi wedi digwydd cyn hynny iddo fe, maen nhw'n dweud mai'r ris yna fydd yn ei blygu fe, os nad yn ei dorri fe.

Rwy'n credu mai dyna'r man fyddai'n ein torri ni i gyd petaem ni'n onest, petaem ni'n gorfod gwneud rhestr o'r bobol yr ŷm ni wedi eu dolurio, a sarnu eu bywydau nhw. Nid â bom, ond â gair a chenfigen.

20 Ionawr 1992

Yr Ynys Ffansi

Wedi clywed John Major ar raglen 'Desert Island Discs'

Mae 'da fi newydd da i chi: mae gwleidydd mwya amlwg Lloegr yn mynd i fyw ar ynys anial. Yn anffodus, dim ond mynd i fyw yno yn ei ddychymyg y mae.

Mae'n arswydus meddwl mor blentynnaidd yr ŷm ni bellach. Aeth chwarae plant yn rhan o'n bywyd bob dydd ni. Dadleuwn â'n gilydd fel plant. Fe chwaraewn gêmau dychmygu fel plant. Yr hyn sy'n peri braw yw holi a yw'r bobol sy'n trefnu'n bywydau ni yn gwybod ble mae'r chwarae'n dod i ben a'r byw iawn yn dechrau?

Bron ddwy fil o flynyddoedd yn ôl, ar ddydd yr Arglwydd, fe wahoddwyd Ioan arall, mwy na Major, i fynd i ynys anial. Nid ar wahoddiad Sue Lawley, na hyd yn oed Roy Plumley, ond ar wahoddiad yr Ysbryd Glân. Nid ynys yn y dychymyg oedd honno, ond ynys Patmos rhwng gwlad Groeg a Thwrci. Fe gafodd yntau hefyd ddewis caneuon, ond fe ddewisodd e rai sydd wedi bod, ac a fydd, yn y siartiau tragwyddol. Mae eu geiriau nhw'n ddigon, heb sôn am eu cerddoriaeth: 'Halelwia! oherwydd yr Arglwydd ein Duw, yr Hollalluog, a sefydlodd ei frenhiniaeth.' Neu i enwi un arall, 'Teilwng yw'r Oen a laddwyd i dderbyn gallu, cyfoeth, doethineb a nerth, anrhydedd, gogoniant a mawl.'

Pan gynigiwyd iddo lyfr, dewisodd Lyfr y Bywyd. A phan chwiliodd am yr un peth ychwanegol, nid model lawn faint o gae criced Oval i chwarae ynddo ddewisodd hwn, ond lle i fyw, y 'ddinas sanctaidd, Jerwsalem, yn disgyn o'r nef oddi wrth Dduw, a gogoniant Duw ganddi'.

Heddiw mae'r union bobol, a ddylai ymroi i sefydlu Teyrnas Dduw ar y ddaear, yn ffoi o'r byd real i chwarae breuddwydion ar raglenni radio, tra bod aelwydydd yn cael eu difa gan ddiweithdra. Beth am i'r gweddill ohonom ni fyw heddiw yng nghanol pobol real sy'n haeddu, nid addewidion, ond cariad real?

27 Ionawr 1992

Lladd Rhad

Marwolaeth plentyn yn y pentre yn arwain at farwolaeth oedolyn tyner ei galon

Mi ges i fy syfrdanu'r eilwaith neithiwr pan glywais i am farwolaeth Alan Powell yn Swyddfa'r Post yn Rhydlewis. Marwolaeth plentyn bach wedi dod mor agos ato fe, yn wir wedi dod yn rhan ddirdynnol o'i fywyd y dyddiau diwetha 'ma, nes iddo fe deimlo na allai ddioddef byw yng nghanol y galar. Pan glywa i am ddyn yn teimlo mor ddwfn â hynny, alla i ddim llai na sefyll mewn parchedig ofn. Mae yna ddyfnderoedd annealladwy o deimlad yn y galon ddynol.

Mor wahanol yw hi yng ngwledydd arfog ein byd ni, nad ŷn nhw'n teimlo dim wrth glywed am y lladd neithiwr yn Affganistan, a'r lladd yn Croatia a'r lladd yn Cambodia. Dyma i chi blant ein byd ni, cenhedloedd ifanc, er bod iddyn nhw achau hen, yn awr yn ceisio dechrau byw fel cenhedloedd, ac eto yn rhwygo'i gilydd i farwolaeth mewn rhyfeloedd. Yn Kabul a'r cylch y bore 'ma, mae 'na ddigon o ddryllau a bomiau ac awyrennau i barhau'r lladdfa am fisoedd. Diolch i bwy? Diolch i chi a fi a gwledydd y Gorllewin a'r hen Rwsia. Fe drefnon ni gyda'n gilydd, drwy bob *bazaar* a ffair gwerthu arfau, y byddem ni'n llanw Affganistan â deunydd tân i losgi'r lle yn fyw.

A oes yna rywfaint o edifeirwch o'n cyfeiriad ni, y gwerthwyr a'r pedlerwyr arfau? Dim rhithyn, dim ond rhyfeddu atyn nhw, plant Allah, eu bod nhw mor drallodus o blentynnaidd yn lladd fel petaen nhw'n chwarae gyda bywydau'i gilydd. Yn wir, mae 'na feddyliau digon gwyrdroëdig yn ein plith ni, nes ein bod ni'n defnyddio'r brwydrau hyn fel rheswm dros gynhyrchu a phentyrru mwy eto o arfau i'w gwerthu. I ble'r aeth ein heuogrwydd ni? I ble'r aeth ein cydwybod ni?

Oes yna oriau di-gwsg wedi bod yn y Pentagon neithiwr o weld plant briwedig Kabul? Oriau rhywbeth yn debyg i'r oriau o boen di-gwsg a fu y nosau diwetha 'ma yn Swyddfa'r Post yn Rhydlewis, er ei fod yntau, Alan, yn gwbwl ddieuog a di-fai, ond yn suddo gan drallod dros un plentyn.

27 Ebrill 1992

Ffatri Gasineb

Fe allwn i dyngu fod y byd yma yn ddim ond ffatri gasineb. Does yna'r un bore newydd yn gwawrio heb ein bod ni'n clywed am ryw gasineb newydd wedi ei greu. O'r hen Rwsia i'r Almaen, o Balesteina i Los Angeles, o Mozambique i Sierra Leone, o Algeria i'r Aifft. Maen nhw'n dweud ei bod hi'n ddirwasgiad, a chynnyrch ffatrïoedd diwydiannau'r gwledydd i gyd wedi mynd lawr. Wel, dyma'r unig ffatri sydd wedi gweld cynnydd eleni. Does yna ddim diwedd ar ddyfeisgarwch dyn i gynhyrchu casineb.

Yng nghanol yr awyrgylch yma fe ganodd cloch y drws neithiwr. Cyfaill oedd yna wedi galw i ofyn cymwynas: a wnawn i gyfieithu darn byr o ddarlleniad ar gyfer ei ddefnyddio mewn gwasanaeth priodas. Fe addewais i y gwnawn i, a'r bore yma wrth fynd adre o'r fan hyn fe fydda i'n ei roi drwy'r drws iddo fe. Galw i ofyn cymwynas, mynte fe, ond fe wnaeth gymwynas â fi. Oherwydd fe ddaeth y darn bach byr yma i mewn i 'mywyd fel awel o awyr iach neithiwr i ganol y sôn am gasineb y byd. A dyma fe, Ystyr Gwir Gariad:

> Gwir gariad yw rhannu, a gofalu, a rhoi, a maddau; a charu, a chael ein caru. Cerdded law yn llaw, calon yn siarad â chalon. Gweld drwy lygaid ein gilydd, chwerthin gyda'n gilydd, wylo gyda'n gilydd, gweddïo gyda'n gilydd, a mwynhau distawrwydd yn ymyl ein gilydd. Bob amser yn ymddiried yn ein gilydd, ac yn credu ein gilydd, ac yn diolch i Dduw am ein gilydd. Oherwydd harddwch bendigedig yw cariad sy'n cael ei rannu. Y mae'n cyfoethogi'r enaid, ac yn gwneud i'r galon ganu.

5 Mai 1992

Adnabod y Wawr

Fe fu hi'n stormus yma fel mewn llawer man neithiwr. Y math o noson sy'n peri gofid i arddwyr. Roeddwn i'n clywed Dei Tomos a Llew Huxley yn gofidio am gyflwr y planhigion a'r blodau y bore 'ma. O leia, rŷch chi'n cael eich dihuno cyn iddi wawrio hyd yn oed, ar fore o Fai, ac wedyn yn cael gwylio gwyrth y goleuo, gweld y dydd yn agor ei lygaid.

Mae yna stori ar glawr am hen Rabbi o Iddew yn gofyn i'w ddisgyblion sut allen nhw ddweud pryd yn union yr oedd y nos wedi dod i ben a'r dydd wedi gwawrio.

'Rŷch chi'n gwybod yn iawn,' mynte fe, 'pan mae hi'n nos arnoch chi, wath mae'n dywyll, a dŷch chi ddim yn gweld dim. Rŷch chi'n gwybod hefyd pan mae'r dydd wedi cyrraedd yn ei oleuni i gyd. Ond y cwestiwn yw hyn: pryd mae'r funud yna'n dod, yr eiliad yr ŷch chi'n gwybod fod y nos wedi colli'r dydd a'r dydd wedi ennill?'

Fe fu hi'n drafodaeth ac yn ddadlau mawr ymhlith ei ddisgyblion e, ac meddai un ohonyn nhw,

'Rwy'n credu 'mod i'n gwybod,' mynte fe. 'Yr eiliad y byddwch chi'n medru gweld creadur yn y pellter a gwybod ai ci ynteu dafad sy 'na.'

'Nage,' meddai'r Rabbi, 'rhowch gynnig arall arni.' Dyma un arall yn mentro ateb,

'Ai'r eiliad yna pan fyddwch chi'n edrych ar goeden ar y gorwel a gwybod p'un ai ffigysbren ynteu olewydden yw hi?'

'Nage,' mynte'r hen Rabbi, 'nid hwnna yw'r ateb chwaith.'

'Dwedwch wrthon ni, 'te,' medden nhw.

Dyma fe'n ateb fel hyn, 'Yr eiliad honno pan fyddwch chi'n medru edrych yn wyneb unrhyw ddyn a gweld ei fod yn frawd i chi. Oherwydd, os nad ydych chi wedi medru dod i weld hynny, does dim gwahaniaeth pa awr o'r dydd yw hi, mae'n dywyll nos arnoch chi o hyd.'

A thestun y bregeth fach yna y bore 'ma oedd, 'Yr hwn sy'n dweud ei fod yn y goleuni ac yn casáu ei frawd, yn y tywyllwch y mae o hyd' (1 Ioan 2:9).

12 Mai 1992

GWELD EIN HUNAIN

Y fyddin yn lladd protestwyr yn Bangkok
gan beri galw'r mis yn 'Fai Du'

Mae yna un peth y byddwch chi i gyd wedi edrych iddo y bore yma. Rhai ohonoch chi wedi gwneud, a'r lleill ohonoch chi, bron i gyd, yn mynd i wneud. Rywbryd y bore yma, fe fyddwch chi wedi edrych yn y drych a'ch gweld chi'ch hunan.

Ers blynyddoedd lawer bellach mae yna un drych arall y bydda i'n edrych iddo bob bore, a hwnnw yw newyddion y dydd. Yn wir, mae yna un papur newyddion ag enw da arno, *Daily Mirror*. Mae'n debyg y rhoddwyd yr enw yna ar bapur er mwyn ceisio dweud ei fod yn adlewyrchu darlun o'r byd yr ŷm ni'n byw ynddo. Ystyr arall sydd yn yr enw i fi. Bob tro yr edrychwch i bapur newyddion, gweld eich hunan fyddwch chi. Fe fyddwch chi'n meddwl eich bod chi'n edrych ar dwyll gwleidyddion: gweld eich twyll eich hunan fyddwch chi. Fe fyddwch chi'n meddwl eich bod chi'n gweld gwendidau'r teulu brenhinol: gweld eich gwendidau eich hunan fyddwch chi.

Y bore yma wrth wrando ar y newyddion, edrych fydda i yn y drych dyddiol, a gweld mai fi sy 'na. Fi yw'r ddau awyrennwr y bore yma yn America a gondemniwyd yn y cwest yn Rhydychen am ladd, oherwydd mae yna lawer o weithredoedd difeddwl a wnes innau, ac eraill yn dioddef. Fi yw'r milwyr yn Bangkok, gan 'mod innau hefyd yn fodlon gwneud unrhyw beth er mwyn achub fy nghroen i fy hunan. Fi yw'r milwr yng Ngogledd Iwerddon, oherwydd y mae dial yn fy nghalon innau hefyd.

Fe wyddoch i gyd am frawddeg John Bradford pan wyliai droseddwyr yn cael eu harwain i'w crogi, 'But for the grace of God, there goes John Bradford.' Fel arall y bydd hi arna i pan glywa i newyddion y bore: gweld fy hunan yn cerdded gyda nhw fydda i, wedi fy nghondemnio.

18 Mai 1992

Tyfu

Prifwyl yr Urdd yn Rhuthun

Faint gysgoch chi neithiwr? Rwy'n siŵr fod yna ugeiniau o ohonoch chi rieni, yn arbennig yn y de, os cysgoch chi rywfaint, wedi dihuno'r bore yma a'ch meddyliau chi wedi hedfan lan ar unwaith i Ddyffryn Clwyd. Prynhawn ddoe roedd Siân a Gwawr a Dewi a Gareth a Bethan wedi mynd yn wên i gyd gyda chôr yr ysgol yn y bws lan am y Gogledd. Ble maen nhw nawr? meddai'ch calon chi. Oherwydd am y tro cynta yn eu bywyd nhw, ac yn eich bywyd chithau, does dim syniad gyda chi ble maen nhw. Fe allan nhw fod yn rhywle, yng Nghyffylliog neu Lanarmon neu Landyrnog am a wyddoch chi.

Doedden nhw ychwaith ddim yn gwybod tan neithiwr. Yn waeth na hynny, fel yr oedd eu henwau nhw yn cael eu darllen ar y rhestr, roedden nhw'n cael eu gollwng i ofal teulu nad oedden nhw erioed wedi eu gweld nhw, i fynd i gartre nad oedden nhw erioed wedi bod ynddo o'r blaen. Roedd y llofft yn ddierth a'r gwely'n ddierth, ac mae'r iaith nawr wrth y ford brecwast yn ddychrynllyd o ddierth. Rwy'n siŵr nad yw'r cornfflêcs yn hollol yr un flas â'r rhai gartre. Eto fe alla i fentro dweud hyn wrthoch chi, mae Elin a Dylan a Branwen a Luned yn mwynhau eu hunain y foment hon yn fwy o lawer na chi. Maen nhw wedi codi'n gynnar i fynd am y rhagbrofion, ac mae'r dydd a'i gyffro o lawenydd a siomedigaethau i gyd o'u blaenau nhw.

A gaf i ddweud un gair bach o gysur wrthoch chi? Mae'r un noswaith yna ar eu pen eu hunain ar aelwyd ddierth wedi gwneud mwy dros dyfiant eich plentyn nag ugain o nosweithiau gartre. Bron na allech chi ddweud eu bod nhw wedi aeddfedu dros nos. Yna cofiwch hyn: efallai fod yr un noswaith fach yna neithiwr wedi rhoi rhywfaint o dyfiant i chithau hefyd fel rhieni. Pan ddaw Anwen fach yn ôl adre fe fydd y berthynas rhyngoch chi bellach yn newydd ac yn ddyfnach. Rŷch chi wedi dysgu gollwng, ac mae hi wedi dysgu cerdded.

25 Mai 1992

Dwy Genhedlaeth

Fe ges i brofiad dyrys ar yr aelwyd 'ma rai misoedd yn ôl. Dwy genhedlaeth oedd yma yn gwrthod siarad â'i gilydd. Y naill yn hen ŵr, a'r llall yn fachgen ifanc. Roedd yr hen ŵr wedi bod gyda ni ers blynyddoedd, ond ychydig cyn y Nadolig fe ddaeth y bachgen ifanc atom ni. Nawr doeddwn i ddim wedi bwriadu iddyn nhw fyw yma gyda'i gilydd yn ddiddiwedd. Yn un peth, doedd yna ddim lle iddyn nhw yma. Chredech chi ddim y drafferth ges i gael gan y ddau ohonyn nhw fod yn gyfeillion. Fe fues i am wythnosau'n ceisio dyfeisio ffordd i'w cael nhw i ddweud gair wrth ei gilydd.

Dau gyfrifiadur oedden nhw. Un ohonyn nhw yn hen beiriant oedd wedi rhoi gwasanaeth da i mi dros y blynyddoedd. Yn wir, roeddwn i wedi dod i ddibynnu mwy a mwy arno fe fel yr âi'r blynyddoedd heibio. Ac roedd yn dal i weithio mor dda nes y cymerodd hi amser i mi benderfynu fod yn rhaid cael peiriant ifanc. Tua diwedd y flwyddyn fe wnaed y penderfyniad. Ac rwy'n cyfaddef efallai iddi fod yn dipyn o sioc i'r hen greadur weld y crwt ifanc gloyw yn eistedd yn gawr yn ei ymyl.

Nawr roeddwn innau'n medru siarad â'r ddau ohonyn nhw, a'r ddau yn ddigon hapus i siarad â fi. Ond doedden nhw ddim yn siarad â'i gilydd. Fy mhroblem i oedd hyn: fyddai'r hen ddim gyda fi am byth, eto roedd yna stôr o bethau yn ei gof y buaswn i'n falch iawn o'u cadw, a'u cadw yng nghof anferthol y crwt ifanc. A dyna chi'n gweld pam yr oeddwn i'n awyddus iawn, am yr ychydig wythnosau y bydden nhw yma gyda'i gilydd, i weld y naill yn siarad â'r llall.

Roedd y ddau ohonyn nhw yn ddigon parod i siarad â'u cenhedlaeth eu hunain. Fe siaradai'r crwt ifanc â chyfrifiaduron eraill yn y dre, neu â rhai mewn gwledydd eraill o ran hynny, petawn i'n gofyn. Ond am ei gael i ddweud gair wrth yr hen ŵr oedd yn ei ymyl ar yr un ddesg, roedd hi lawn cystal i chi siarad â'r wal. Roedd yn defnyddio pob math o esgusodion: ddim yn deall ei iaith e, yn siarad yn rhy araf neu'n siarad yn rhy glou, neu ddim yn ei glywed o gwbwl.

Un diwrnod pan ges i amser fe ges i raglen gyfathrebu gan gyfaill yn adran gyfrifiadureg y Brifysgol, ac fe eisteddais i lawr gyda'r ddau ohonyn nhw i drafod beth oedd yn bod. Wedi dwyawr o chwysu ac ymbil a pherswadio drwy dwyll a thrwy deg fe ddechreuon nhw siarad. Chredech chi ddim wedyn, doedd dim taw arnyn nhw. Ymhen ychydig ddyddiau roedd yr hen wedi trosglwyddo ffeiliau ei gof i gyd drosodd i gof y crwt. Yr unig beth oedd ar ôl oedd gwneud yn siŵr fod hwnnw wedi eu trefnu nhw'n iawn.

Dyna i chi sioc pan ofynnais iddo fe am eu gweld nhw yn ei gof e. Roedden nhw yno i gyd, ond dyna i chi gawl. Roedd yna lythyron yn gymysg â darlithiau, a dramâu Nadolig yn sownd wrth awdlau. Roedd darnau oedd wedi bod unwaith yn englynion a hir a thoddeidiau a chywyddau, erbyn hyn yn edrych fel storïau byrion yn hanner di-gynghanedd. Roedd y rhannau o ddarlithoedd a deipiwyd gen i mewn Groeg bellach yn edrych fel tudalennau algebra.

Ond mewn cyfrifiadureg mae yna raglen i bopeth. Ac mae 'na ffordd i droi y cawdel gwaetha yn synnwyr trefnus. Trwy lwc, felly y digwyddodd hi gyda'r cawdel hwnnw. Erbyn hyn, mae'r hen ŵr wedi symud i fyw i'r de ac yn cymryd ei le yn anrhydeddus, medden nhw, ar ddesg ddierth yng nghartre Nest y ferch, ac yn gwneud ei waith. Ac mae'r crwt ifanc sy fan hyn yn gweithio'n fendigedig. Dyna drueni na fyddai yna ryw raglen gyda ni mewn bywyd i'n tynnu ninnau mas o gawdel. Ond mae'n debyg mai'r unig raglen a gynigiwyd erioed ar gyfer trafferthion bywyd yw cyngor Pontsiân gynt: 'Os byth y cewch chi'ch hunan mewn trwbwl, gofalwch ddod mas ohono fe.'

18 Mehefin 1992

Y Darn Deg

Yn y papur y bore yma mae llun y darn deg newydd. O ran ei olwg yn y llun, mae'n eitha tebyg i'r hen ddarn. Yn yr un papur hefyd mae yna nifer o ffeithiau am yr un newydd yma. Mae'n llai ei faint na'r hen ddarn deg. Mae'n llai ei bwysau. O'i gymharu â gwerth yr hen ddarn deg pan ddaeth hwnnw i'r golwg gynta, mae'r newydd yn llawer llai. A diolch i'r llywodraeth, mae wedi ei ddibrisio dipyn yn ystod y pythefnos diwetha.

Yn wir, mae popeth ynglŷn â hwn wedi ei ddibrisio. Maen nhw wedi dibrisio gwerth ei ddeunydd, y metal sydd ynddo. Mae hyd yn oed y llun sydd arno wedi ei ddibrisio, llun y frenhines. Pan ddaeth y darn deg i'r golwg gynta, roedd y frenhiniaeth yn uwch ei gwerth ac yn llawer uwch ei pharch nag yw hi erbyn hyn. Er gwaetha'r olwg ddisglair a gloyw sydd arno, arian wedi ei ddibrisio ym mhob ystyr yw'r darn bach hwn.

Yn yr un papur y bore yma mae llun y dibrisio arall sy wedi digwydd. Dibrisio gwerth a bywyd dyn. Fe ellwch dynnu gwerth arian i lawr faint a fynnoch chi, yn y diwedd ni wnaiff fawr o wahaniaeth i ni. Ond pan welwch chi fywyd dyn yn disgyn yn ei werth, dyna i chi'r gwir ddirwasgiad. Pan welwch chi blant mewn cartrefi yn cael eu trin fel teganau i ddynion chwarae â nhw, a hen bobol ein cartrefi fel gwartheg i'w symud o ganolfan i ganolfan, a meddyg yn honni fod hawl ganddo i ladd, cam bach yw hi wedyn i weld pentyrru cyrff yng Ngogledd Affrica, a saethu didrugaredd yn Boipatong a Siskei, a'r anwarineb anhygoel yn Bosnia.

Testun chwerthin yw dibrisio arian. Testun dagrau yw dibrisio bywyd dyn.

30 Medi 1992

Nicodemus

Mae hi nawr yn chwarter i wyth ar fore newydd yn ein hanes ni i gyd. Diwrnod newydd a'i gyfle newydd. Os oes rhywbeth y medrwch chi ei wneud heddiw, peidwch â'i adael tan fory. Ond dwedwch wrtha i, pam na fyddwn ni'n meddwl am y nos hefyd fel cyfle?

Echnos wrth erchwyn gwely hen gyfaill annwyl iawn i mi, fe glywais i fe'n adrodd hanes Nicodemus (Ioan 3:1–21), fel roedd y stori wedi mynd mas fel tân yn Jerwsalem ei fod e wedi bod draw yn oriau'r tywyllwch yn gweld Iesu. Y cwestiwn gan bawb oedd yn ei nabod oedd, pam mai yn y nos yr aeth e.

Bore drannoeth fe welodd un ohonyn nhw ei fam mas yn siopa, a gofynnodd iddi a oedd y peth yn wir.

'Ydi ydi,' meddai hi, 'fe fuodd e'n ei weld e neithiwr.'

'Wel, dwedwch wrtha i, 'te,' mynte hwnnw, 'pam mai yn y nos yr aeth e?'

'O, un swil iawn yw Nicodemus,' meddai'r fam. 'Un fel yna oedd e'n blentyn. Caru'r encilion fuodd ei hanes e erioed.'

Wedyn fe welodd un o ffrindiau Nicodemus, ac roedd hwnnw wedi clywed yr hanes. 'Wel dwed wrtha i, 'te, rwyt ti'n ei nabod e'n well na fi, pam mai yn y nos yr aeth e i weld yr Athro?'

Ac meddai'r cyfaill, 'O, un nerfus iawn yw Nicodemus. Ofni'r awdurdodau oedd e. Fel yna mae e wedi bod erioed.'

Doedd e ddim yn fodlon ar yr atebion, a chyn diwedd y bore fe fentrodd draw i weld Nicodemus ei hunan yn ei gartre. Pan welodd e fe, roedd goleuni'r cyfarfyddiad â'i Arglwydd o hyd yn ddisglair ar ei wyneb. Er hynny, fe fentrodd ofyn yr un cwestiwn.

'Dwed wrtha i, Nicodemus, pam mai yn y nos yr est ti i gwrdd â dy Arglwydd?'

A dyma Nicodemus yn rhoi'r ateb ar ei ben: 'Allwn i ddim aros tan y bore.'

A golloch chi ryw gyfle i siarad â'r Arglwydd neithiwr, oherwydd, ambell waith, yn y nos y bydd y cyfle'n dod.

7 Hydref 1992

Gwythïen y Glo yn y Ddaear

Yn y Tymbl y gwelais i'r peth am y tro cynta. Mewn cwrdd gweddi am ddeg y bore ar ddydd Diolchgarwch. Roeddwn i wedi arfer gweld, yn y Sir Gaerfyrddin amaethyddol lle maged fi, ddigon o flodau a ffrwythau a llysiau yn addurno'r capeli. Pan gerddais i mewn i festri Bethania i'r oedfa weddi honno, doedd yna ddim blodyn na llysieuyn i'w weld yn unman. Yno, ar ganol y ford a oedd yn dala'r Beibl a'r llyfr emynau, yr oedd llond gwydr o ddŵr a chnapyn mawr gloyw o lo carreg.

Welais i erioed symbol mwy addas i ddiolchgarwch eglwys. Roedd pob teulu a oedd yn perthyn i'r eglwys yr adeg honno yn gysylltiedig â'r gwaith glo yn rhywle. Roedden nhw'n byw uwchben yr wythïen lo. Roedden nhw'n byw ar lo. Glo oedd eu cynhaliaeth nhw. Glo oedd eu bara beunyddiol nhw. Glo oedd eu gwres nhw ar eu haelwydydd. Glo oedd eu bywyd materol nhw.

Erbyn hyn mae'r awdurdodau modern wedi penderfynu nad yw hi ddim yn werth cloddio am y glo. Mae'r teuluoedd yn byw bellach ar weithgareddau llawer mwy ysgafn. A dim ond hen olion y cyfoeth a fu sy'n aros. Ond y mae'r wythïen yn dal yn ei chyfoeth ardderchog yno ym mherfeddion y ddaear, fel yr wythïen o drysor ysbrydol sydd o dan ein traed ni yng Nghymru. Mae cau capel fel cau pwll glo. Yn gwmws fel petai ardal yn troi ei chefn ar y cyfoeth sy yn y dyfnder a'i gloi o'r golwg.

Dichon na ddaw eto oes y bydd pobol yn ailagor yr hen dalcenni, ac yn ei gweld hi'n werth cloddio am y glo. Fe ddaw ffynonellau glanach a haws eu cael ar gyfer creu egni. Ond does dim sicrach nag y daw oes eto a fydd yn chwilio am y trysorau ysbrydol cuddiedig, a'u dwyn nhw yn ôl i olau dydd.

15 Hydref 1992

Dau Ben Bywyd

Ddoe roedd y wraig a finnau'n teithio'n ôl o Gaerdydd drwy Gaerfyrddin, ac fe alwon ni mewn yn ysbyty'r Priordy i weld perthynas i ni sy wedi bod yno am rai dyddiau. Mae ysbyty'r Priordy ers tipyn bellach yn ysbyty i'r henoed, ond fe fu rhan ohono gynt am gyfnod, flynyddoedd yn ôl, yn ysbyty mamolaeth.

Tra oeddem ni yno ddoe, fe alwon ni i lawr hefyd mewn ward arall yn yr un ysbyty, a gweld yn y fan honno un wraig annwyl yn ei llesgedd yn rhy wan a rhy hen i'n gweld ni, na sylweddoli ein bod ni yno. Ar ei gwely yr oedd hi, yn tynnu at derfyn bywyd, ond yn cael cymorth caredig i anadlu, a'r gofal mwya tyner y gallai neb ei ddymuno.

Yn sydyn sylweddolodd y wraig a finnau inni fod yn yr ystafell hon o'r blaen, a hynny dros bum mlynedd ar hugain yn ôl, ar enedigaethau'r plant. Roeddwn i'n cofio'r tro diwetha y buon ni yno, pan aned y ferch, a'r braw a gaed adeg ei geni hi yn yr ystafell yna. Roeddem ni'n cofio fel petai hi ddoe y meddyg a'r nyrsys yn ymladd am ei chael hi i ddechrau anadlu, a'r gofal tirion a gafodd hi gan y rheini ar drothwy ei bywyd.

Dyna ddiymadferth ydym ni wrth ddod mewn ac wrth fynd mas o'r hen fyd yma. Yr ydym yn dibynnu'n llwyr ar drugaredd rhywun. Eto rhwng y dod mewn a'r mynd mas fe gerddwn ni drwy'r byd yn ein balchder, heb sylweddoli ein bod ni'n byw yn llwyr ar drugaredd bob cam o'r ffordd. Trugaredd wnaeth eich dihuno chi'r bore yma, ac os cewch chi anadlu drwy'r dydd, drwy drugaredd a gofal Duw y byddwch chi'n cael yr ocsigen.

21 Hydref 1992

Atebion Duw

Ar drothwy etholiad arlywydd newydd yr Unol Daleithiau

Mae yn America y dyddiau hyn filiynau o obeithion, efallai filoedd o weddïau. Does dim gobaith iddyn nhw i gyd gael eu hateb, oherwydd maen nhw'n weddïau o'r ddwy ochr, a dim ond un ochr all ennill. Flynyddoedd lawer yn ôl fe wynebodd hen Americanwr yr un broblem yn union, pan oedd yn filwr yn y Rhyfel Cartre yn America. All pawb byth ag ennill, medde fe, ond fe all Duw ateb ein gweddïau ni i gyd. Oherwydd fe fydd yn ateb ein gweddïau ni, nid er mwyn ein dymuniadau ni, ond er mwyn ein lles ni. A dyma beth sgrifennodd hwnnw, yng nghanol y rhyfel:

> Fe ofynnais i i Dduw am nerth, i mi fedru cyflawni. Fe'm gwnaed i'n wan, i mi gael dysgu'n wylaidd sut i ufuddhau.
>
> Fe ofynnais i am iechyd, fel y gallwn i wneud pethau mwy. Fe roddwyd cystudd imi, fel y gallwn i wneud pethau gwell.
>
> Fe ofynnais i am gyfoeth, fel y gallwn i fod yn hapus. Fe gefais i dlodi, fel y gallwn i fod yn ddoeth.
>
> Fe ofynnais i am allu, er mwyn i mi gael clod gan ddynion. Gwendid roddwyd imi, er mwyn i mi gael teimlo angen am Dduw.
>
> Fe ofynnais am bopeth, fel y gallwn i fwynhau bywyd. Fe roddwyd bywyd imi, fel y gallwn i fwynhau popeth.
>
> Chefais i ddim un o'r pethau y gwnes i ofyn amdanyn nhw, ond mi ges i bopeth y gallwn ei obeithio byth. Bron er fy ngwaetha i fy hunan, er gwaetha'r hyn a ddwedais i yn fy ngweddïau, fe atebwyd y gweddïau na weddïais i, y gofynion nas gofynnwyd.
>
> A minnau, o blith yr holl bobol, dyma lwyth o fendithion sy'n eiddo i fi.

29 Hydref 1992

William Clinton

Daeth un dyn yn America i boblogrwydd sydyn yn yr etholiad yma, ac fe gaiff fwynhau ffrwythau ei enwogrwydd am sbel go hir. Yr unig anfantais yw mai dim ond yr FBI sy'n gwybod ei hanes e. Does neb fel petaen nhw'n gwybod beth yw ei farn ar ddim ar wahân i'w farn am George Bush. Beth am ei agwedd at filitariaeth? Beth yw ei agwedd at Ewrop? Yn ffodus serch hynny, mae helgwn y teledu wedi bod ar ei ôl e, ac wedi cael gafael ar nifer o bobol allweddol i'n goleuo ni.

Maen nhw eisoes wedi cael gafael ar ei gariad o'r chwedegau pan oedd yn y coleg yn Rhydychen, ac mae honno yn barod i ddod ar y newyddion, er mwyn medru rhoi gwybodaeth arbenigol i ni sut mae Bill Clinton yn teimlo y foment hon. Nawr mae hi'n ei nabod e yn eithriadol o drylwyr, oherwydd fe fu e'n siarad â hi am y tywydd yn Chipping Sodbury am o leia dair munud cyn iddo fe fynd mas o siop Kwiks ryw brynhawn gwlyb ym 1968. Wel, ei ffrind e wnaeth y rhan fwya o'r siarad, oherwydd roedd Clinton wedi colli ei lais ar y pryd, ond fe edrychodd arni o leiaf ddwywaith.

Uchafbwynt eu carwriaeth nhw oedd y gusan yna gafodd hi gydag e wrth y lle bysys ymhen misoedd wedyn. Roedd hi yn dywyll ar y pryd mae'n wir, ac roedd yna dipyn o wasgfa i fynd ar yr hen fws olaf yna. Er hynny, y foment y gwelodd hi ei wyneb ar deledu y llynedd roedd hi'n argyhoeddedig mai ei hen gariad hi o bron bum mlynedd ar hugain yn ôl oedd e. Ac mae'r teledu masnachol wedi trefnu cyfres o raglenni i ail-greu'r hanes.

Mae 'Panorama' yn bwriadu cael rhaglen yn trafod polisïau Clinton ar economeg. Oherwydd, yn ffodus, maen nhw wedi cael gafael ar ryw hen wraig mewn cartre hen bobol yn Cheltenham a oedd yn gweithio mewn *launderette* yn ymyl y coleg lle bu Clinton yn fyfyriwr. Mae hithau'n cofio'n fyw iddo fe ofyn iddi ryw ddiwrnod am newid punt. Fe fydd yr hen wraig yn rhoi amlinelliad o bolisi Clinton ar ddyfodol sterling a'i berthynas â'r doler Americanaidd, ac mae hi'n fodlon ymddangos ar 'Newsnight' a 'Heno' a 'Neighbours' a 'Dechrau Canu'.

Mae tîm HTV wedi bod yn cribinio Lloegr am rywun y

clywson nhw amdano a oedd wedi rhannu llwy de gyda Clinton wrth gael coffi unwaith, oherwydd maen nhw am gael y dyn hwnnw i mewn fel arbenigwr ar gynlluniau Clinton i droi'r economi. Ond rhaglen 'Y Byd ar Bedwar' sy wedi cael y sgŵp. Yn hollol ar ddamwain mae Tweli Griffiths wedi darganfod, mewn tŷ haf yn Rachub, ferch i'r teulu oedd yn cadw siop tships yn Rhydychen. Roedd Bill Clinton wedi bod yn y siop honno o leia ddwywaith ar ei flwyddyn gynta, gan brynu ffowlyn a tships. Cyn diwedd yr wythnos hon bydd y ferch yn cael ei hedfan lawr i Gaerdydd i roi esboniad ar agwedd Bill Clinton at y trafodaethau Gatt, yn arbennig ynglŷn â chynnyrch ffermydd ieir.

Mae'r cyfan mor ddigri hyd at fod yn chwerthinllyd pan drafodir meidrolyn. Er mwyn crafu pob gwelltyn o wybodaeth amdano, bydd y cyffyrddiad mwya tila yn cyfri. Yr unig ystyriaeth sy'n fy nghadw rhag wfftio'r cyfan yw hyn: cofiwch y grym iachusol a ddeuai dim ond o gyffwrdd â gwisg Mab Duw.

2 Tachwedd 1992

Ffrind i'r Sarff

A gaf i daro un camgymeriad amlwg yn ei dalcen cyn dechrau? Fe glywch chi bobol yn dweud ambell waith ei bod hi'n hawdd cael eich temtio. Mae'r peth yn hollol anghywir. Cyn y gall dyn gwympo i demtasiwn, mae'n rhaid iddo yn gyntaf ei baratoi ei hunan er mwyn cael ei demtio. Fe all hynny olygu ymdrech a chwys a llafur anghyfforddus, a llawer o ddioddefaint. Ond fe fydd yn cyfri'r cyfan hynny yn werth yr aberth, er mwyn iddo wedyn fod yn berson normal sy'n plygu i demtasiynau normal.

Beth yw'r rheini, meddech chi? Wel, mae'r hen ymadrodd Saesneg yn sôn am *wine, women and song*, ac fe allech ychwanegu tobaco.

Fy nhyst cyntaf yw Menna Goronwy, merch ifanc sydd wedi dwli ar fath arbennig o gerddoriaeth a elwir yn fetal trwm. Y math o gerddoriaeth sy'n ddim ond sgrech a churiad a llond twnnel o sŵn. Sobin a'r Smaeliaid oedd ei harwyr hi pan oedd hi'n ddeuddeg oed, ac roedd gas ganddi'r metal. Yna buan y sylweddolodd hi ei bod hi allan ohoni'n llwyr yn ei chenhedlaeth. Doedd dim amdani ond llabyddio'i chlustiau â Metalica, ac yna, gwaeth fyth, Guns and Roses ac Iron Maiden. Fe ddioddefodd am bythefnos, nes iddi ei byddaru ei hun, a'i theulu, gan mai dyna'r unig ffordd i greu archwaeth am fetal trwm. Bellach mae pob CD newydd o fetal trwm yn demtasiwn iddi, ac mae hi yn y ffasiwn.

Fy ail dyst yw Cefin Owen, myfyriwr ar ei ail flwyddyn yn y coleg. Mae'n cofio'n fyw am ei beint cwrw cynta. Yn ei drydedd flwyddyn yn yr ysgol uwchradd oedd e, a'i gyfoedion i gyd yn honni eu bod nhw wedi bod yn feddw gaib laweroedd o weithiau. Pan oedd parti yng nghartre un o'i ffrindiau, tra oedd rhieni hwnnw bant, cafwyd cwrw i'r tŷ. O'r llwnc cyntaf roedd yn gas ganddo'r stwff, ond roedd yn benderfynol o'i gael i lawr. Fe'i cafodd lan hefyd, cyn pen awr. Ond nid oedd hynny'n mennu dim ar ei benderfyniad i'w orfodi ei hun i ddod i hoffi'r peth. Fe gymrodd hi gyfnod maith iddo, ond fe lwyddodd. A bellach mae gweld enw bragwr cwrw ar deledu yn demtasiwn iddo.

Myfyrwraig yw'r tyst nesaf hefyd, ac mi wna i ei galw hi'n Ann. Roedd hithau fel pelican mewn anialwch wrth glywed ei ffrindiau yn mynd drwy eu hadroddiadau am eu campau rhywiol, nes iddi fynd i deimlo'n wirioneddol abnormal. Doedd hi ddim yn cael ei themtio. Fe'i gorfododd ei hun i mewn i drychineb o garwriaeth, a oedd yn ymdrech atgas i gyd, artaith cwbwl ddi-bleser, gan wneud ffŵl ohoni ei hun yn y fargen. A'r cyfan am iddi gredu fod yn rhaid iddi greu archwaeth at ryw. Bellach, ddwy flynedd yn ddiweddarach, y mae hi'n disgwyl ei phlentyn cyntaf. Mae ei phartner yn addo y bydd yn cynnal y plentyn lawn cystal â'r tri phlentyn arall sydd ganddo eisoes.

Y tyst olaf yw Dai Phillips, sy'n awr yn drigain oed. Fe lwyddodd hwnnw mewn deufis o dymor ysgol i ddod yn llyncwr mwg. Roedd wedi gwylio'r pumed dosbarth soffistigedig yn anadlu'r cyfan i waelod eu sodlau. Felly fe fwriodd ati o ddifri, ac aeth yn dost wedi'r sigarét gynta. Roedd Dai yn fachgen penderfynol. Hyd yn oed wedi wythnos, roedd yn dal yn chwil wrth lyncu. Eto i gyd drwy ymroddiad ac ymdrech galed fe flagurodd yn ddyn, yn gollwng y cymylau o'i drwyn a'i geg. Ac fe lwyddodd i greu ei gaethiwed i nicotîn ac i ganser.

Gyda phob temtasiwn mae'n rhaid i chi gael penderfyniad ac ewyllys gref. Nid i wrthsefyll y demtasiwn, ond i'w chreu hi. Fel llawer merch, mae'n debyg fod yn gas gan Efa weld sarff. Am flynyddoedd roedd hi wedi bod yn dianc am ei bywyd pan welai hi'r sarff o bell. Eto, drwy ymdrech a dyfalbarhad, fe drechodd hi'r ofn er mwyn clywed beth oedd gan y sarff i'w ddweud. A dyna'i diwedd hi wedyn.

24 Tachwedd 1992

Larwm Howler

Flynyddoedd yn ôl fe fyddai rhyw ddarn o farddoniaeth yn cael ei adrodd mewn eisteddfodau a oedd yn dechrau â'r geiriau, 'Mae pob math o sŵn yn ein byd bach ni . . .', ac mae'r gerdd honno'n awgrymu'r amrywiaeth o sŵn y mae dyn wedi ei greu yn ystod y cyfnod diwetha hwn. Anaml y bydda i wedi mynd drwy un diwrnod heb fy mod i wedi clywed sŵn ambiwlans, neu sŵn seiren ar gar heddlu, neu sŵn hwter ar drên sy'n rhuthro'n ei flaen, neu fws sy'n riferso'n araf. Rŷm ni wedi mynd yn bobol awyddus iawn i gyhoeddi ein presenoldeb ac i utganu o'n blaen ac o'n tu ôl.

Lle'r oedd gan ysgol slawer dydd un gloch, a honno ar batrwm cloch yr eglwys, yn cael ei chanu yn unig i wahodd y plant at eu haddysg, erbyn hyn maen nhw'n llawn o glychau a hwteri. Hwter ar derfyn gwers, hwter ar derfyn amser chwarae, a hwter ar derfyn dydd. A pham sy rhaid eu cael nhw? Onid oes gan bob plentyn bron watsh â larwm arni? Un o'r pethau creulonaf mewn coleg yw myfyrwyr yn gosod larwm watsh i ganu ar eiliad diwedd awr o ddarlith fel petaen nhw'n dweud wrthoch chi, 'Rŷn ni wedi clywed hen ddigon nawr am Ddirfodaeth y Ddeunawfed Ganrif, mae'n bryd mynd o'ma.'

Bydd clychau'r ffonau symudol yn canu'n ddirybudd ym magiau gwŷr busnes, a rhai eraill ohonom ni yn blîpo'n ffordd i hunanbwysigrwydd drwy gael ein galw'n arwynebol o brysur at ryw alwad o rywle.

O fewn i'n tai mae clychau yn atalnodi'n bywydau ni. Cloch larwm y bore fydd ein plygain ni. Wedi i honno dawelu, dyn a ŵyr pa sawl cloch fydd wedi canu o hynny i ddiwedd y dydd. Fe fydd hi'n gerdd dant yn ein tŷ ni ambell waith, pan fydd cyfalaw cloch y drws yn canu ar gainc cloch y ffôn. Nid unwaith na dwywaith y bydda i wedi cerdded at y ffôn wedi clywed cloch debyg ar ganol rhyw raglen radio. Pan fydd yna osteg ar y rheini, fe fydd cloch y meicrodon yn y gegin yn cyhoeddi fod y bwyd yn barod, tra bydd cloch fach y cyfrifiadur yn dweud ei fod yn disgwyl rhagor o orchmynion neu ragor o bapur. Yna'n gwbwl ddirybudd, os bydd y tships yn llosgi, dyna sgrech aflafar o gloch y larwm mwg sydd â thrwyn sy'n clywed popeth.

Mae'n debyg mai'r gloch synhwyro mwg yw'r fwya bendithiol ohonyn nhw i gyd. Yn oes y gwrthwynebu smygu, mi glywais i fod yna fwriad nawr i greu cloch larwm ar frôtsh neu ar gadwyn neu ar dlysau clustiau i rybuddio menywod pan fydd mwg sigarét yn yr awyr. Dyna i chi ergyd o blaid yr amgylchfyd.

O'r fan yna y ces i'r syniad am larwm a allai fod yn arbennig o ddefnyddiol i greadur fel fi sy'n dueddol o hyd i ddweud pethau'n lletchwith. Wna i ddim siarad yn gyhoeddus na thraddodi beirniadaeth heb 'mod i'n rhoi 'nhroed ynddi'n ddifrifol gyda rhywun. Alla i ddim traddodi pregeth heb 'mod i wedi moelyd y cart yn ddifrifol gyda rhywrai. Fe garwn i petai modd i rywun ddyfeisio larwm howler a'i roi o 'mlaen i yn rhywle rhyngof i a'r gynulleidfa. Pan fyddwn i'n anelu i ddweud rhywbeth sy'n ymylu ar dramgwyddo gwraig yr ysgrifennydd neu fam yng nghyfraith arolygwr yr ysgol Sul, fe fyddai'r larwm yn dechrau canu ac fe allwn i dynnu'r brêcs. Meddyliwch gymaint esmwythach a symlach fyddai bywyd i fi wedyn.

26 Ionawr 1993

Pryd i Deulu

Ydych chi wedi meddwl beth fyddwch chi'n ei gael i de heddiw? Os nad ydych chi, fyddech chi'n barod i mi awgrymu rhywbeth? Fe rodda i risêt i chi nawr, ac rwy wedi ei gael o le da. Cofiwch mae'n rhaid i fi gyfaddef, dydw i fy hunan ddim erioed wedi rhoi cynnig arno. Bob tro y bydda i'n meddwl ei wneud e, erbyn i fi edrych, rwy'n brin o rywbeth, a dyna hi ar ben arna i. Ond mae'r wraig wedi ei wneud laweroedd o weithiau, ac fe alla i ddweud wrthoch chi, mae'n ardderchog. A dyma fe fel y gwelais i e:

Cwpaned te o garedigrwydd

Llond calon o gariad

Dwy lwyaid fawr o ffydd

Llond enaid o amynedd

Cyffyrddiad o dynerwch

Llond dwy law o haelioni

a joch o chwerthin.

Ac os oes dant melys gyda chi, llond llwy o serch.

Cymysgwch y cwbwl gyda dealltwriaeth, ac yna rhannwch y cyfan mas ar blât daioni, gan wasgaru gras drosto fe i gyd.

Fe fydd yn fwy na digon ar gyfer teulu. Yn wir, fe allech ei rannu fe mas i bawb. A beth sy'n dda amdano fe yw: fe fydd yn cadw am byth.

26 Chwefror 1993

Daeargryn yn India

Daeargryn Latur yn India
a Lennox Lewis a Frank Bruno yng Nghymru

Mae'r hen ddaear yma, ei thir a'i hawyr yn medru bihafio'n od iawn. Brynhawn ddoe a neithiwr roeddwn i'n ei chael hi'n anodd meddwl am ddim ond India. Pwy all ddechrau dychmygu y miloedd o fywydau a ddiffoddwyd mewn ychydig eiliadau. Meddyliwch am golli dros nos bawb o drigolion y Felinheli, neu holl boblogaeth Pontyberem. Mae'r gweithwyr wedi bod wrthi drwy'r nos yn crafu'r cerrig a'r pridd, i geisio cyrraedd y rhai a gladdwyd yn fyw. Maen nhw wedi bod yn gwrando yn y distawrwydd tywyll am arwydd o ochenaid neu gri neu anadliad yn dod o rywle o dan y domen dai. Ymhlith y deng mil ar hugain o gleifion, pwy all amgyffred y dioddef a'r gwaedu a'r cleisio y maen nhw'n eu gweld heddiw, ac y byddan nhw yn eu gweld heno. Dyna i chi fôr o drallod a lifodd heb ei angen i un ardal o'n byd ni, a hynny oherwydd ansicrwydd yr hen ddaear od yma yr ydym yn byw arni.

A heno yn hwyr mewn ardal arall yn ein byd ni, yng Nghymru fel mae'n digwydd, y gofid mawr yw ansicrwydd yr awyr. A fydd storom o law heno? A fydd dau ddyn yn eu llawn dwf ac iach eu cyrff yn cael ymroi i achosi dioddefaint i'w gilydd? Os cân nhw, fe fydd o'u hamgylch nhw dorf orffwyll yn udo am weld y dyrnu, ac yn talu amdano. I'r rhain, gorau i gyd po fwya o waedu achosan nhw i'w gilydd, gorau i gyd po fwya o gleisiau. Ac os bydd yna un yn adfyw ar lawr erbyn y diwedd, gorau i gyd yng ngolwg y dorf. Os nad oes rheswm y tu ôl i ddioddefaint India y bore 'ma, mae dioddefaint Parc yr Arfau heno yn erchyll o afresymol.

Wn i ddim faint ohonoch chi fyddai mewn gofid mawr petai yr hen awyr yna heno yn llefain ei dagrau uwchben Caerdydd.

1 Hydref 1993

Hedyn y Cariad Newydd

Roedd Bangor yn edrych yn llawnach nag erioed neithiwr, ac mae'n ddigon tebyg fod hynny'n llythrennol wir. Fe ddaeth rhai o'r myfyrwyr cynnar i Fangor ddechrau'r wythnos, yn arbennig y glas, criw y flwyddyn gynta. Fe gyrhaeddodd rhagor ddydd Mercher, a'r gweddill ddoe. O ddydd i ddydd y mae Ffordd y Coleg fel petai hi wedi magu hyder. Yn sicir, o nos i nos y mae hi wedi magu mwy o sŵn. Fe allech chi feddwl fod yr heidiau wedi hen ymgartrefu yma nawr wedi tridiau.

Eto nid mewn haid y daeth myfyrwyr y flwyddyn gynta yma y dydd o'r blaen, ond fesul un, a hwnnw efallai wedi ei hebrwng gan dad neu fam, ac yn gadael cartre am y tro cynta. Fesul un y cariwyd y bagiau yna i mewn i'r ystafell yn y neuadd. Fesul un yr oedden nhw'n sylweddoli fod yna ryw gyfnod newydd yn dechrau yn eu perthynas â'u rhieni, a'r rhieni'n sylweddoli fod yna berthynas newydd rhyngddyn nhw a'r plentyn. Fesul un yr hebryngon nhw'r rhieni yn ôl wedyn i'r car, ac efallai'n ymgodymu â dagrau yn y llwnc, ond heb eu dangos. Rhyw brofiad yw hwnna sy'n aros am byth i rieni yn ogystal ag i blentyn.

Yn ddiweddarach, yng nghanol y cyfoedion rhwng y neuadd a'r dre neu rhwng y neuadd a'r Glôb, buan iawn y mae'r profiad wedi ei gladdu o'r golwg. Efallai na fyddai rhai ohonoch chi ddim yn nabod eich plentyn mewn ychydig oriau, yn un o'r haid. A dyna fel y bu treigl hanes myfyrwyr erioed, a dyna fel y dylai rhieni hefyd fod yn barod i ollwng.

Eto, fe garwn i feddwl fod profiad embaras y ffarwél od yna yn aros fel hedyn, wedi ei guddio ar unwaith dan bridd prysurdeb a rhialtwch, mae'n bosib, ond yno fel hedyn i egino ryw ddydd yn berthynas o gariad gwahanol a chryfach at rieni a chartre.

8 Hydref 1993

Ffordd Wahanol

Bore heddiw, wedi mynd o'r stiwdio, fe fydda i'n cychwyn ar daith i gyfeiriad Lloegr. Fe fydda i'n mynd ar hyd yr A55 drwy Benmaenmawr. Yna ymhen rhai dyddiau fe fydda i'n dod yn ôl ar hyd yr un hewl, yr A55, ond nid yr un ffordd.

Y bore yma, medden nhw, fe fyddan nhw'n agor darn arall o hewl rhwng Llanfairfechan a Phenmaenmawr. Dyna pam y bydda i'n mynd un ffordd ac yn dod yn ôl ffordd arall. O ran enw ac o ran rhif, yr un hewl yw hi, ond y mae ei llwybr hi'n hollol wahanol.

Mae hynny'n wir am lawer o deithiau bywyd. Mae'n siŵr y teimlwch chi'r plant sy'n mynd am yr ysgol bore heddiw, fod y daith i'r ysgol yn wahanol iawn i'r daith am adre. Yr un hewl ond nid yr un daith. Roedd yna hen gaseg gyda ni ar y ffarm gartre. Fe weithiai hi'n bwyllog a diflino ar hyd y dydd yn gwneud teithiau rhwng y cae a'r ydlan. Ond ar derfyn dydd, a'i phen am adre, roedd hi'n amhosib ei dal hi'n ôl. Roedd hi'n rhedeg. Roedd hi'n gwybod mai ar y ffordd i'r stabal oedd hi, ac ar y ffordd i gael gwared â'r cart a'r harnes. Yr un hewl oedd hi, ond yn ffordd wahanol iawn iddi hi ym mrig yr hwyr.

I ddyn ac anifail, fe all llawer o bethau newid y daith. Fe all y meddwl liwio'r ffordd. Os yw'r daith sy o'ch blaen chi heddiw yn ymddangos ychydig bach yn arw, cofiwch y gall eich agwedd chi newid cymeriad y ffordd. Gwell byth, wyddoch chi beth wnewch chi? Gofynnwch am gwmni. Mae yna lawer i daith wedi newid o gael cwmni.

> Tydi yw'r ffordd, a mwy na'r ffordd i mi,
> Tydi yw 'ngrym . . .

15 Hydref 1993

John Smith

Neithiwr fe glywsom fod John Smith, arweinydd y Blaid Lafur, wedi dewis ei dîm. Mewn gwirionedd nid ei dîm e oedd e. Roedd y tîm wedi ei ddewis drosto gan aelodau seneddol y Blaid Lafur, bron yn llwyr. Nid felly y mae hi wedi bod gyda rhai arweinwyr eraill. Mae yna un sy'n ymfalchïo, mewn llyfr yr wythnos hon, mai hi ei hun oedd yn dewis ei thîm hi, ac os nad oedden nhw'n barod i wrando arni, mas â nhw. Go brin y byddai hi wedi dewis neb am yr unig reswm ei fod yn ddyn neis, neu'n digwydd bod yn boblogaidd. Yn sicir fyddai hi ddim wedi plygu i reol fod yn rhaid i bedair ohonyn nhw fod yn fenywod.

Dydd Sul nesa eto ar gyfer addoliad pob capel ac eglwys, mae Duw yn mynd i ddewis ei dîm. Ac nid canlyniad etholiad ychwaith sy'n mynd i roi arweiniad i Dduw. Nid pobol neis na phobol boblogaidd, na hyd yn oed y rhai sy'n alluog, ac yn gwybod sut mae taranu mewn cynadleddau, nid y rheini sy'n mynd i gael eu dewis.

Meddyliwch am Corinth United yn edrych arnyn nhw eu hunain ac ar ei gilydd pan aethon nhw ar y cae yn un o gêmau cyntaf tîm Duw. A cholofnydd pêl-droed y *Corinth Guardian* wedi sgrifennu'n hallt: 'Ystyriwch sut rai ydych chi: nid oes rhyw lawer ohonoch yn ddoeth yn ôl safon y byd, nid oes rhyw lawer yn wŷr o awdurdod, nac o dras uchel.' Nac oes, meddai Paul: ond rhai ffôl y byd a ddewisodd Duw, er mwyn cywilyddio'r doeth, a rhai gwan y byd a ddewisodd Duw i roi cweir i'r rhai cedyrn, a rhai distadl a dirmygedig a ddewisodd Duw, y pethau nid ydynt, er mwyn rhoi crasfa i'r pethau sydd. Tîm anobeithiol allech chi feddwl oedd tîm Corinth United yn erbyn Roma a goreuon yr Eidal. Ond diflannu wnaeth yr Ymerodraeth, ac mae'r cwpan wedi bod yn nwylo tîm Duw ar hyd y canrifoedd. Dyna anrhydedd fyddai cael ein dewis i'w dîm Ef. Fel y dywedodd rhyw salmydd, fe fyddai'n fraint i ni petaem ni ond yn cael ein dewis i gadw drws y tu ôl i'r *stands* yn stadiwm tîm Duw.

22 Hydref 1993

Digalondid

Y dyn mwya doniol mewn cymdeithas yw'r pesimist. Os oes yna rywrai ohonoch chi yn ddychrynllyd o hapus y bore yma, peidiwch ag anobeithio: mae hi'n bosib i bawb ohonom ni fod yn besimistiaid. Does dim rhaid i chi gael eich geni i fod yn ddiflas: fe allwch chi eich gwneud eich hunan yn ddiflas. Dechreuwch yr ymarferiadau yn y bore. Peidiwch â sylwi ar hen bethau a allai eich gwneud chi'n llawen. Anwybyddwch yn llwyr fod y wawr wedi torri y bore yma. Wedi'r cwbwl, ychydig oriau ac fe fydd hi'n nos arnom ni unwaith eto. Peidiwch â gwenu yn ôl ar neb sy'n gwenu arnoch chi. Fe all hynny sbwylo'ch diflastod chi am y dydd. Mae bloedd o lawenydd yn waeth na dos o annwyd i chi.

Cofiwch efelychu y pencampwyr mewn digalondid. Fe all y rheini weld posibilrwydd digalondid ym mhobman. Ac mae yna un fel yna gyda ni yma ym Mangor, yn gefnogwr selog i Bangor City. Beth amser yn ôl yr oedd wedi cael modd i fyw yn gweld cyfres o gêmau diflas a Bangor yn colli, nes ei fod yn morio mewn diflastod. Un noson ganol wythnos fe gafwyd gêm ardderchog ar Ffordd Farrar, a Bangor wedi ennill yn fendigedig. Fe welodd ei ffrind, wrth gerdded mas gydag e, ei fod lawn mor ddiflas ag erioed, os rhywbeth yn fwy diflas fyth. Ac meddai ei ffrind wrtho fe, 'Wel beth ar wyneb y ddaear sy gen ti i fod yn ddigalon amdano fo heno?'

Dyma'r ateb gafodd e: 'Meddwl oeddwn i,' meddai fe, 'na wnawn ni ddim gweld gêm fel yna byth eto.'

Welwch chi na finnau yr un diwrnod yn debyg i'r diwrnod hwn byth eto, felly beth am i ni ddiolch i Dduw am bob munud fach o gysur a gawn ni ynddo?

29 Hydref 1993

Lloi Malachi

Caewyd 1993 fel cau drws ar ystafell lawn. Chawn ni ddim mynd iddi byth eto, dim ond edrych i mewn arni drwy ffenestri'r cof. Mae yna ddrws newydd wedi ei agor, a sefyll yn y drws hwnnw wnawn ni yn awr ar y Calan hwn.

Nid yw ystafell 1994 ychwaith yn edrych yn hollol wag. Fe allwn weld rhyw ddodrefn ynddi eisoes yn disgwyl amdanom. Duw biau hon eto, a thrwy un o freintiau mawr ei ragluniaeth fe gawn gerdded i mewn iddi. Yna, ar ei therfyn, fe fydd yn rhaid dod ohoni, ac fe gaeir ei drws hithau.

Mae holl gyfnodau byd amser yn gorfod dod i ben, a bydd Duw yn eu hagor ac yn eu cau i gyd yn eu tro. Dyna wnaeth i mi gofio am ddrws arall y mae Duw yn ei agor, rhyngom a'r tragwyddol. Bob blwyddyn o'n hoes fe roddir ger ein bron 'ddrws agored na ddichon neb ei gau'.

Pan fyddai'r lloi wedi bod mewn dros y gaeaf, a'r hen sarn o dan eu traed nhw yn y lloc tywyll wedi pentyrru yn haenau, byddai'r bore'n dod i'w gollwng nhw mas. Lawer gwaith y gwelais i agor y drws led y pen, a golau llachar y gwanwyn yn dod mewn ar eu hwynebau nhw. Am yr eiliadau cynta fe fydden nhw'n sefyll fel petaen nhw wedi eu dallu gan y gwynder. Yna wedyn, pan welen nhw ehangder y rhyddid tu fas, dyna ras i'r haul, a phrancio fel petaen nhw'n cicio rheffynnau'r gaea oddi ar eu coesau. Rwy'n medru deall yn iawn ddarlun byw Malachi 4:2:

> Ond i chwi sy'n ofni fy enw fe gyfyd haul cyfiawnder a meddyginiaeth yn ei esgyll, ac fe ewch allan a llamu fel lloi wedi eu gollwng.

Blwyddyn gofiadwy fydd honno pan fydd Cymru unwaith eto yn gweld y gwanwyn tragwyddol yn gwahodd tu fas i'r drws arall hwn. Rhyw oedi'n nychlyd ac ofnus wnaethom ers oesoedd bellach, gan ofni mentro o glydwch twym y tywyllwch a'r dom a'r biswail. Fe fodlonwn ni fyw ar lwch hen wair, tra bod porfeydd gwelltog meysydd y gwynfyd yn disgwyl amdanom.

1 Ionawr 1994

Y Llifogydd Yfory

Ni fyddaf byth yn mwynhau gweld dagrau pobol eraill. Pan fydd bwletin newyddion ar y teledu yn anelu i ddangos angladd rwy'n cael fy nhemtio i godi a mynd o'r ystafell. Pethau personol yw dagrau, mewn angladd merch a lofruddiwyd, neu mewn profedigaeth wedi cyflafan. Peth gwrthun yw gweld dyn camera yn dweud yn llygad sgwâr ei feddwl, 'Mae yna fenyw'n llefain draw fanna: dyna ychydig eiliadau o deledu da ar gyfer newyddion naw.'

Petai rhai dynion teledu yn ymyl Calfaria, fydden nhw ddim wedi dal dim o'r croeshoelio. Fe fydden nhw'n rhy brysur yn ffilmio gwragedd Jerwsalem yn wylo, ac yn rhedeg â'u meicroffonau dan drwynau'r Sanhedrin yn gofyn, 'Sut ŷch chi'n teimlo?' ac 'Ydych chi'n meddwl y bydd hyn yn peri rhwyg yn eich plith chi?' Neu'n gofyn i Philip ac Andreas, 'Fydd hyn yn peri i chi droi at y Selotiaid?' Yr ydym yn ffilmio'r emosiwn, ond yn colli'r digwyddiadau tyngedfennol.

Pan oedd yna elyniaeth enwadol yng Nghymru byddai rhai yn cael rhyw gysur rhyfedd o glywed am deimladau'n poethi mewn enwad arall. Nid yw hi felly bellach. Mi glywais am brofiad teulu yn ardal Llandudno beth amser yn ôl. Roedden nhw'n byw am y wal â phâr oedd yn tafodi ei gilydd bron bob nos, ac yn ymladd am bethau mân.

'Roeddem ni wedi'n temtio lawer tro i fynd drws nesa i resymu gyda'r ddau. Ond,' medden nhw, 'fe ddaeth yna noson pan oedd yna gytundeb a chydweithio llwyr rhwng y pâr a fu'n cweryla. Y noson y daeth y llifogydd. Y pryd hwnnw y bu i ni sylweddoli ein bod ni'n byw dan yr unto â nhw mewn llawer ystyr. Roedd yna ddilyw mawr yn bygwth y ddau gartre, mwy o ofid o lawer nag ychydig anghydweld dros dro ar aelwyd drws nesa.'

Felly, yn hytrach na chynnig cyngor na hyd yn oed gysur i gymdogion, fe fydd hi'n well i ni ddechrau gofidio am y llifeiriant o baganiaeth sy'n bygwth ein haelwydydd ni i gyd.

7 Ebrill 1994

Chwilfrydedd

Beth wnaethoch chi ei wylio ar y newyddion o Bosnia yr wythnos yma, neu ar y newyddion o Rwanda? Fe aethom yn genhedlaeth o bobol sydd am wylio bywydau pobol eraill. Hyd yn oed pan fo'r llywodraeth yn chwilio am ddulliau i gyfyngu ar ffilmiau treisgar, bwletinau newyddion sy'n llawn o drais sy'n gafael ynom ni fwya, boed y rheini'n dangos pobol yn hollti cyrff ar stryd yn Affrica, neu filwr o Brydain yn helpu i hollti cyrff yn Gorazde. Yr un hen ysfa eisie-gweld ac eisie-gwybod sy'n peri ein bod ni i gyd yn porthi'r cyfryngau.

Rwy'n cofio darllen stori fach ddychmygol gan Ronald Knox flynyddoedd lawer yn ôl. Ei theitl hi oedd, 'Y Pechod Newydd'. Roedd hi'n dechrau gyda hysbyseb yn y papurau. Rhyw athro coleg yn honni ei fod wedi darganfod pechod hollol newydd, a'i fod wedi llogi'r Albert Hall i roi darlith arno.

Fe aeth y dyfalu'n rhemp. Llythyrau, pregethau, erthyglau yn ymddangos ym mhobman. Pabyddion yn dweud fod y peth yn amhosib. Diwinyddion yn honni ei fod yn camddehongli'r gair pechod. Aelod seneddol yn llunio mesur preifat i wahardd y pechod cyn ei fod yn gwybod beth oedd e. Testun y dicter mwya oedd nad oedd modd archebu seddau ymlaen llaw. Roedd hyd yn oed ohebwyr y papurau dyddiol yn gorfod ymuno â'r ciw anferth ddyddiau o flaen y ddarlith.

Pan ddaeth y foment, a'r athro'n dod i wynebu ei gynulleidfa, fe ddechreuodd drwy haeru fod ei ddarganfyddiad yn hollol ddilys.

'Beth oeddwn i wedi gobeithio'i gael,' meddai fe, 'oedd cynulleidfa o bobol deilwng a allai drafod natur y pechod yma. Ond beth ydw i wedi ei gael yw llond neuadd annheilwng o bechaduriaid sydd yng ngafael y pechod diweddaraf, sef yr awydd yma i chwilio am y newydd a'r cyffrous a'r isaf a'r gwaethaf.'

13 Ebrill 1994

PWY SY'N MENTRO?

Pan fydda i'n clywed am helyntion ein llywodraeth ni yng Ngogledd Iwerddon, fe fydda i o hyd yn cael fy atgoffa am drafferthion yr un ymerodraeth yn India. Bydd rhai sylwebyddion heddiw yn rhoi'r argraff mai rhywbeth newydd yw terfysgaeth a bod rhyfeloedd hanner cynta'r ugeinfed ganrif yn rhai 'glân' yn yr ystyr eich bod yn gweld yn glir pwy a phle oedd y gelyn. A'r ddadl wedyn oedd y medrech chi yn hawdd ei fomio a'i saethu a'i erlid a'i garcharu. Ond roedd yna derfysgwyr mentrus iawn yn India rhwng y ddau ryfel mawr, a'r rheini'n ddrain yn ystlys yr hen ymerodraeth.

Mae ymerodraethau balch y byd ar hyd y canrifoedd wedi ei lordio hi, hyd ryw fan. Ac yna mae yna rywbeth yn digwydd fel petai llanw'n troi. Fel arfer, nhw yw'r rhai ola i gydnabod fod y troi wedi digwydd, ac fe ymladdan nhw ymlaen. Nhw eu hunain sy'n diodde wedyn yn y diwedd.

Yn y dauddegau a'r tridegau yn India, yn arbennig yn Bengal, fe welwyd ymladd arwrol gan fechgyn ifanc, yn peryglu eu bywydau er mwyn eu gwlad. Roedd yna drefn yn eu gwaith, a'r drefn honno yn gweithio drwy'r ysgolion. Byddai rhyw frawd yn galw heibio mewn ysgol ac yn dechrau siarad â rhai o'r bechgyn mwya addawol, gan ddangos diddordeb yn eu haddysg nhw. Deuai hwnnw yn ôl rywbryd wedyn ymhen rhai wythnosau efallai, a dechrau siarad â nhw eto am hanes eu gwlad a'i thraddodiadau, gan ennyn cariad at India yn eu calonnau ifanc nhw. Ar ei ymweliad nesa byddai yna sôn am bethau y medrai'r plant eu gwneud dros eu gwlad.

Ar ryw ymweliad ymhen misoedd wedyn dechreuid sôn am bethau mwy pendant, a threfnu cwrdd yn rhywle dirgel i ddangos dryll iddyn nhw, a'u dysgu sut i saethu. Cyn pen fawr o amser fe fyddai'r plentyn yn aeddfed a pharod i fentro'i einioes a bod yn derfysgwr.

Er hynny, rwy am gydnabod fod yna ambell arwriaeth wedi dod i'r golwg ar ochr yr ymerodraeth, ac un ohonyn nhw mewn gwron o waed Cymreig. Yn ardal Midnapur yr oedd y terfysgwyr ar eu gwaethaf a'u mwya herfeiddiol. Yn yr ardal honno hyd at 1932 roedd tri ynad yn olynol yn eu tro wedi eu llofruddio, a doedd neb am gymryd y swydd. Yn y pen draw gwirfoddolodd Syr Percival Griffiths i fentro i'r gwaith. Ac wele ddewrder yn herio dewrder.

Roedd yna ddeddf arbennig wedi ei gosod ar Bengal a olygai garcharu a lladd terfysgwyr yn ddegau. Fel y byddai'r carch-arau'n llanw a'r crocbrenni'n cael eu codi mewn trefi, meddyliai'r ymerodraeth mai hi oedd yn ennill. Fe feddyliodd Percival Griffiths y gallai garcharu a lladd nes bod Midnapur ar ei gliniau. 'Fe losga i farc y gwas ar gefnau'r Indiaid 'ma,' meddai fe bryd hynny. Ond fe ei hunan gafodd ei losgi.

Un diwrnod yr oedd yna ddau fachgen ifanc yn wynebu eu dienyddio yng ngharchar Midnapur. Rhan o gyfrifoldeb yr ynad oedd bod yno i wylio'r crogi, ac nid oedd Percival Griffiths yn un a fyddai'n osgoi'r cyfrifoldeb hwnnw. Roedd yno pan gerddai'r ddau at y stanc. Yna pan oedden nhw'n dringo at y ddau grocbren, dyma un o'r bechgyn yn troi'n ôl at yr ynad gan edrych i'w lygaid, ac medde fe: 'Diolch yn fawr i chi, syr, am roi'r cyfle hwn i mi farw dros fy ngwlad.'

Yr eiliad honno y sylweddolodd Percival Griffiths mai fe ei hun a'i ymerodraeth oedd wedi mentro gormod yn India. Meddai fe: 'Mae wyneb y bachgen yna, a'i eirie fe, wedi eu serio i mewn i 'nghalon i. Y bachgen roddodd ei einioes, ond fi gafodd ei losgi.'

14 Ebrill 1994

Mwy nag Actio

Nos Sadwrn diwetha fe aethom i lawr yn gwmni o bedwar i Gaernarfon i weld pasiant diweddaraf y Parchedig Harri Parri yn Theatr Seilo. Fel pob blwyddyn, cawsom noson ardderchog o hanes drwy adloniant. Bydd Harri Parri bob amser yn ysgrifennu ei basiantau i daro ei actorion, a chan ei fod yn nabod ei bobol i fêr eu hesgyrn, mae'r castio'n ddi-feth bob tro. Eleni fe wnaeth gamp o gastio, na ellid fod wedi ei fentro ond mewn perthynas glòs rhwng awdur ac actor. Fe gastiodd y cyn-heddwas dall, Arthur Rowlands, fel milwr o'r Bala a ddallwyd gan ddryll mewn rhyfel.

Rŷn ni wedi hen arfer clywed a gweld Arthur yn actio'n fendigedig o gynnil ar lwyfan Seilo. Y mae cyfoeth y diwylliant a gafodd yn ei fagwraeth yn ardal y Bala, a'i bersonoliaeth hefyd, yn goresgyn holl anawsterau ei ddallineb. Ond nos Sadwrn diwetha roedd ei weld yn actio'r rhan yna yn ddrama ynddi ei hun. Ei glywed yn llefaru'r ymson ar wely ysbyty yn y Crimea:

'Wna i byth eto weld yr Arenig, na gweld Llyn y Bala yn ei ogoniant, byth mwy.'

Rwy'n dala i gofio'i lais yn dweud y geiriau, a chofio'r trydan yn cerdded asgwrn fy nghefn i. Actio'u rhannau oedd yr actorion eraill, a gwneud hynny'n ardderchog. Ond y tro hwn byw ei ran a wnâi Arthur Rowlands, a hynny o ddyfnder ei brofiad.

Y bore yma os clywch chi'r geiriau yn eich gofid, 'Deuwch ataf i, bawb ar sydd yn flinderog ac yn llwythog', cofiwch fod yr un a'u llefarodd nhw yn fwy cyfarwydd na neb â blinderau bywyd a marwolaeth. Nid actio'i ran mae'r Iesu pan yw'n cynnig ei gysur inni.

25 Ebrill 1994

Adnabod

Nos Fercher diwetha fe ges i fy nghyflwyno i un o bobol bwysica'r byd. Dwi erioed wedi cwrdd â neb enwog. Gan mai gweinidog ydw i, dwi ddim wedi bod mewn swydd a olygai y byddwn i rywbryd yn sefyll mewn rhes i ysgwyd llaw brenin neu arlywydd. Ar wahân i ddau neu dri tebyg i Pennar Davies a Waldo Williams ni chefais gyfle i gwrdd â gwir fawrion yr ugeinfed ganrif. Felly fe allwch ddychmygu'r wefr a deimlais pan glywais i y gallwn i fod yn cwrdd â hon. Clywed bore dydd Mawrth am ei dyfodiad hi i Gymru. Yna yn gwbwl annisgwyl cael cyfle i gwrdd â hi drannoeth gyda'r hwyr.

I mi y wraig hon yw un o'r deg neu ddwsin o bobol bwysica'r oes. Fe fyddwn i yn ei gosod hi ymhlith ychydig mwya allweddol yr ugeinfed ganrif, ac efallai ddechrau'r unfed ganrif ar hugain, oherwydd, yn fy marn i, fe fydd ei chyfraniad hi yn dod yn gynyddol amlwg. Roeddwn yn ei chyfri hi'n fraint ei bod hi wedi dod yma, ac ychydig ohonom wyddai am ei dyfodiad hi.

Ar ei gwely mewn ysbyty oedd hi nos Fercher pan ges i gwrdd â hi. Roedd hi'n rhy wan i mi aros yn hir gyda hi, ac ar hyn o bryd dyw ei golwg hi ddim yn dda. Mae'n amheus gen i a oedd hi'n medru 'ngweld i, ond anghofia i byth mo'r olwg ges i arni hi. Erbyn hyn mae hi mas o'r ysbyty, ac yn cryfhau bob dydd. Rwy'n gobeithio cael cyfle i'w gweld hi laweroedd o weithiau eleni ac i'r blynyddoedd i ddod.

Dwi ddim yn cofio nawr beth ddwedais i wrthi, yr ail wyres fach i mi, newydd ei geni. Yn ffodus, mae'n siŵr na wnaiff hithau ddim cofio, oherwydd bydd Tad-cu yn traethu pethau anniwylliedig iawn wrth ddweud helô am y tro cynta wrth ei wyres. Ond am gyfarfyddiad! Dyma'r dod ynghyd pwysica a'r mwya ystyrlon y gall dyn ei brofi byth. Dau ben i linynnau'r cenedlaethau yn cael eu dwyn at ei gilydd, a chwlwm newydd arall mewn teulu yn dechrau cael ei glymu.

Rwy'n gobeithio y caf i fyw i'w gweld hi'n tyfu. Cael byw i weld, fel gyda'i chwaer fawr, lawer cyfarchiad rhyngom ni pan fyddwn ni'n cwrdd. Os bydd yna lawer 'Shwt wyt ti, Siwan fach?' fe fydd yna yn naturiol lawer ffarwél hefyd. Ac os daw yna ryw fath o ffarwél olaf gobeithio y bydd hithau yno.

Gobeithio y bydd hi ymhlith yr ychydig bobol sy'n bwysig i mi mewn bywyd a fydd yn lliniaru fy nyddiau olaf i. Pwy a ŵyr nad mewn ysbyty y gallai'r ffarwelio hwnnw hefyd fod, a hithau'r pryd hwnnw yn maddau i fi am fethu ei gweld hi ac am fod yn rhy wan i ddweud helô.

15 Mai 1994

CARIAD DAN DŴR BABEL

Mae yna ysgol ym Mangor sydd eto eleni yn hollol gosmopolitan, gyda heidiau o blant newydd yn llifo iddi o wahanol ieithoedd a chefndiroedd a chenhedloedd. Mae tymor yr hydref bellach wedi hen ddechrau, a'r athrawon yn dechrau dod i adnabod y plant. Fe geir ym mhob dosbarth amrywiaeth o blant i ddod i'w hadnabod, a rhai ohonynt â phroblemau pur astrus. Yn Ysgol Cae Top, problemau iaith a chenedl a geir gan mwyaf.

Y llynedd ymhlith y deg ar hugain o blant oedd mewn un dosbarth, roedd yna bymtheg o wahanol genhedloedd. Wn i ddim faint o wahanol genhedloedd sy'n cael eu cynrychioli drwy'r ysgol yn gyfan. Mae yna gymaint o weithwyr a myfyrwyr a meddygon a darlithwyr yn cyrraedd yma ym Mangor o bob cwr o'r byd, fe geir teuluoedd o blant yn landio yn yr ysgol, weithiau'n ddirybudd, a'r rheini yn brin eu Saesneg a phrinnach eu Cymraeg.

Daeth un o Fwlgaria i'r dosbarth y tymor hwn heb air o Saesneg. Yn ffodus, mae'n fachgen deallus ac yn fachgen dymunol ei bersonoliaeth. Roedd hynny'n golygu ei fod yn medru ymateb yn weddol gyflym i'w addysg, ac yn dderbyniol gan y plant eraill. Roedd yr athrawes wedi meddwl ar y dechrau ei roi e wrth fwrdd yn ei hymyl hi yn y dosbarth. Fe benderfynodd wedyn ei roi wrth fwrdd lle'r oedd yna griw o blant, amrywiol efallai o ran eu gallu, ond cyfeillgar o ran eu hanian.

Mae'r bachgen yn ymateb eisoes. Mae'r cyfeillgarwch y mae'n ei gael o amgylch y bwrdd yna, a'r amynedd a welir yn null y plant eraill o'i drafod, yn beth ardderchog i'w addysg. 'Welais i erioed o'r blaen,' meddai'r athrawes, 'fod cariad yn medru bod yn gymaint o sianel i ddysg.'

9 Hydref 1994

Y Goeden Geirios

Yn ymyl Neuadd John Morris Jones yma ym Mangor, a rhyw ganllath o'r stiwdio hon, mae yna goeden geirios yng ngardd Gwilym a Nest Owen. Bob blwyddyn yn niwedd Ebrill neu ddechrau mis Mai, ryw ychydig dros fis cyn yr arholiadau bydd y goeden yna'n torri mas yn flodau i gyd. Ac mae cenedlaethau o fyfyrwyr wedi adrodd yr hen wireb:

Pan fo'r goeden yn ei blodau
Mae hi'n bryd troi at y llyfrau.

Eleni am y tro cynta erioed, y mae'r Brifysgol wedi newid system y tymhorau. I'r flwyddyn gynta, dau semester sydd yna nawr, a'r arholiadau ar derfyn y semester cynta yn dod yng nghanol mis Ionawr. Druain o'r myfyrwyr bellach, myntwn i, yr arholiadau'n dod mewn ychydig dros fis, ond heb gymorth yr hen goeden i ddweud wrthyn nhw am adael y chwarae a throi at y gwaith.

Ond, chredech chi byth, eleni am y tro cynta erioed, ddechrau mis Rhagfyr mae'r hen goeden geirios wedi ffrwydro yn flodau i gyd, ychydig dros fis cyn yr arholiadau. A'r cwestiwn mawr yw pwy ddywedodd wrth yr hen goeden fod y system semestrau wedi dechrau yn y Brifysgol eleni?

Wrth gwrs fe wn i'n burion y byddai'r rhaglen arddio yn medru rhoi esboniad iawn am y peth. Eto ni fyddai hwnnw'n esboniad llawn. Mae yna ryw ddirgelion na all ein rhesymeg ni byth mo'u treiddio.

Rai munudau yn ôl fe glywsoch chi Hogiau'r Wyddfa'n canu:

Twm Huws o Benyceunant
    Aeth gyda Roli'i frawd
Am nad oedd gwyrthiau'r Arglwydd
    Ar lannau'r Fenai dlawd.

Ac fe godon nhw gwestiwn yn fy meddwl i, beth yw gwyrth? Ni fyddwn yn dweud fod pethau anesboniadwy byd natur yn eu hanfod yn wyrthiau'r Arglwydd, ond i mi y dirgelion yma yw blodau bywyd.

5 Rhagfyr 1994

Y Trydydd

Y bore yma cyn dod i'r stiwdio roeddwn i'n pacio fy mag i fynd i'r de. Fe aeth fy meddwl yn ôl ugain canrif i ddychmygu tybed beth roddodd Joseff yn y cês cyn dechrau ar ei daith yntau i lawr i Fethlehem. Go brin ei fod wedi rhoi map i mewn. Roedd Joseff fel finnau yn gwybod y ffordd i'r de yn eitha da.

Gallwch chi glywed Mair yn gweiddi arno fe, 'Cofia fynd â dwy fest, wath mae hi'n oer iawn ar fynyddoedd Jwda.' Fe gofiodd am y tywelion a'r crysau ac un neu ddwy garthen. Mae yntau wedyn yn gweiddi ar Mair i roi ei dillad i mewn. Fe alla i ddychmygu fod honno'n wraig feddylgar iawn, ac wedi cofio am bopeth y byddai eu hangen arnyn nhw, pob peth ar ei chyfer hi a Joseff. Go brin y bydden nhw yn debyg i ni, yn cyrraedd trafffordd Bethsaida ac yn gorfod troi'r asyn yn ôl i Nasareth am eu bod nhw wedi anghofio'r raser.

Tybed a oedd hyd yn oed Mair wedi sylweddoli y byddai angen digon o ddillad arnyn nhw ar gyfer taith bellach na Bethlehem. Byddai'n rhaid iddyn nhw deithio i'r Aifft cyn y bydden nhw'n dod yn ôl i Nasareth. Go brin y byddai Mair wedi meddwl y byddai'n rhaid cael digon o lygej ar gyfer misoedd oddi cartre. Yn fwy na hynny, go brin ei bod hithau wedi sylweddoli y dylen nhw fod wedi cario digon ar gyfer tri, neu efallai na fyddai hi ddim wedi gadael Nasareth o gwbwl.

Gwyn eu byd nhw, yn brin o lygej neu beidio, fe ddaethon nhw yn ôl yn dri, ac yn dri dedwydd. Os ydych chi'n wynebu taith y dydd heddiw, yn brin o gysur, yn brin eich iechyd, neu'n brin o fodd, cofiwch mai lygej yw'r pethau yna i gyd yn y diwedd. Fe allwch ddod i ben â hi heb y pethau yna i gyd os cewch chi gwmni'r trydydd, yr un yr ydych chi yn ei ddisgwyl ac eto sy'n dod yn annisgwyl yn gwmni i chi.

12 Rhagfyr 1994

Yr Ysgrifennydd Cartre

Yng nghanol helyntion y carcharau, Rhagfyr 1994

Un tro yr oedd yna Ysgrifennydd Cartre yn Philipi. Doedd e ddim yn enedigol o ardal Gorseinon, ond mewn rhai pethau eraill yr oedd yn debyg iawn i Michael Howard. Yn un peth, ni allai weld bai o gwbwl mewn ynadon sy'n ysu am gosbi'n llym. A phan ddaliwyd y ddau derfysgwr yna, Paul a Silas, fe ddwedodd ar ei ben, '*High Security* i'r rhain, rhowch nhw yn y carchar mewnol.' Ond fe ddechreuodd pethau fynd yn llac iawn yn y carchar. Roedd Paul a Silas ymhell o fod yn dioddef mewn caethiwed fel y dylai terfysgwyr ddioddef. Roedden nhw'n cael amser bendigedig yn y celloedd, yng ngwir ystyr y gair, a'u bywyd nhw'n gân i gyd.

Yn waeth na hynny, fe lwyddon nhw i gario ffrwydron i mewn i'r carchar. Mae'r Ysbryd Glân yn fwy peryglus na *semtex*. Un nos fe chwalwyd muriau'r carchar. Bryd hynny y dihunodd Ysgrifennydd Cartre Philipi.

Yn y fan yna mae'r tebygrwydd i Michael Howard yn gorffen. Roedd Ysgrifennydd Cartre Philipi ar unwaith yn cymryd y cyfrifoldeb am y cawl ac yn cynnig ymddiswyddo. Yn wir roedd yn mynd ymhellach na hynny, roedd yn mynd i ymddiswyddo mewn ffordd ddramatig iawn, roedd am fynd am ymddiswyddiad *kamikase*. Yr oedd am ei ladd ei hunan.

Nawr fi fyddai'r olaf i ddisgwyl i Michael Howard dynnu ei gleddyf fel y dyn yn Philipi. Ond fe garwn i ofyn cwestiwn iddo fe ac i fi fy hunan: beth yw'r gwahaniaeth rhwng bod yn gyfrifol a derbyn cyfrifoldeb? Oni ddylai pawb ohonom sydd â rhyw oruchwyliaeth, dderbyn y bai pan fo'r oruchwyliaeth yn methu?

Yn ôl yr hanes yn Actau 16:16–40, yr hyn ddigwyddodd wedyn i'r dyn yna yn Philipi oedd iddo fynegi dymuniad i dreulio mwy o amser gyda'i deulu, yn union fel y gwnaeth Norman Fowler a dynion blaenllaw eraill yn ddiweddar. Fyddai hi ddim yn ddrwg o beth i'r Ysgrifennydd Cartre, Michael Howard, yntau fod gartre am sbel.

19 Rhagfyr 1994

Y Neges

Roedd yna hen Arab yn byw ar lan yr Iorddonen mewn rhyw dyddyn bach. Roedd bywyd yn ddiflas, ac yn mynd yn waeth bob dydd. Rhyw ddiwrnod pan oedd pethau wedi mynd tu hwnt, fe anfonodd ei was ar neges at hen feudwy o athro oedd yn byw yn yr anialwch yr ochr draw i'r afon.

'Cer draw,' meddai fe, 'i chwilio am Iasser Husan. Dwed wrtho fe ei bod hi wedi mynd i'r pen arna i nawr. Rŷm ni'n dlawd, a heb fawr o fwyd, a dim ond ychydig ieir a gafr a buwch i'n cynnal ni. Mae 'ngwraig a'r saith o blant sy gyda ni, a 'nhad a mam, a 'nhad a mam yng nghyfraith, i gyd yn gorfod byw yn yr hen dŷ bach dwy stafell yma sy gyda ni. Mae'r plant yn sgrechain ac mae'r wraig yn gweiddi, a 'nhad a mam yn achwyn, a 'nhad a mam yng nghyfraith yn rhyw rcman byth a hcfyd. Ac rwy innau fan hyn yn eu canol nhw bron â drysu. Gofyn iddo fe beth allaf ei wneud.'

Bant â'r gwas draw dros yr afon i chwilio am yr hen Iasser. Ac fe ddaeth o hyd iddo yng nghanol yr anialwch bron llwgu o fodolaeth, a'r cigfrain uwch ei ben yn disgwyl iddo farw. Fe adroddodd y gwas y cwbwl a dweud,

'Mae e wedyn yn gofyn i chi beth alle fe ei wneud.'

'Wel, 'machan i,' meddai Iasser, 'fe wn i am ffordd i ddatrys ei broblemau i gyd. Cer 'nôl ato fe a dwed wrtho fe am grynhoi'r ieir at ei gilydd, a'r afr a'r fuwch, a dod â nhw i gyd mewn i'r tŷ.'

'Nôl â'r gwas ar ei union gartre ac adrodd y neges wrth ei feistr. A chan na fyddai neb byth yn amau cyngor yr hen Iasser Husan, fe aeth ati a chrynhoi'r creaduriaid i gyd mewn i'r tŷ.

Fuon nhw ddim yno fwy na rhyw wythnos cyn bod yr hen frawd yn anfon y gwas dros yr afon ar neges eto. Draw â'r gwas a dod o hyd i Iasser ac adrodd ei neges:

'Mae'r meistr yn gofyn i chi beth ar y ddaear ŷch chi wedi ei wneud iddo fe. Mae yn waeth nawr nag oedd hi gynt. Mae'r ieir ar ben ford ac ar ben gwely, ac mae'r lle fel sgubor. Beth ddylai fe ei wneud nawr?'

'Cer 'nôl ato fe,' meddai Iasser, 'a dwed wrtho fe am hala'r ieir mas o'r tŷ, a dwed wrtho fe y bydd Allah yn ei helpu fe.'

Fe ddaeth y neges yn ôl ac fe gafodd yr ieir i gyd eu clirio oddi yno. Cyn pen wythnos arall roedd y gwas eto yn cael ei anfon dros yr Iorddonen.

'Cer draw a gofyn iddo beth ar wyneb daear mae'n ei feddwl, yn dod â'r fath ddiflastod newydd ar yr aelwyd yma. Mae'r afr yma wedi malu popeth drwy'r gegin ac yn troi'r tŷ yn sarn. Beth allaf i ei wneud?'

Pan glywodd yr hen Iasser y neges yma gan y gwas fe atebodd ar unwaith.

'Cer 'nôl a dwed wrtho fe am fynd mas â'r afr o'r tŷ nawr, a bydd Allah yn ei helpu fe.'

Felly bu hi wedyn ac fe welwyd yr hen frawd yn llusgo'r afr mas o'r tŷ a draw i ben draw'r cae. Cyn pen tri diwrnod roedd y gwas yn cael ei anfon draw eto. A dyma fe'n adrodd wrth Iasser yn union fel y dwedodd ei feistr wrtho fe:

'Mae hi'n uffern ar y ddaear yn y tŷ 'na erbyn hyn. Mae'r fuwch yna yn troi'r lle yn feudy, ac yn waeth na dim, does 'na ddim lle i fawr neb arall pan mae'r fuwch ar ganol llawr. A phan mae hi'n breifad does dim modd iddyn nhw glywed ei gilydd yn siarad. All e ddim diodde hyn un funud yn fwy.'

'Cer di 'nôl,' meddai Iasser, 'a dwed ti wrtho fe am ddod â'r fuwch mas o'r tŷ nawr, a bydd Allah yn ei helpu fe.'

Gyda'i fod yn clywed y neges dyma'r hen frawd yn troi'r fuwch mas o'r tŷ.

Aeth rhyw wythnos heibio. Yna wedyn fe aeth yr hen Arab ei hunan draw dros yr afon i chwilio am Iasser Husan. Ac wedi dod o hyd iddo yn yr anialwch yng nghanol y nadroedd a'r sgorpionau, meddai fe:

'Dod draw i ddiolch i ti ydw i, Iasser. Mae hi'n nefoedd ar y ddaear yn y tŷ 'co nawr. Mae hi mor lân yna, ac mae digonedd o le i bawb ohonom ni yno, ac mae hi'n dangnefeddus o dawel.'

Ac meddai Iasser wrtho fe:

'Mae'r gwas druan wedi cerdded milltiroedd ar negeseuon rhyngom ni. Ond un neges oedd eisiau mewn gwirionedd.'

'Beth oedd honno, 'te, Iasser?'

'Eisie dweud wrthot ti oeddwn i, i gofio o hyd y gallai hi fod yn waeth arnat ti nag y mae hi.'

16 Mai 1995

Y Babell

Wedi clywed bod maes yr Eisteddfod Genedlaethol ger Abergele yn cael ei baratoi

Mi ges i 'ngalw lan i'r ysbyty gyda'r nos. Baban bach o'r enw Jason oedd wedi ei eni'n gynnar, a'r meddygon yn pryderu am ei gyflwr. Roedd ei rieni mewn gwewyr, yn ofni'r gwaetha, ac am iddo gael ei fedyddio. Pan gyrhaeddais i'r ward roedd y cwbwl yn barod ar fy nghyfer i, y llestr a'r dŵr, a'r nyrs garedig i mewn yno gyda'r rhieni. Roedd Jason yn y canol yn ddiymadferth, yn ddim ond llond dwrn o gnawd du a glas yn ei babell blastig. Roedd y tymheredd o fewn i'w babell yn gyson dirion, a'r awyr yn ei babell yn burach ac yn gryfach nag awyr yr ystafell. Darllenwyd ychydig adnodau ac fe aed i air o weddi. Yna fe agorodd y nyrs y drws bach yn ochr y babell i adael i fy llaw a'r dŵr oer ar fy mysedd estyn i mewn. Caewyd y drws ac fe gyhoeddwyd y fendith.

O fewn hanner awr wedyn yr oeddwn yn cerdded i mewn i ward arall i edrych am hen chwaer ar drothwy ei phedwar ugain. Roedd hi wedi bod yno ers rhai dyddiau, ac wedi ymateb yn eitha da i'r driniaeth. Roedd ei chof, a oedd wedi bod ychydig yn ddryslyd, bellach wedi dechrau clirio. Ond pan gerddais i mewn i'r lle y noson honno, beth welwn i ond y llenni wedi eu tynnu am ei gwely hi. Yno y gorweddai yn ddiymadferth heb fedru dweud dim, ac fe glywais fod y teulu wedi cael eu galw. Eisteddais wrth erchwyn y gwely y tu fewn i'r llenni, a sylweddoli fod y diwedd yn dod. Tybed a oedd hi'n gweld ei bod hithau wedi cael pabell amdani ar gyfer yr oriau ola.

Y noson honno y gwelais i yn fwy byw nag erioed mai rhyw gyfnod bach rhwng dwy babell yw ein bywyd ni i gyd. Rhyw gerdded, drwy lawer perygl a llawer pleser, o ddiogelwch y naill i dawelwch y llall.

Cofiwch, y mae hi'n daith ddiddorol dros ben, gan ei bod hi'n ein harwain ni i mewn ac allan rhwng amryw bebyll. Fe awn drwy babell yr ysgolion meithrin, lle cawn y cyfeillion cynta, a'r ysgarmesoedd cynta. Yna i babell ambell ysgol ac ysgol uwchradd, a phebyll y gwahanol golegau. Troi mewn yn ein tro i babell y bwyd am ein gwala o gynhaliaeth a hamddena. Bydd rhai yn galw heibio i babell crefydd ac eraill i babell celf a chrefft. Pabell y chwaraeon fydd yn denu rhai, a'r babell lên yn denu eraill. Pwy wedyn a all ymweld â holl bebyll y cymdeithasau, yn gymdeithas hanes a chymdeithas dai, yn Ferched y Wawr a Sefydliad y Merched a Chymdeithas Cerdd Dant. 'Yr ydych i fyw mewn pebyll am saith diwrnod,' meddai Lefiticus 23:42, bron fel yn yr Eisteddfod Genedlaethol. Fe allech ddweud ein bod yn mynd o babell i babell drwy fywyd. Ac y mae yna fwy o lawer o bebyll mewn bywyd nag y medrwch chi fynd iddyn nhw.

Bydd llawer yn siŵr o fynd i mewn fwy nag unwaith i'r babell fawr, sef pabell y cystadlaethau. I rai dyna yw hanfod bywyd: cystadleuaeth ag eraill, cystadleuaeth am swydd, cystadlu am safle a dylanwad. Dyma babell y llwyddo a'r gorfoleddu. Hon hefyd yw pabell y siomedigaethau. Mae yna floeddiadau o lawenydd yn hon, ac ambell ddeigryn bach o ddigalondid.

Wrth gwrs, mae hi'n deg i ni gofio mai pebyll ydyn nhw i gyd. Maen nhw'n cael eu gosod lan ar gyfer rhyw wythnos fach o fywyd, mewn rhyw le, a hwnnw'n lle symudol. Bydd yna fylchau dros dro mewn cloddiau ar eu cyfer, a llwybrau dros dro ar hyd y borfa. Bydd pibellau dros dro dan y ddaear, a ffôn a ffacs dros dro yn eu swyddfeydd. Eto wyth nos wyth niwrnod byr iawn yw ein byw, a buan y bydd drosodd. Bydd rhialtwch y sôn ac ymchwydd y canu i'w clywed dros dro rhwng mynydd a môr, ond buan y bydd yr eco ola'n distewi. Ar ddiwedd yr wythnos fe fydd y pebyll i gyd yn cael eu tynnu lawr.

Eto, wedi wythnos fach fer fy mywyd i, pan fyddan nhw'n tynnu llenni'r hen babell ola yna amdana i mewn rhyw ysbyty, gobeithio y gwnaiff yr hen feddwl dryslyd glirio am ysbaid er mwyn i mi gofio dro am y pebyll eraill a fu ar gae fy mywyd i rhwng mynydd a môr am yr wythnos fach a welais ar wyneb yr hen ddaear yma.

20 Mehefin 1995

ADDUNEDAU

Mi fydda i'n meddwl am symud o hen flwyddyn i flwyddyn newydd fel symud tŷ, a'r addunedu yw'r penderfynu ynglŷn â'r dodrefn. Er i ni symud i dŷ newydd flynyddoedd yn ôl, yr un hen gelfi sydd wedi bod gyda ni. Yr oedd eu gweld nhw yno yn eu lle newydd yn rhyw fath o gysur nad oedd bywyd yn y tŷ hwnnw ddim yn ddierth i gyd. Yr un hen biano y tu ôl i'r drws, yr un sosbenni yn y gegin a'r un coffor i fynd heibio iddo ar y landing ar y ffordd i'r gwely.

Felly wrth symud i'r flwyddyn newydd fe fydda i'n siŵr o weld yr un hen gelfi yn llanw 'mywyd i. Yr un gwaith, yr un diddordebau, yr un gofidiau. Does dim angen adduned i gadw'r hen ddodrefn cyfarwydd, ond rhaid cael ewyllys go gryf i gael gwared ar rai ohonyn nhw. O ran hynny, nid y dodrefn sy'n fy mhoeni i yn gymaint â'r annibendod sy arnyn nhw, y diffyg trefn yn y stydi, a thomennydd y gorffennol sy'n llanw'r atic.

Y cwestiwn hoffwn i ei ofyn yw hyn: pan fyddwch chi'n symud tŷ, a yw creiriau'r hen atic i gyd yn mynd mewn i'r atic newydd? Neu a fyddwch chi'n achub cyfle i daflu eu hanner nhw, o'u gweld nhw i gyd yn bentwr wrth ddrws y ffrynt?

Beth amdana i? Rwy i wedi ei chael hi'n anodd eu gwaredu nhw. Mae gan bob un o'r rhain werth hanfodol. Mae yma hen rifynnau'r *Dysgedydd* o'r pedwardegau. Wyddoch chi ddim pryd y daw pethau fel hyn yn handi. Efallai y byddwn i ar ganol llunio erthygl ar rywbeth, ac wele dyna'r union bwynt yr wyf am ei wneud wedi ei wneud yn well gan E. Lewis Evans yn rhifyn Gorffennaf 1947. Meddyliwch y gwewyr y byddwn i ynddo o feddwl fod ôl-rifyn *Y Dysgedydd* am 1947 yn nhomen sbwriel Cyngor Arfon.

Un arall o'r pethau na allwn i ddim dychmygu byw hebddyn nhw yw darn o lenni o ryw ffenest yn y tŷ cynta a fu'n gartre i ni. Er na alla i feddwl ar hyn o bryd ble y deuai rhywbeth fel yna yn ddefnyddiol, allwch chi ddim â dweud. Y peth dwla allwn i ei wneud fyddai ei daflu dim ond am nad oes defnydd amlwg iddo fe nawr.

Sut ŷch chi'n meddwl y gallwn i ymdopi wedyn heb y pentwr allweddi ceir sy gen i mewn bocs yn yr atic. Bydd y wraig weithiau yn ei hwyliau mwya poenus o gignoeth yn honni fod bron pob un o'r ceir oedd biau'r allweddi yna wedi hen fynd yn ôl yn sgrap i'r ffwrneisi dur, ac erbyn hyn yn Ffordyn gloyw a'i ddrysau yn ildio'u cloeon i allweddi eraill. Ond beth ydw i'n ei ddweud yw – wyddoch chi ddim, ac os taflwch chi nhw, mae hi'n ddigon hawdd difaru. Fel y byddai Ifor Llain o hyd yn dyfynnu (o Ioan 6:12 yn yr hen gyfieithiad) wrth inni, bawb â'i raca, grafu'r crafion olaf i'r llwyth ar gynhaeaf gwair, 'Fel na choller dim'.

Mae gen i yn yr atic gorn o leino gyda'r perta welsoch chi erioed. Mae'n wir wedi deugain mlynedd ei fod wedi caledu'n ei gorn fel na allai agor heb dorri. Ond wyddoch chi ddim na allai cetyn ohono ddod yn ddefnyddiol iawn yn rhywle ryw ddiwrnod.

Felly, fe welwch chi fod yr annibendod wedi cael taith drwy Gymru gyda ni, o atic i atic, y creiriau na welodd olau dydd ers blynyddoedd maith, ar wahân i'r tu fewn i fan Pickfords. A bydd yn rhaid iddyn nhw aros tan y symud nesa os bydd yna un.

Rwy'n benderfynol o wneud job dda ohoni gyda rhai pethau yn y symud blynyddol hwn o dŷ'r hen flwyddyn i dŷ'r flwyddyn newydd. Mae yna ambell focs o hen ragfarnau y galla i eu taflu bellach. Mae yna hen gyfrifon heb eu setlo mewn maddeuant tuag at ambell un. Fe setla i'r rheini. Mae yna dân anferthol yn mynd i fod yng ngwaelod gardd y cof dros y Calan. A'r un adduned bwysica ohonyn nhw i gyd wedyn yw addunedu na fydda i ddim yn difaru.

4 Rhagfyr 1995

Gwraig Abraham

Y mae merch ifanc o Braintree wedi priodi
Mwslim deunaw oed o Dwrci

Beth yw oedran aeddfedrwydd ddwedech chi? Meddyliwch am Sara, gwraig Abraham, yn ei henaint anhygoel yn rhoi genedigaeth i blentyn, ond wedyn yn medru ymddwyn fel babi yn ei heiddigedd yn erbyn Agar y forwyn. Yna meddyliwch am y Sara arall, Sarah Cook o Essex, yn wraig briod yn dair ar ddeg. Wn i ddim pa mor aeddfed yw hi, ond mi allwch chi fentro fod digwyddiadau'r misoedd diwethaf yma wedi ei gwthio hi i ganol byd yr oedolion. Mae'n ymddangos, i fi beth bynnag, ei bod hi dipyn fwy aeddfed na'i rhieni.

Fe fydda i'n rhyfeddu ambell waith at aeddfedrwydd ambell i blentyn. Aeddfedrwydd yn ei agwedd, ac aeddfedrwydd yn ei eiriau. Fe fydda i hefyd yn cael fy arswydo pan wela i'r plentyneiddiwch sy'n dal yn fy nghalon i fy hunan. Fe fydda i'n rhy barod o lawer i sylwi ar fabaneiddiwch yn agwedd pobol eraill, heb sylweddoli gymaint o waith aeddfedu sydd arnaf i. Beth am i ni fyw am ddiwrnod heddiw nawr, gan gofio beth yw'n hoedran ni.

11 Chwefror 1996

Gallu Meddwl Dyn

Fe luniodd ymchwilwyr IBM gyfrifiadur a enwyd yn 'Deep Blue' gan herio pencampwr y byd mewn cyfres chwe gêm

Fe ddaeth y gystadleuaeth wyddbwyll yn Philadelphia i ben, y gystadleuaeth rhwng Gary Kasparov a'r cyfrifiadur, dyn yn erbyn ei beiriant. Y dyn enillodd. Ond pwy gollodd? Nid y peiriant, ond y tîm o ddynion oedd wedi llunio rhaglen y cyfrifiadur. Dyn yn erbyn dyn oedd hi wedi'r cwbwl, a mwy o ddynion wedi colli nag a enillodd.

Rwy'n cydnabod fod y gêmau wedi bod yn ddifyrrwch diniwed. Roedd hi'n ddiddorol, i mi beth bynnag, ddarllen am agoriad a diweddglo'r gwahanol gêmau. Ond mae'n siŵr mai'r un gafodd yr hwyl penna ar eu pennau nhw oedd Duw. Pa beth yw dyn i ti ei gofio, a mab dyn, peiriant dyn a chyfrifiadur dyn, i ti ymweled ag ef (Salm 8:4)? Beth sy wedi bod yn drist wedi'r gystadleuaeth yw'r clodfori mawr ar allu aruthrol meddwl dyn.

Dyma ni'r bore yma yn clywed am ddyn eto yn barod i ladd er mwyn iddo gael ei ffordd ei hunan. Yn union fel ein llywodraeth ni, yn barod i dwyllo, yn barod i guddio'r gwir, yn barod i gamarwain ei phobol ei hunan, dim ond er mwyn gwerthu deunydd lladd ar hyd a lled y byd. Dyna i chi ddangos beth yw gwir fesur meddwl dyn. Mae'r rhai sy'n barod i ladd Cwrdiaid er mwyn elw i'w cyfeillion nhw'u hunain yn Llundain, yn union yr un mor euog a chibddall â'r rhai a blannodd fomiau ETA yn Logrono ddoe.

18 Chwefror 1996

ADAIN YR IÂR

Ar 25 Chwefror 1996
lladdwyd 26 mewn ffrwydriad yn Jerwsalem

> Jerwsalem, Jerwsalem, tydi sy'n lladd y proffwydi ac yn llabyddio'r rhai a anfonwyd atat, mor aml y dymunais gasglu dy blant ynghyd, fel y mae iâr yn casglu ei chywion dan ei hadenydd, ond gwrthod a wnaethoch. (Luc 13:34)

Roedd Iesu yn y fan yna nid yn unig yn gweld y Jerwsalem a oedd ar fin ei groeshoelio. Yr oedd hefyd yn gweld Jerwsalem yr hen oesau cynt, fel yr oedd hi wedi llabyddio y rhai a anfonwyd ati. Ac mi gredaf i ei fod hefyd yn gweld Jerwsalem ein cyfnodau ni, o'r croesgadau ymlaen, lle y buom ni a chenhedloedd eraill yn lladd. Roedd yn medru gweld y bws yna a'i lwyth yn mynd yn deilchion yn Jerwsalem ddoe.

Wyau o wahanol famau fyddai'n cael eu rhoi gynt o dan iâr i ori. Ond, pan ddeuai'r cywion o'r plisg, ei phlant hi fydden nhw i gyd, yn hwyaid neu yn wyddau. Gwyddai Iesu mai plant o wahanol genhedloedd fyddai etifeddion Jerwsalem am byth. Ac eto roedd ganddo'r weledigaeth y gallen nhw ddod yn un teulu o dan adain y fam.

Wrth feddwl am yr adnod yna, roeddwn i'n sylweddoli mai un o'r atgofion sy gen i am law Mam yw ei gweld hi'n crynhoi ambell gyw bach melyn yn ei llaw a'i roi yn y man lle dylai fod, o dan adain yr iâr.

Tra bydd gwleidyddion yn troelli mas eu pytiau llafar hunangyfiawn am bethau yn warthus ac erchyll a chywilyddus ac yn y blaen, fe alla i feddwl am law dyner Duw yn cydio heddiw yng nghalon rhyw fab i Hamas neu eithafwr o Iddew ac yn ei symud yn dyner i gyfeiriad adain yr iâr. Fe ddaw dydd pan fydd hi'n amlwg ei fod yn gwneud hynny ym mhob Belffast a phob Sarajevo a phob Birmingham a Bryste drwy'n byd ni i gyd.

26 Chwefror 1996

Hela Ceirw

Fe ges i 'ngeni ar ffarm o'r enw Parc Nest. Parc oedd hwnnw a roddwyd i Nest ferch Rhys ap Tewdwr gan ei gŵr er mwyn iddi gael hela ceirw. Wel, bwch y danas yw'r enw yn Nyfed ar y carw coch, a dyna'r enw glywais i gyda 'nhad a 'nhad-cu.

Fe fuon ni'n meddwl lawer gwaith am y sbort a gâi Nest a'i phlant, siŵr o fod, yn gwylio'r cŵn yn cwrso dros y bronnydd. Petaen nhw'n byw heddiw fe fyddai eu sbort ar ben, ac fe fydden nhw'n melltithio'r hen wyddonwyr yna sydd newydd ddarganfod fod hela'n greulon. Mae'n rhyfedd fel y mae'r oes hon yn barod iawn i gredu gwyddonydd. Fe gredwn ni wyddonydd yn gynt o lawer nag y credwn ni'n llygaid.

Peidiwch â meddwl am eiliad 'mod i am fynd i frwydr heddiw rhwng yr helwyr a'u gelynion, o leia nid gyda helwyr bwch y danas. Beth sydd wedi 'nharo i yw'r condemnio mawr yma ar hela ceirw a hela cadnoid, ac efallai eu bod nhw'n iawn, cofiwch, ond yn gwneud hynny heb sylweddoli eu rhagrith. Dwi ddim wedi gweld papurau'r bore yma, ond fe alla i ddychmygu'n iawn y bydd yna erthygl ym mhob un ohonyn nhw ar greulondeb hela. Mi allwch chi fentro hefyd, dros y ddalen, y bydd y cŵn a'r bytheiaid newyddiadurol wrthi ar ôl rhyw wleidydd druan fydd wedi dweud rhywbeth ddoe nad yw e ddim yn ei arddel heddiw. Un arall wedi addo ddoe a thorri ei addewid heddiw. Fe fyddan nhw'n codi pob trywydd ar unrhyw stori fedran nhw ei ffroeni, ac fel bytheiaid yn hela yn haid gyda'u camerâu. Bydd eu diwrnod yn llwyddiant gogoneddus os gallan nhw weld gwaed yn niwedd yr helfa. Pa ryfedd fod y gwleidyddion eu hunain wedi troi i larpio'i gilydd erbyn hyn? Mae'n anodd credu fod dyn yn medru bod mor farbaraidd ag ymfalchïo fod iechyd un o arweinwyr plaid arall yn dechrau torri dan y straen. Ydi'r fath bobol yn ffit i lywodraethu? Byddai'n well iddyn nhw hela ceirw, am wn i.

11 Ebrill 1997

Ble mae'r Proffwydi?

Yn 1995 lladdwyd Rabin, y prif weinidog cymodlon a oedd fel cydwybod i Israel. Daeth un gwahanol iawn yn ei le.

Mae Netanyahu a'i debyg wedi sôn laweroedd o weithiau fel y caren nhw fynd yn ôl i diriogaeth Israel fel yr oedd hi yn amser yr Hen Destament, a'i thiroedd i gyd yn eiddo'r Iddew. Fe garen nhw droi'r cloc yn ôl a throi'r Arab o'u gwlad.

Hoffwn gynnig gair o rybudd i Netanyahu: yng nghanol ei drafferthion fe ddylai ddiolch y bore yma nad i'r hen oesoedd y mae'n perthyn. Diolched mai yn niwedd yr ugeinfed ganrif mae'n byw. Meddyliwch petai yn brif weinidog yn amser Eleias. Fe fyddai wedi ei chael hi yn ddidrugaredd gyda hwnnw.

Petai wedi osgoi oes Eleias, a lando yn oes Eliseus, fyddai hynny fawr gwell iddo fe. Fe fyddai wedi cael ei erlid o Israel flynyddoedd yn ôl.

Gwaeth fyth fyddai arno fe petai wedi digwydd cael ei eni yr un pryd ag Amos neu Hosea neu Meica. Ni fyddai fyth wedi cyrraedd y Senedd, heb sôn am fynd yn brif weinidog.

Ble mae proffwydi Israel heddiw? A'r ateb yw'r un ateb yn union ag a roddwyd gynt: mae Israel wedi lladd ei phroffwydi. A'r diweddara ohonyn nhw, Itzhak Rabin. Fe fydd hi'n ddiddorol gweld yr wythnosau nesaf yma a oes gyda nhw yn Israel ryw Ioan Fedyddiwr i wynebu Herod y nawdegau.

17 Ebrill 1997

Chwerthin a Llefain

Ble fuoch chi neithiwr? A fuoch chi mas o'r tŷ? Fuoch chi yng Nghaernarfon yn gweld perfformiad yn Seilo, neu yn Anfield? Wel, mi ddwedaf i wrthoch chi ble fues i, ac fe ddwedaf heb deimlo 'mod i'n well nac yn waeth na chi am fod. Fe fûm i mewn Cwrdd Paratoad a chael awr fach fendigedig. Doedd yna ddim ugain ohonom ni yno i gyd, ond efallai fod yno ugain petaech chi'n cyfri Duw. Eleri ddechreuodd, ac yna wedyn fe aeth Gwyn i sôn am wraig y proffwyd Hosea. Daeth Ann Griffiths atom ni, a Williams Pantycelyn. Egwyl ddaeth ar ôl hynny, heb neb ond y cloc yn gweddïo. Hyd nes i'r Gwyn arall ddechrau rhyfeddu at greulondeb dyn at ei gyd-ddyn. A dyma rai eraill yn cyrraedd. Fe ddaeth Hugo Grin atom ni, a'r miloedd a laddwyd gan yr Almaenwyr a'r Rwsiaid. Dyna i chi gynulleidfa mewn cwrdd gweddi!

Am ryw reswm, na alla i ddim ei gofio'r bore 'ma, fe newidiodd y cywair, yn gwmws fel awel yn troi. Fe aeth hi'n gwrdd diwygiad, a sawl un ohonom ni am gyfrannu. Wrth i Tudur ddechrau sôn am orfoledd yr Halelwia a'r porthi, fe ddaeth cannoedd o bobol ifanc y Pentecostaliaid atom ni, a'r rheini'n dawnsio a churo'u dwylo. Dwi ddim yn cofio chwaith pwy o'n cwmni ni ddechreuodd chwerthin gynta, ond chwerthin fuon ni wedyn o hynny i ddiwedd y cyfarfod. Oni bai i ni lwyddo i gael emyn i gloi'r cwrdd, fe fyddem ni yno nawr.

Mae'n siŵr i chi gael môr o chwerthin yn theatr Seilo neithiwr, neu ddagrau yn Anfield. Fe gawsom ninnau ein siâr o'r ddau. Fe ddaeth y byd i gyd i'r oedfa fach yna neithiwr, yn ei drallod yn yr hanner cynta ac yn ei rialtwch yn yr ail. Ond dyna fe, pam siarad am y byd? Mae tragwyddoldeb yn dod yno yn ei dro, ac mae hi'n siŵr o fod yn rhialtwch yn y fan honno hefyd yn aml. Gobeithio y cewch chithau wên fach gan rywun heddiw. Bore llawen i chi.

24 Ebrill 1997

BWYSTFIL PONTRHYDFENDIGAID

Nid ym Mhontrhydfendigaid yn unig y mae yna anifail rheibus. Mae yna un mewn aml i fro. Mae yna un arall yn boen i rai teuluoedd. Fe gewch chi ambell unigolyn a'i fywyd wedi ei reibio gan un felltith.

Beth sy'n hynod am y math yma o greadur yw mai ar ei ben ei hun y bydd o hyd yn gwneud ei ddifrod. Yn aml iawn mae'n anodd i chi ei weld e. Fe fydd yn gwneud ei hela yn ddirgel, ac mae yna gyfrwystra tu hwnt yn ei symudiadau.

Nid yr un enw sydd iddo fe ym mhob man. Y bwystfil sy'n rhwygo bywyd ambell ddyn ac ambell wraig yw eiddigedd. Fe fydd yn eu herlid nhw yn ddidrugaredd, yn arbennig yn oriau'r nos, ac yn bwyta i mewn i'w henaid nhw.

Casineb yw ei enw ar ambell aelwyd, lle mae'r casineb a'r dieithrwch yn llygru perthynas aelodau'r teulu â'i gilydd. Ewch at deulu arall, ac alcoholiaeth yw ei enw fe, neu gyffuriau a'r rheini i'w gweld weithiau yng ngolau dydd hyd yn oed yng nghyffiniau'r ysgol. I ambell unigolyn y bore yma, afiechyd yw'r bwystfil, rhyw un hen elyn sy'n crwydro ar hyd cloddiau ei fywyd yn barod i larpio'r cnawd.

Ym mhob achos bron, un bwystfil fydd e. Yn ein golwg ni, un gofid mawr fydd yn y tywyllwch yna, un ofn, un pryder. Fe fyddwn ni i gyd yn meddwl, petaem ni ond yn cael gwared ar hwn fe fyddai'n nefoedd arnom ni, a bywyd yn esmwyth. Eto, sut cawn ni wared arno fe? Os bydd Pontrhydfendigaid yn medru setlo'u gofid nhw ag un dryll ac un fwled, gwyn eu byd nhw. Bydd angen rhywbeth tipyn gwell na hynny ar ambell un y bore yma i gael gwared ar yr un pryder mawr yna o'i fywyd e. Yn wir, bydd arno angen rhywun gwell nag ef ei hunan, ac mae hwnnw ar gael, dim ond led gweddi i ffwrdd.

30 Ebrill 1997

Newyddion

Mae'r wraig yn dweud yn aml wrthyf y byddwn i'n ei chael hi'n anodd byw drwy unrhyw ddiwrnod heb ddarllen papur neu heb wrando ar raglenni newyddion. 'Rwyt ti'n byw o fwletin i fwletin,' meddai hi. Mae'n rhaid imi gyfaddef fod hynny yn un o'm haml wendidau.

Rwy'n sylweddoli hyn hefyd: fod y prif newyddion a'r penawdau efallai'n bwysig i'r diwrnod ond yn hollol amherthnasol i fywyd. Mae'r newyddion heddiw yn awgrymu y dylem fod mewn pryder am yr hyn sy'n debygol o ddigwydd y prynhawn yma ar Wall Street. Ond petai'r wal honno'n dod lawr fel wal Jericho, a fyddai hynny'n dyngedfennol yn eich bywyd chi a finnau?

Mae'r gwahanol fân bethau o fewn i'r papurau yn bwysig i rai ac yn hollol amherthnasol i eraill. Gwyliwch chi at ba dudalen y bydd pawb yn anelu wrth agor y papur. Bydd rhai heddiw wedi chwilio ar unwaith am ganlyniadau gêmau rygbi, tra bydd un arall wedi edrych prisiau hyrddod.

Ymhen diwrnod bydd popeth wedi newid. Roedd yna forwyn gartre gyda ni ar y ffarm slawer dydd, ac os byddai hi wedi golchi'r llawr yn y bore, fe fyddai'n gas ganddi hi weld sgidiau'r dynion yn trochi'r llechi. Felly, fe fyddai hi'n agor dalennau'r papur dyddiol a'u rhoi nhw ar hyd y llawr. Yn anffodus y papur agosa at law fyddai 'papur heddi'. Pan fyddai 'nhad wedyn yn dod mewn o odro, yn ei ludded yn barod i eistedd a phori drwy'r newyddion, byddai'n sydyn yn sylweddoli fod y *Western Mail* o dan ei draed e, yn drwch o ôl y carthu a'r buarth. Os byddai'n achwyn wrth Meri nad oedd wedi cael cyfle i'w ddarllen e, yr un fyddai ei hateb hi bob tro: 'Peidiwch gofidio, fe gewch chi un arall fory 'to.' Roedd hi wedi ei gweld hi: mae newyddion y dydd o hyd yn hen, dim ond y dydd ei hun sy'n newydd.

A phan welwn ni bob dydd yn gyfle newydd fe wnawn ni rywbeth ohono sy'n bwysicach na newyddion llysoedd a chenhedloedd a marchnadoedd arian y byd.

23 Hydref 1997

GOSTYNGEIDDRWYDD

Clywsom yr wythnos hon fwy nag un gwleidydd yn cyfeirio at eiriau Vaclav Havel: 'Gydag amser deuthum yn llawer llai hunanhyderus, yn llawer mwy gostyngedig . . .'

Mae bod yn ddarostyngedig a thrugarog yn y ffasiwn y dyddiau hyn. Yn wir y mae hi wedi mynd yn gystadleuaeth gwyleidd-dra. Does dim byd yn fwy digri na dynion yn ymffrostio eu bod nhw nawr yn fwy gwylaidd a gostyngedig nag oedden nhw y llynedd. Roedd areithiau yr wythnos hon wedi gwneud imi gofio am stori gan Alan Paton am olygfa mewn synagog.

Fe ddaeth y Rabi i mewn i'r synagog ryw fore dydd Gwener, a dyma fe'n taro'i ddwyfron a dweud wrth y nefoedd, 'Dydw i'n ddim byd. Dydw i'n neb.'

Pwy oedd wedi bod yn paratoi cerddoriaeth y salmau ar gyfer y Saboth ond y codwr canu. Fe safodd hwnnw ar ei draed ac meddai fe, 'Dydw i'n ddim byd. Dydw i'n neb.'

Pwy oedd yn digwydd bod wrthi'n glanhau yn y cyntedd ond yr hen ofalwr, ac fe ddaeth hwnnw mewn i gefn y synagog, a sefyll a'i ben lan fry fel y lleill, a dweud, 'Dydw i'n ddim byd. Dydw i'n neb.'

Ac meddai'r Rabi wrth y codwr canu, 'Edrych wir! Pwy mae e'n feddwl yw e, dwed?'

Fel y dywedodd Sant Francis de Sales, 'Nid yw gwir ostyngeiddrwydd byth yn siarad am fod yn ostyngedig.'

30 Hydref 1997

Iesu'n Cerdded

Dyma'r wythnos fawr wedi dechrau eto, rhwng Sul y Blodau a Sul y Pasg. Fe fyddwn ni yma ym Mangor yn cynnal y gweithgareddau arferol. Yr oedfa gyda'r wawr ar fore Sul y Pasg ar ben y Garth. Cyn hynny ar ddydd Gwener y Groglith, cawn yr orymdaith fach dawel y tu ôl i'r groes drwy ganol strydoedd a siopwyr y dre.

Fe fydd hon eleni'n wythnos fwy tyngedfennol nag arfer, oherwydd y ddogfen y byddwn ni'n ei disgwyl heddiw am ddyfodol Gogledd Iwerddon. Mae yna rai sy'n barod i feirniadu Mo Mowlam am fynnu gwthio pethau ymlaen yn rhy gyflym o lawer. Eto does dim yn rhy gyflym pan fyddwch chi'n ymgyrchu am gyfiawnder a heddwch.

Y dydd o'r blaen fe glywais Dr Kathleen Richardson yn sôn am gerdded mewn gorymdaith ar y Groglith yn Wakefield. Un dyn, fel Iesu, yn cario croes fawr bren ar flaen y dorf, a'r gweddill ohonyn nhw'n dilyn yn un rhimyn hir y tu ôl. Ryw hanner ffordd ar hyd y daith, meddai hi, dyma ryw ddyn yn rhedeg o'r tu ôl a'i wynt yn ei ddwrn ac yn dweud wrthi, 'Er mwyn popeth, dwedwch wrth Iesu am arafu. Pam na wnaiff e gadw llygad yn ôl? Rŷm ni'n ffaelu ei ddilyn e.'

Dyna fu hanes Iesu erioed.

> Ymlaen y cerddaist dan y groes a'r gwawd
> heb neb o'th du.
>
> Rho imi'r weledigaeth fawr a'm try
> o'm crwydro ffôl,
> i'th ddilyn hyd y llwybrau dyrys du,
> heb syllu'n ôl . . .

Gobeithio fydda i y bydd pleidiau Gogledd Iwerddon yr wythnos hon â'u llygaid ymlaen ac nid tua'n ôl.

6 Ebrill 1998

Eira Diweddar

Pan oeddem ni mas gyda'r wawr bore ddoe mewn gwasanaeth awyr agored ar ben y bryn sydd uwchlaw'r stiwdio yma ym Mangor, fe ddaeth hi'n gawod o gesair. Cofiwch, yr unig rwystr fuodd e inni oedd, pan oedd y gawod ar ei hanterth roedd hi'n anodd clywed y darlleniad am yr Atgyfodiad drwy sŵn y cesair ar yr ymbaréls. Er hynny, roedd awel Ebrill yn gweiddi ar y gawod, 'Gwna dy waetha, mae'r haf yn dod.' Mae'r cawodydd cesair ac eira fel petaen nhw am ddifa'r gwanwyn, ond maen nhw'n rhy hwyr. Mae gormod o'r haf yn y tir erbyn hyn, a go brin y bydd y ddaear yn gwneud fawr o sylw ohonyn nhw.

Rwy'n gobeithio mai cawod gesair yn Ebrill yw ymosodiadau hen wleidyddion ar y cytundeb newydd yng Ngogledd Iwerddon. Cyfeillion Norman Tebbit a'u tebyg. Fe fu yna adeg, pan oedd gaeaf yr helyntion ar ei waetha, y byddai'r torfeydd yn fodlon gwrando ar eu rhagfarnau nhw. Ond mae'r tir wedi dechrau cynhesu erbyn hyn, ac nid yw eu sylwadau sinicaidd nhw yn ddim byd ond cawod gesair sydd ar ôl ei hamser.

Mae'n ddigon posib fod yna lawer o hyd yn y chwe sir sy'n barod i wrando ar Ian Paisley, ond mae ei fytheirio dilyffethair yn mynd i swnio fwy bob dydd fel hen gawod gesair ar ymbaréls. Mae'n wir y gall wneud tipyn o ddrwg i ambell blanhigyn tyner ei obaith a'i wreiddiau. Eto, rwyt ti'n rhy hwyr, Paisley, mae dy gawodydd di'n rhy hwyr. Mae'r tir wedi hen flino ar aeaf casineb a thrais, ac mae'r haf yn dod, i Ogledd Iwerddon hyd yn oed.

12 Ebrill 1998

Siarad Heddwch

Mae Benyamin Netanyahu, prif weinidog Israel, yn fodlon siarad heddwch yn unrhyw fan ar wyneb daear, hyd yn oed, meddai fe, yn Llundain. Dyna ichi eiriau addawol. Mae'n fodlon mynd i ben draw'r byd er mwyn cael trafod cymod a dealltwriaeth. O'r ochr arall, meddyliwch chi am eiliad beth y mae wedi ei ddweud. Y lle hawsa i bawb ohonom ni siarad am gymod a heddwch a chyfiawnder yw ym mhen draw'r byd. Fe allwn ni ddoethinebu yn huawdl iawn am garu cymydog pan fyddwn ni'n ddigon pell oddi wrth ein cymdogion. Fe fyddai hwn yn dipyn mwy o ddyn yn fy ngolwg i petai yn fodlon siarad am heddwch a chymod ar y Lan Orllewinol ac yn stadau newydd yr Iddewon yn Jerwsalem.

Mae yna ymadrodd yng nghefn gwlad sy'n darlunio'n berffaith y dyn sy'n fodlon llefaru'n drawiadol iawn mewn rhai mannau, ond nid yn y mannau allweddol. Yr ymadrodd hwnnw yw ei fod yn 'siarad yn y cae dan tŷ'. Y syniad yw eich bod chi'n mynd yn dalog a phenderfynol i wynebu rhyw hen frawd ar ei ffarm. Wrth fynd lan at y tŷ rydych chi'n parablu yn fawreddog iawn. Rŷch chi'n mynd i ddweud pethau'n o glir wrtho fe. Ond yn y cae dan tŷ mae hynny. Erbyn i chi fynd mewn, a dod wyneb yn wyneb ag e, rŷch chi'n colli'ch hyder i gyd.

Nid yn Llundain y byddai Netanyahu yn dangos ei fawredd, ond drwy bregethu cymod wyneb yn wyneb â'r Iddewon trahaus yn eu trefedigaethau newydd. Petai'n dweud wrth y rheini: 'Dyna ddigon o adeiladu ar dir yr Arab'. I'r gwrthwyneb, beth fydd hwn yn ei wneud ond mynd am drip i Lundain a'r 'heddwch' yn ddim ond gair ar ei bortmanto.

20 Ebrill 1998

Y DIDDANYDD

Dioddefodd rheolwr tîm pêl-droed Lloegr ei wawdio'n ddidrugaredd pan ofynnodd i ysbrydegydd roi cymorth i'r chwaraewyr

Mae'n dda gen i fod tîm pêl-droed Lloegr wedi ennill yr wythnos diwetha, petai ond i Glen Hoddle gael llonydd. Byth oddi ar iddo sôn ei fod am i Eileen Drewery roi iachâd drwy ffydd i'r chwaraewyr, mae'r gohebwyr wedi ysu am bob cyfle i'w watwar, fel petai wedi troi at 'eilûn' addoliaeth. Y cysur i fi yw fod o leia un yn y byd pêl-droed sy'n medru meddwl ar lefel ysbrydol. Mewn maes lle mae chwaraewyr yn gofidio mwy am faint maen nhw'n ei ennill nag am ennill y gêm, a lle mae cefnogwyr yn edrych mwy ar y sgôr ar y farchnad stoc nag ar y sgôr ar y cae, mae bydolrwydd wedi mynd yn rhemp. Mae'r clwy wedi lledu i fyd rygbi a chriced, ac wedi hen afael mewn snwcer.

Cofiwch, nid dyma'r tro cynta i bêl-droed fentro i'r byd ysbrydol. Rwy'n cofio darllen flynyddoedd yn ôl am ryw dîm yn wynebu'r *Cup Final*, a'r chwaraewyr i gyd yn mynd gyda'i gilydd i wasanaeth mewn eglwys. Mae'n debyg i un ohonyn nhw fynd i'r pulpud i ddarllen darn o'r Beibl, darn addas iawn medden nhw: 'Ni ad efe i'th droed lithro, ac ni huna dy geidwad.' Roedd yr adnod yna wedi ei hanelu yn rhannol at y blaenwyr ac yn rhannol at y gôl-geidwad oedd gydag Arsenal yn y cyfnod hwnnw a oedd yn dueddol i hepian. Dyna ichi grefydd wedi ei llurgunio yn hollol sinicaidd.

O dan ddylanwad Glen Hoddle tybed a fydd y diddanydd ysbrydol modern yma, y fenyw hon a fydd gyda nhw dros dro, yn arwain rhywrai o'r tîm i adnabod y Diddanydd arall a fydd gyda nhw am byth?

27 Ebrill 1998

Llawer o Drigfannau

Rhyfeddod o hyd i mi yw'r gwahanol lefelau sydd mewn bywyd. Mae Emyr Lewis yn sôn amdanyn nhw yn y cerddi yna a enillodd y goron iddo brynhawn ddoe. Gwahanol amserau bywyd.

I ni sydd yn yr Eisteddfod ym Mhen-y-bont, yr ydym fel petaem mewn ynys o wythnos, yng nghanol bywyd sy'n ddigon gwahanol i eisteddfod. Am wythnos yr ydym yn byw mewn dimensiwn gwahanol. Perygl parod o hyd yw i ni gael ein twyllo mai un dimensiwn yw gwir fywyd.

Mae'r meddwl cyflawn o hyd yn sylweddoli fod yna wahanol fydoedd mewn bywyd. Echdoe roedd Stephen, un o weithwyr y Brifwyl, yn dangos llun gweddillion car i mi. Ail echdoe roedd ei rieni yn yr Eisteddfod, a'r noson honno bu ond y dim iddynt golli eu bywydau mewn damwain erchyll.

Bore heddiw fe fyddaf innau yn ymweld â Ken Jones, cyfaill a chydaelod ym Mangor, yn Ysbyty Pen-y-bont. Ddoe yn y Brifwyl a heddiw mewn ward. Y mae'r rhai yna fel petaent wedi cael gweld i'r byw ystafelloedd gwahanol bywyd, a'r ystafelloedd yn medru bod yn agos iawn at ei gilydd.

Mae'n dda i ni oll ar rai adegau gael gweld mor aml ei ystafelloedd yw bywyd dyn. Byd cyfyng iawn yw byd y rhai hynny sy'n argyhoeddedig yn eu meddyliau materol mai un llawr yn unig sydd i'n byw.

4 Awst 1998

Llaeth y Gair

Sonnir heddiw am berygl cael clefyd Crohn drwy laeth

Y peth cynta wnes i'r bore yma wedi codi oedd yfed llaeth. Wedi'r newyddion heddiw fe allech ddweud 'mod i'n mentro 'mywyd. Cofiwch, fe ddaliais i lyncu wyau pan oedd pobol yn dweud eu bod nhw'n llawn salmonela, a dala i fwyta cig eidion pan allai roi CJD imi. Wedi trigain mlynedd yn yfed llaeth mae hi bellach braidd yn ddiweddar imi newid.

O ran hynny, mae amhurdeb mewn llaeth yn hen broblem. Roedd hi'n bod pan oedd Pedr yn ysgrifennu un o'i lythyrau ddwy fil o flynyddoedd yn ôl. Byddwch yn garcus, meddai fe, mae yna facteria mewn llawer llaeth. Ac mae'n rhestru pump ohonyn nhw.

Drygioni
fe all hwnnw suro'r llaeth.

Twyll
dyma facterium a all beri ichi fod yn dost am wythnosau.

Rhagrith
gall hwn fod mewn llaeth sy'n ymddangos mor lân â'r dydd.

Cenfigen
gall y bacterium hwn wenwyno'n bywyd ni i gyd.

Siarad bychanus
y mae hwn yn medru troi'n glefyd heintus.

Felly, meddai Pedr, gan mai babanod newydd eu geni ydych chi, chwiliwch am laeth pur er mwyn ichi dyfu. Fe fydd yna lawer ohonom ni heddiw yn gwario'n harian ar brynu sothach o laeth afiach i'r meddwl, tra bod yna siop yn ôl Eseia lle gallwch chi gael llaeth pur a hynny heb arian a heb dâl.

11 Awst 1998

Ffrwydriad Omagh

Ar ddydd Sadwrn 15 Awst 1998
ffrwydrodd bom yn Omagh gan ladd 29

Dyna drugaredd fyddai cael wythnos gyfan heb glywed sôn am un ffrwydriad, oherwydd rhyw offeryn dychrynllyd yw bom. Mewn un eiliad fe all newid bywyd, troi tŷ yn garnedd, troi siop yn lladd-dy. Gall droi canol y dre yn iard sgrap a chorff dyn yn gandryll mewn eiliad. Dyna beth wêl y camera a dyna beth welwn ni. Ond fe all y bom newid bywydau sydd mas o olwg y camera: fe all aelwyd a theulu gael eu chwalu gan siom, a'r cyfan o achos un eiliad. A sydynrwydd y peth yw rhan o'r dychryn.

Beth sydd yn y bomiau sydd yn chwythu'n gwareiddiad ni i'w dranc? Ar un amser rhai petrol bydden nhw'n eu taflu fwya. Mae yna ddefnyddiau gwaeth na hwnnw yn y rhain. *Semtex* a'i berthnasau. Maen nhw hyd yn oed wedi dysgu cŵn i'w harogli nhw, y ffrwydron a'r defnyddiau sydd ynddyn nhw. Ond mae yna ddefnydd arall mewn bom na all na chi na chemist ddod o hyd iddo fe: casineb, galwch chi fe beth fynnoch chi, hunanoldeb, pechod, trais, maent ym mhob bom.

Mae'r defnyddiau hyn yn y bomiau ym Melffast, ac roedden nhw yn ein bomiau ni yn Nevada. Nhw yw'r *detonator*; dyna ran bwysicaf y bom. Heb gasineb wnaiff hi ddim tanio. Defnydd peryglus yw casineb, a'r drwg yw fod yna lawer gormod ohono fe ar gael. Fe allwch chi wneud bom o hwn ar ei ben ei hunan, heb angen y defnyddiau eraill. Y bomiau personol yma, casineb a thwyll, y mae'r rhain ar gael lawn gymaint yn Aberdaron ag yn Derry, a ninnau yn eu cario nhw gyda ni i ganol cymdeithas. Mae'r ychydig eiddigedd sy yn ein calon ni yn edrych mor ddiniwed â char ar stryd neu fag siopa wrth gownter.

Beth petai'n cydwybod ni, fel soldiwr, yn dod ymlaen atom ar y stryd ac yn gofyn i ni: 'Aros funud, frawd, i mi edrych beth sydd gen ti fanna yn sedd gefn y car, beth sydd gen ti fanna'n y fasged, y fasged fach yna rwyt ti'n ei galw hi'n galon? Rhyw deimladau bach diniwed? Neu a wyt ti'n cario yn dy galon fom o gasineb a thwyll i ganol dy ffrindiau?'

Datgymala hi gynted byth ag y medri di, oherwydd wyddost

ti ddim y funud na'r eiliad y gall y cyfan ffrwydro yn dy wyneb di. Ai ar dy aelwyd yr wyt ti'n eu paratoi nhw, yn crynhoi'r defnyddiau, a chyda diwydrwydd mawr yn pentyrru'r casineb a'r eiddigedd a'r cenfigen – arsenal cyfan ohonyn nhw? Dim ond un peth sy'n mynd i ddigwydd i ni os trown ni'n bywyd yn ffatri fomiau. Fe gawn ein chwythu'n deilchion, ni a'n teulu, a'r rhai agos fydd yn dioddef fwya.

16 Awst 1998

AILADEILADU

Bore drannoeth yw'r bore hwn. Bore fel petai popeth oedd i ddigwydd wedi digwydd ddoe ac echdoe. Mae Gogledd Iwerddon wedi ffrwydro, mae Liam a'i dad-cu wedi eu darganfod, ac mae arlywydd America wedi llefaru.

Felly, fe allech chi ddweud fod y storïau i gyd wedi dirwyn i ben y bore yma, ac fe all y dynion camera a'r dynion meics roi'r offer yn ôl yn eu ceir a mynd adref. Eto ar fore fel hwn y mae yna stori arall yn dechrau. Yn hanes y cymeriadau a fu dros dro ar lwyfan hanes, y mae'r bore hwn yn ddechrau ailadeiladu bywyd. Yn fuan iawn fe fydd pawb wedi anghofio pwy oedd Liam, bydd Omagh ymhlith enwau eraill ar drychinebau, a bydd Lewinsky wedi cilio o'r golwg. Ond y mae yna dasg o flaen yr unigolion a fu yn y penawdau.

Mae'r arlywydd yn sylweddoli ei fod yntau bellach ar ddechrau cyfnod newydd yn ei fywyd, cyfnod yr ailadeiladu os bydd hynny'n bosib iddo. Y mae teuluoedd Omagh yn gorfod mynd ati i ailgodi'r to ac ailoleuo'r tŷ, ac ailsefydlu patrwm newydd i fywyd a chymdeithas. Heb yn wybod iddo fe, fe fydd yna fywyd newydd yn cael ei adeiladu o gwmpas Liam, y plentyn bach a fu ar goll. Ar fore fel heddiw y mae'r ailadeiladu yna'n dechrau.

Pan fyddwch chi'n adeiladu'ch tŷ am y tro cyntaf y mae'n dasg anturus a phleserus ac wedi ei seilio ar obaith a chariad. Mae'r ailadeiladu yn gofyn llawer mwy. Mae'n gofyn ffydd a dewrder a chryfder cymeriad, a'r ddawn i fedru gweld y meini drwy'r dagrau.

Rwyf innau ond wedi sôn am dair chwalfa amlwg a fu yn y newyddion. Y mae yna lawer chwalfa'n digwydd na chlyw meicroffonau'r byd ddim amdanyn nhw. Pob nerth i'r gweddill ohonoch chi a fydd yn dechrau ailadeiladu yn ddirgel y bore yma.

18 Awst 1998

Gadael Cymru

Timoedd rygbi Cymru am adael y Gynghrair Geltaidd

Rhyfedd o fyd yw hwn. Mae pryder am sefydlogrwydd meddwl Boris Yeltsin, yn penodi a diswyddo ei brif weinidogion o wythnos i wythnos. Mae yna rai nes adre yr ydw i'n pryderu am gyflwr eu meddwl nhw. Meddyliwch am ddau sy'n arwain gwledydd, un dydd yn arswydo y tu hwnt i eiriau o glywed am fom yng Ngogledd Iwerddon, ymhen tridiau yn taflu ugeiniau o fomiau ar bobol yn Swdan ac Affganistan. Ac maen nhw'n beryglus o fedrus yn y ffordd y byddan nhw'n eu cyfiawnhau eu hunain.

Rhyfedd o wlad yr ydym ni'n byw ynddi. Ychydig fisoedd yn ôl yr oedd Caerdydd ac Abertawe mewn cystadleuaeth fawr pwy ohonyn nhw oedd yn haeddu bod yn gartre i'r Cynulliad ac yn galon weinyddol i'r genedl. Yr wythnos hon mae'r ddwy ddinas am adael Cymru a throi'n Saeson. Rhyfeddach fyth yw'r rhesymau dros gefnu ar eu gwlad. Dim ond drwy chwarae yn erbyn Saeson y gallan nhw godi eu safon medden nhw. Dim ond drwy chwarae yn erbyn Saeson y gallan nhw lwyddo'n ariannol medden nhw. Ac felly maen nhw am godi eu pac a throi dros Glawdd Offa. Maen nhw'n barod iawn i watwar yn wawdlyd reolwyr rygbi Cymru, heb weld mor wrthun o unllygeidiog yw eu cynlluniau nhw eu hunain.

Dawn brin iawn yw'r ddawn i weld eich hunan fel mae pobol eraill yn eich gweld chi. Fel y dywedodd un oedd yn adnabod y natur ddynol ym mhob oes: yr ydym ni'n gwneud ffyliaid ohonom ni'n hunain yng ngolwg pobol wrth fethu gweld y darn anferthol yna o bren sy'n sownd yn ein llygaid ni.

25 Awst 1998

DYCHYMYG

Mentrodd yr Arglwydd Cranbourne, arweinydd y Toriaid yn Nhŷ'r Arglwyddi, lunio cytundeb â'r aelodau Llafur ar gyfer diwygio'r Tŷ

Mae'r rhan fwya ohonom ni yn gorfod dibynnu ar gerdded. Meddyliau fel yna sy gyda ni. Ym myd gwybodaeth a gwyddoniaeth, rhyw gerdded fyddwn ni, o gam i gam. Chwilio'n llafurus ar hyd yr un hen rigolau, er mwyn gwybod ychydig bach mwy. Ym myd cerddoriaeth a llenyddiaeth, rhyw ddatblygu fesul cam fydd y rheini ar y cyfan, o ffasiwn i ffasiwn. Ac mewn gwleidyddiaeth, yr un hen gerdded, yn yr un hen rigolau, fel petai'n rhaid i wleidyddion o hyd ymladd â'i gilydd.

Ambell dro fe ddaw yna enaid gwahanol, un sydd weithiau yn medru hedfan. Fe ddwedodd Einstein am fyd gwyddoniaeth, fod gwir wybodaeth yn tyfu nid ar ford y labordy, ond yn naid y dychymyg. Yr un meddwl hwnnw sydd, nid yn cerdded ond yn hedfan. Yr hyn sy'n trawsnewid byd busnes yw nid y miloedd o fancwyr, ond yr un oedd â'r dychymyg i weld yr Ewro. Yr hyn a newidiodd gerddoriaeth oedd yr un Beethoven a'r un Mozart. Yr oedd eu meddyliau nhw yn medru hedfan uwchlaw cerddoriaeth eu dydd.

Felly, pan gewch chi mewn gwleidyddiaeth yr un creadur gwahanol sy'n medru cael y weledigaeth, un Cranbourne sy'n medru codi uwchlaw rhigolau mân gecru bob dydd er mwyn cael rhyw faen i'r wal, gwnewch yn fawr ohono fe, ddwedwn i. Serch hynny, os mai inffantri yn unig y dymunwch ei gael yn eich byddin, inffantri gewch chi, ac inffantri o inffants fyddan nhw.

Os gwelwch chi heddiw rywun sy â dychymyg fel yna, digon o ddychymyg i fedru codi uwchlaw hen lwybrau gelyniaeth ac eiddigedd a chenfigen, a hedfan mewn gras a maddeuant, dyna ichi'r enaid mwya gwerthfawr mewn cymdeithas. Peidiwch byth â rhoi'r sac i ddyn fel yna.

3 Rhagfyr 1998

Pinochet am Wyliau yn Sbaen

Wedi ei arestio ym Mhrydain i'w estraddodi i Chile i wynebu prawf am ei greulondebau, gwnaeth Augustus Pinochet gais am fynd i Sbaen i osgoi ei gosbi

Mae ysgol Sul capel Pendref, Bangor ar hyn o bryd yn brin o fechgyn. Fe fu yna adeg pan oedd y merched yn brin. Roedd hi'n anodd cael merched i fod yn wragedd llety, ac roedd dod o hyd i rywun i chwarae rhan Mair yn broblem. Y pryd hwnnw, gormodedd o fechgyn oedd gyda ni, nes bod mynyddoedd Jwdea yn pyngad gan fugeiliaid, a rhyw hanner dwsin o ofalwyr camelod yn teithio gyda'r doethion. Daeth tro ar fyd: digonedd o ferched a dim ond dyrnaid o fechgyn. Eleni rydym ni'n gorfod wynebu'r Nadolig gydag un bugail, a merch yw hwnnw. Ac am y tro cynta bron fe fydd yn rhaid inni gael Nadolig heb Herod.

Ond dyna fe, y Nadolig hwn mae'r byd o'n hamgylch ni yn gwneud i fyny am y prinder yna. Mae yna lawer i Herod yn cerdded ar lwyfan y byd. Yn Serbia, yn Algeria, yn Indonesia, yn Burma, maen nhw ym mhobman. A beth hoffwn i wybod yw nid i ble y bydd Pinochet yn mynd, ond o ble y daeth e. Beth sy'n cynhyrchu Herod fel Pinochet? Fe alwodd y doethion yn Jerwsalem i holi ble roedd Iesu wedi ei eni. Fe allen nhw fod wedi ei holi fe hefyd ble cafodd Herod ei hunan ei eni. Beth sy'n cenhedlu unben creulon? Os bydd yr hyn fydd yn digwydd i Pinochet yn rhybudd i unrhyw Herod arall yfory, bydded i'r gyfraith hawlio'i chyfiawnder ddweda i.

10 Rhagfyr 1998

Sgwatwyr

'Krakers' yw'r enw yn yr Iseldiroedd amdanynt, yn ôl Jonathan Groubert: 'fe ddônt i ddweud rhywbeth am gymdeithas, ac fe ddônt i aros.'

Rwy'n clywed llawer o ddoethion gwybodus yn eu canmol eu hunain y dyddiau hyn am iddynt glirio sbwriel diangen o'u bywydau. Mae eu rhieni wedi dympo hen arferion di-fudd arnyn nhw ac mae'n waredigaeth cael gwared arnyn nhw.

Yr hyn a welaf yn cael eu lluchio amlaf i'r biniau sbwriel yn ddiweddar yw arferion crefydd. Wedi i'r genhedlaeth hon ddod i'w hoed, y mae hi wedi gweld mor wag yw ffydd y tadau. Mae'r oes hon wedi ei thrwytho mewn gwyddoniaeth, ac wedi sylweddoli yn ei haeddfedrwydd aruchel mai ffug yw hanes y creu. Ac os lluchio Genesis, beth am luchio'r gweddill?

Mae seicoleg wedi eu goleuo am beryglon gwthio credoau ac arferion i lawr gyddfau eu plant. Felly, y peth gwaetha y gallwch chi ei wneud yw gorfodi plentyn i fynd i ysgol Sul. Peidiwch â chaniatáu i hen athrawon cas lygru bywyd eich plentyn ag arholiadau'r Gymanfa Ysgolion. Peth yn perthyn i'r oes o'r blaen yw dysgu canu emynau.

Gan fod y plant yn cael etifeddu'r rhyddid newydd hwn, beth am i ni lusgo'r Beibl o'r parlwr, a'r weddi o'r gegin? Cliriwch y pader o'r llofft, a chwistrellwch awyrgylch yr Ysbryd allan o'r tŷ.

Ond gwyliwch. Mae yna rybudd bach a grybwyllwyd yn Mathew 12:43–45 bron ddwy fil o flynyddoedd yn ôl yn sôn am beryglon tŷ gwag. A oes yna beryg efallai i ddifyrion bas a ffansi'r foment ddod i mewn i'r gwagle? Lle bu Rhaglen y Gymanfa, a oes peryg y bydd yna raglen yr Octagon yn dod i mewn i feddiannu'r ystafell? A sachaid o ganeuon aflafar yn meddiannu'r llofft ddi-weddi?

Yn waeth na dim, bydd haid o grefyddau ofergoelus yn dod i mewn drwy ffenestr y cefn ac yn taflu eu bagiau blêr ar hyd y llawr lle buoch yn sgubo Ffydd y Gwaredwr i'r rhaw ludw. A lle bu teulu cynnes a glân yn y tŷ yna yn Sgwâr Cyffin, y sgwatwyr piau hi bellach, am fod y tŷ yn wag.

11 Rhagfyr 1998

Y Doethion o'r Dwyrain

Yn Irac, rhyw ugain milltir i'r de o Baghdad, yr oedd yna dri dyn gyda'i gilydd mas yn y nos ym mis Rhagfyr yn gwylio'r awyr. Yn sydyn dyma nhw'n gweld fflach o oleuni yn y pellter, fel cynffon danllyd taflegryn crŵs. Ac eto roedd yn llai na hynny, yn debycach i un o bigau goleuni'r bwledi sy'n saethu i'r awyr. Roedd y smotyn golau yna'n symud, yn symud i gyfeiriad y gorllewin. Fe wnaethon nhw nabod y seren newydd ar unwaith, a gwybod fod Tywysog Tangnefedd wedi ei eni yn y gorllewin, draw yn rhywle.

Petai'r tri yna wedi bod yn gwylio'r awyr yn y nos neithiwr fe fydden nhw wedi gweld llond y nen o sêr, digon i'w drysu nhw, heb fod un o'r sêr yn eiddo Tywysog Tangnefedd. Ac nid mynd i gyfeiriad y gorllewin y mae'r sêr yma, ond dod oddi yno.

Tybed a oes yna ddynion yn Irac heddiw a'r un ddawn ganddyn nhw i ddehongli ystyr y sêr? Sut dehonglan nhw'r seren honno a laddodd un o'u plant nhw, neu eu tad neu eu chwaer nhw? Tywysog Twyll biau'r sêr yma, fyddan nhw'n dweud, nid Tywysog Tangnefedd. Tywysog Trais sydd draw yn rhywle yn y gorllewin, a'i was bach Blair yn llechu yng nghysgod y bwli. Rhag cywilydd i Dŷ'r Cyffredin neithiwr fynd i'w haddoli nhw bob cam i Baghdad. Rhag cywilydd i ninnau sy'n gwylio'n sgrin deledu fel petaem ni am weld sioe tân gwyllt.

17 Rhagfyr 1998

Llaw a Llygad

'Religion must evolve or die.'
Joseph Campbell yn *The Power of Myth* (1998)

Rwy'n medru sgrifennu'r geiriau hyn oherwydd fod fy hynafiaid wedi newid a datblygu. Yn ôl y rhai a ŵyr y pethau hyn, mae'n debyg i law dyn ddatblygu drwy iddo ei defnyddio hi. Wedi iddo ddechrau cario pethau yn ei law fe welodd mai gwell fyddai iddo gerdded ar ddwy droed er mwyn i'w ddwylo fod yn rhydd i gario. Wrth ddefnyddio'i allu mewn ffordd newydd fe ddatblygodd ddoniau newydd. Ac rwyf innau'n medru ysgrifennu.

Wrth iddo ddefnyddio'i olwg i weld ei erlidwyr a'i elynion cyntefig, fe lwyddodd y dynion llygadog fyw yn hwy. Felly eto, oherwydd iddynt fod yn barod i newid fe ddatblygodd eu doniau newydd. Dyna, am wn i, yw arwyddocâd y geiriau yn Salm 55:19 fod pobol yn ei cholli hi 'am nad oes gyfnewidiau iddynt'.

Yna coron ar ddoniau'r llygad a doniau'r llaw yw iddynt ddysgu cydweithio. Y llygad yn gweld ble mae angen i'r llaw weithio, a'r llaw yn medru ymateb yn union, mewn lleoliad ac amseriad. Fel y gweddïodd W. Pari Huws am yr eglwys:

> Dysg i'w llygaid allu canfod,
> dan drueni dyn, ei fri;
> dysg i'w dwylo estyn iddo
> win ac olew Calfarî.

22 Chwefror 1999

Yr Arglwydd yn Was

Etholiadau'r Cynulliad

Mae'r blychau i gyd wedi eu hagor, a'r papurau wedi eu gosod yn bentyrrau yn barod ar gyfer y cyfri. Neithiwr a bore heddiw allwn i ddim llai na meddwl am y cannoedd o ymgeiswyr sydd â'u tynged wedi gorwedd dros nos yn y pentyrrau papur. Erbyn amser te fe fyddan nhw i gyd yn gwybod. Fe all y cyfri yna heddiw greu gyrfa wleidyddol newydd i ambell un, neu fe all olygu chwalu'r breuddwydion un waith ac am byth. Bydd y camerâu teledu yn barod i gofnodi'r buddugol yn gwenu a'r collwr yn llyfu ei glwyfau.

Os dyna'r darlun cyflawn fydd gyda ni, dyna ichi ddangos melltith democratiaeth. Nid pwrpas Cynulliad na Chyngor Sir yw darparu gyrfa i griw o wleidyddion. Er bod perygl i aelodau seneddol, a chynghorwyr sydd wedi arfer â'u swydd, fynd i feddwl fod ganddynt hawl i aros yn eu sedd am byth, yno i wasanaethu gwlad fyddan nhw, ac nid i'w gwasanaethu eu hunain.

Roedd yna gynghorwr yn Felindre o'r enw John Evans , ac roedd wedi dewis cyfenw bendigedig iddo fe'i hunan, sef John y Gwas. Felly yr oedd pawb yn ei nabod e, ac felly hefyd yr oedd pawb yn ei gael e. Ac os cawn ni do newydd o wleidyddion a fydd yn weision, dyna ddemocratiaeth fydd yn fendith i bawb.

Erbyn meddwl, nid tynged ambell ddarpar wleidydd sydd yn y pentyrrau papur yna bore heddiw, ond eich tynged chi a finnau. Pa fath o bobol fydd yn ein cynrychioli ni, a pha fath o Gynulliad fydd yn ein gwasanaethu ni. Gobeithio'n wir y cawn Gynulliad dipyn gwell na'r un yr ydym ni'n ei haeddu, ac mai agwedd y gwas fydd gan ei aelodau.

Gwaredigaeth y cyfanfyd oedd i'r Arglwydd ddod yn was. Duw a'n gwaredo ni pan fo gwas yn troi'n arglwydd.

6 Mai 1999

Y Baban Newydd

Echdoe yng Nghaerdydd o gwmpas un ar ddeg o'r gloch y bore, fe aned baban hardda'r byd. Roedd yna ddisgwyl mawr wedi bod amdano, a pharatoi ar ei gyfer. Roeddem ni'n gwybod am ei gyndeidiau, ac yn hyderu y byddai'r baban yn debyg iddyn nhw mewn llawer agwedd. Yn sicir, roeddem ni wedi gobeithio y byddai'n dangos nodweddion gorau ei dad a'i fam. Amser a ddengys. Ond y mae hi'n arwyddocaol i'r baban newydd gael ei eni yr union adeg y mae ei dad-cu ac ambell hen ewyrth yn dangos arwyddion henaint. Mae'r Senedd yn Llundain yn dechrau datgymalu, er mai Tŷ'r Arglwyddi efallai aiff gynta. Mae seneddau ymerodraethau'r ugeinfed ganrif, o Washington i Moscow, fel dau hen ewyrth, yn gwanhau o ran eu hawdurdod.

Daw dydd y bydd mawr y rhai bychain,
Daw dydd ni bydd mwy y rhai mawr;
Daw'r bore ni wêl ond brawdoliaeth
Yn casglu teuluoedd y llawr.
O ogofâu'r nos y cerddasom
I'r gwynt am a gerddai ein gwaed;
Tosturi, O sêr, uwch ein pennau,
Amynedd, O bridd, dan ein traed.

A'r baban bach tua'r un ar ddeg fore dydd Mercher diwetha, yn cael ei eni yn llawn gobaith a hyder.

Do, a maddeuwch air bach personol: fe aned baban bach yng Nghaerdydd tua'r un ar ddeg fore dydd Mercher diwetha, yn wyres fach fendigedig i ninnau. Gobeithio y daw cyfle iddi nabod ei thad-cu, hyd yn oed os yw'n hen ac yn dadfeilio, fel hen lywodraethau trahaus y gorffennol. Ond bellach Branwen Heledd, a'r Cynulliad, biau'r dyfodol.

13 Mai 1999

Dwy Funud a Hanner

Mewn cyfarfod ym Mlaenau Ffestiniog bore ddoe fe ddwedodd y Prifathro Eifion Powell ei fod i bregethu yng ngwasanaeth y Cynulliad fore dydd Mercher nesa, yn un o dri. Nawr roedd Hwfa Môn, meddai Eifion, weithiau yn pregethu am ddwy awr a hanner. Mae'n rhaid fod trefnydd y gwasanaeth hwn wedi clywed am Hwfa Môn, oherwydd y mae wedi pennu amser ar gyfer y tri ohonyn nhw, sef dwy funud a hanner yr un. Meddyliwch am y fath beth, pregeth mewn dwy funud a hanner.

Fe allaf i ddychmygu fy nghynulleidfa i ym Mangor yn cymeradwyo'r syniad, oherwydd rwy'n cymryd dwy funud a hanner i ddarllen adnod y testun ambell waith, yn enwedig os bydda i'n peswch ar y canol. Beth allwch chi ei ddweud mewn dwy funud a hanner?

Fe gofiais i wedyn am bregethwr oedd yn medru pregethu pregeth mewn ugain eiliad. Meddyliwch am bregeth yr hedyn mwstard, neu bregeth y lefain yn y blawd, neu'r wraig â'r darn arian. Dan ugain eiliad bob un. Yn wir, roedd hwnnw yn un oedd yn medru pregethu heb siarad o gwbwl, dim ond gwneud a byw. A byddai esiampl fel yna yn ddigon o bregeth i unrhyw gynulliad.

20 Mai 1999

Ymddiheuriad i'r Wythnos

Lisa Erfyl

Gair i ymddiheuro sydd gyda fi y bore yma. Rwy am ymddiheuro i'r wythnos am na allwn i fod gyda hi, dim ond ei gweld hi o bell, a chlywed amdani o bell. Fe ddechreuodd yr wythnos yn gwlwm o ddigwyddiadau diddorol. Roedd un digwyddiad, serch hynny, fel petai wedi tagu'r digwyddiadau eraill i gyd. Roedd Lisa yn ôl yn Ysbyty Gwynedd, ac yn wael. Felly, rhaid ymddiheuro i ddydd Llun. Dydd Mawrth yn dod â'i ddatblygiadau mawr drwy'r byd. Ond er holl gyffro'r diwrnod hwnnw, dydd marw Lisa oedd dydd Mawrth i ni. Wedyn, mae'n rhaid i mi ymddiheuro i bob gwefr a ddygwyd i'n gwlad ni ddydd Mercher. Roedd yna gysgod hyd yn oed dros ddydd Mercher i ni. Os cafodd rhai ohonoch chi orfoledd ddwy funud nos Fercher, doeddwn i ddim gyda chi yn yr ysbryd. A ddoe wedyn, fe ddaeth ddoe â'i gwmni hyfryd yn y bore a'r prynhawn, a chwmni ardderchog yn yr hwyr ar drip y Gymdeithas Ddiwylliadol. Ond cwmni heb gwmni Lisa oedd hwnnw, gan y byddai hi gyda ni neithiwr petai bywyd wedi ei drefnu'n wahanol. Felly, rwy'n ymddiheuro i ddydd Iau a nos Iau, fel i heddiw, dydd Gwener, am nad oeddwn i'n medru byw'r dyddiau yn llawn.

Mae yna olwg wahanol, hyd yn oed ar bethau amlwg bywyd, pan edrychwn ni arnyn nhw drwy brofiad arall – fel y bydd teulu yn edrych drwy ddagrau. Ac eto alla i ddim llai na chredu fod Lisa'r Gymraes a'r genedlaetholwraig wedi gweld yr wythnos hon yn wahanol i ni. Ei gweld hi heb ddagrau, yn ei gorfoledd i gyd. Roedd Lisa wedi penderfynu symud i fyw i lannau'r Fenai, ond chafodd hi ddim symud i'r tŷ newydd. Symudodd hi i dŷ gwell na hwnnw hyd yn oed, tŷ nid o waith llaw, a gadael y babell ddaearol. Fe fydd hi'n byw ar lannau'r Fenai ac yng Nghymru am byth. Ac os bydd Cymru fyw byth, iddi hi a'i thebyg y bydd diolch.

27 Mai 1999

Y Lindys

Roedd y sgwrs yna gawsoch chi, Dei, rai munudau yn ôl gyda Huw John Hughes am blanhigion wedi newid eu genynnau, ac am y lindys a gafodd eu lladd gan wenwyn yn arbennig o ddiddorol. Ymhlith y pethau a ddwedodd am y lindys hwnnw oedd ei fod yn bwyta gwenwyn, a'r gwenwyn heb effeithio dim arno, ond yn aros o fewn i'w gyfansoddiad. Os byddai'r lindys wedyn yn cael ei fwyta gan greadur arall, byddai'r creadur hwnnw yn marw.

Mae'r gadwyn fwyd yn perthyn i fyd y creaduriaid yn ogystal ag i ddyn, mae'n amlwg. Am yr hyn y mae dyn yn ei fwyta y meddyliais i ar unwaith. Mae yna lawer o ddylanwadau yn dod i mewn i'n bywydau ni fel oedolion heddiw y byddem ni'n meddwl nad ydyn nhw'n gwneud niwed yn y byd i ni. Mae'r gwenwyn fel petai'n medru aros ynom ni, heb wneud niwed i neb, feddyliwn ni. Ond beth am genhedlaeth arall sy'n byw ac yn dibynnu arnom ni? Fe all y gwenwyn yn ein bywydau ni fod yn angheuol iddyn nhw.

Fe welsom ni rieni ac ardalwyr yn protestio neithiwr am un troseddwr a ddaeth i fyw i'w plith gan beryglu eu plant. Wedi'ch clywed chi a Huw John Hughes y bore 'ma, rwy'n sylweddoli mai'r drwg yr ydym ni fel rhieni wedi ei sugno i mewn i'n bywydau ni ein hunain yw'r perygl mwyaf i'n plant, ac nid ambell gymydog od a all ddod i fyw drws nesa.

30 Mai 1999

Y Gair yn y Wal

Profiad gwefreiddiol yw darganfod hen lyfr coll. Arddangosir y mis hwn lawysgrif o'r flwyddyn 1585 yn llaw Iohannes Kepler, un o dadau seryddiaeth fodern yn ôl rhai, a ddarganfuwyd yn ddamweiniol fis Rhagfyr y llynedd. Y mae nawr yn un o brif drysorau Llyfrgell Prifysgol Califfornia, Santa Cruz, a'r un a'i darganfu yn cofio'n fyw y wefr a gafodd o'i gweld.

Rhywbeth go debyg a ddigwyddodd yn Jerwsalem yng nghyfnod Joseia. Rwy'n dychmygu'r seiri meini yn rhyfeddu o weld llyfr rhwng y cerrig yn wal y deml ac yn rhuthro â'r llyfr draw i'r palas (2 Bren 22:3–20). Rwy'n dychmygu Joseia yn rhyfeddu mwy o lawer o glywed ei ddarllen.

Mae'n siŵr i'r llyfr hwnnw gael ei guddio er mwyn ei ddiogelu. Fe feddyliwn ninnau weithiau y gallwn ddiogelu'r efengyl drwy ei chuddio yn y brics a'r morter. Byddwn yn rhy barod yn aml i weld y gair yn mynd i'r wal, wal traddodiad, wal arfer, wal defod: y mae'r rhain i gyd yn ymddangos yn bethau eitha safadwy a digyfnewid.

Fe gafodd llyfr coll y deml ei ddarganfod yn ystod y gwaith, pan oedd rhywun wedi mynd ati i ailadeiladu. Pan aeth rhai cydwybodol ati i ddatod yr allanolion i geisio'u diwygio yn ôl eu gweledigaeth gyfyng hwy, fe roddwyd yn eu dwylo weledigaeth helaethach o lawer. Bydd yna rai o oes i oes yn ceisio bwrw iddi i ddatod rhyw hen rwystredigaethau arwynebol megis enwadaeth, a chael eu condemnio eu bod nhw'n gwneud dim ond chwarae â'r allanolion. Er hynny, y gweithwyr sy'n bwrw iddi gyda'r tasgau amlwg, y rheini yn aml sy'n darganfod y weledigaeth.

Ym mhle mae'r gair yn awr? Yn Jerwsalem wedi diwygiad Joseia yr oedd y gair ym mhob calon, ar dafodau'r bobol, yn eu dwylo ac yn eu bywydau. Fe ddigwyddodd hynny yng Nghymru gyda gwaith Gruffydd Jones a Thomas Charles, pan ddaeth y Beiblau i ganol ceginau'r wlad. Y rhybudd i ni bellach yw fod y Beiblau yn dechrau diflannu eto.

5 Gorffennaf 1999

WAL BELFFAST

Wedi dweud 'Nage a nage a nage' ar hyd y blynyddoedd, mae arweinwyr Gogledd Iwerddon wedi dweud 'Ie'. Dydd i'w ddathlu oedd ddoe. Yng ngeiriau'r hen emyn o Sweden,

> Y dydd aeth llawenydd yn fawr
> A'r dydd yr aeth gofid yn fach.

Yn y gorfoledd i gyd fe garwn i feddwl fod y cenedlaethau a ddioddefodd orthrwm, a'r miloedd a gafodd eu lladd, fod y rheini hyd yn oed, yn gwenu o weld fod wal Belffast wedi dod lawr. Roedd honno'n uwch na wal Berlin, a rhai wedi eu lladd am iddyn nhw geisio mynd drosti. Nid dim ond milwyr a bomwyr sy wedi aberthu eu bywydau er mwyn heddwch. Mae yna fwy o lawer wedi aberthu drwy fentro siarad dros y wal. Roeddech chi fel finnau, mae'n siŵr, yn cofio am y gwroniaid a fu'n ceisio siarad dros wal rhagfarn a gelyniaeth ar hyd y blynyddoedd, hyd at John Hume a Mo Mowlam, y fenyw a ddwedodd wirioneddau rhy wir wrth rai ohonyn nhw, a chael ei gwrthod.

Fe gofiais neithiwr am gerdd un o fawrion yr ugeinfed ganrif i fi, Dag Hammarskjöld, lle mae fel pe'n rhag-weld y byddai'n marw tra'n ceisio tynnu gelynion byd at ei gilydd:

> Y ffordd,
> Fe fyddi di'n ei cherdded hi.
>
> Y cwpan,
> Fe fyddi di'n ei yfed e.
>
> Y dolur,
> Fe fyddi di'n ei guddio fe.
>
> Y gwir,
> Fe fyddi di'n ei ddweud e.
>
> A'r diwedd,
> Fe fyddi di'n ei ddioddef e.

2 Rhagfyr 1999

Hyder a Ffydd

Mae Bruce Larson yn ei lyfr *Edge of Adventure* yn adrodd am lythyr mewn tun a oedd yn hongian wrth fraich hen bwmp yn anialdir Amargosa yn America. Dyma'r llythyr:

> Roedd y pwmp yma yn llawn pan adewais i fe. Ond cofia, cyn elli di bwmpio dŵr lan, rhaid iti roi potelaid o ddŵr i lawr y pwmp. Felly rwy wedi gadael potelaid o ddŵr o dan y garreg sydd o dy flaen di. Faint bynnag o syched sy arnat ti a thrachwant am ddiod, paid er mwyn popeth ag yfed y dŵr sy yn y botel. Amynedd piau hi. Arllwys ddiferyn i'r pwmp i wlychu'r falf. Wedyn arllwys y gweddill i gyd ar ei ben i'r pwmp a dechrau pwmpio ar garlam. Ac fe gei di ddŵr. Cofia eto, paid ag yfed y dŵr sy yn y botel. Bydd ffyddiog, ac fe gei di fwy na digon o ddŵr o'r dyfnder. Ac wedi i ti gael dy ddigon, llanw'r botel eto a'i rhoi yn ôl dan y garreg ar gyfer y teithiwr sychedig nesa.

Beth yw'r gwahaniaeth rhwng hyder a ffydd? Roedd yna ddigonedd o ddŵr yng Nghymru ar gyfer Hyder, y cwmni dŵr a fu'n ddyfeisgar iawn yn bathu enw iddo'i hun ar sail yr enw am ddŵr mewn Groeg. Ond ni fu yn ddigon dyfeisgar wrth redeg y busnes. Roedd yna ormod o syched am arian yn y cwmni a rhy ychydig o amynedd, ac fe brynon nhw gwmni trydan Swalec er mwyn gwneud elw cyflym. Bellach mae pawb wedi colli hyder yn Hyder. Y tro nesa, ychydig bach llai o syched a thrachwant am elw, a mwy o amynedd a ffydd yn y dŵr a ddaw, ac fe gaiff Hyder fwy na digon o elw ac o hyder y buddsoddwyr. Potelaid o ffydd ac amynedd, ac fe fyddai gyda nhw heddiw lynnoedd fwy na digon.

10 Rhagfyr 1999

Y MEDDWDOD NEWYDD

Pryder ym Mhrydain am beryglon clefyd CJD mewn cig ar asgwrn tra bo Rwsia yn paratoi i ymosod ar Chechnya

Sut mae hi'r bore hwn yn y selerydd yn Grozny? Ydi'r plant yn llefain? Ydi'r hen mewn poen? Oes yna rywrai yno wedi cael eu brecwast, heb sôn am ginio? Go brin y bydd trueiniaid Grozny yn pryderu a fyddan nhw'n cael cig ar asgwrn. A gân nhw gig o gwbwl amser cinio heddiw? Ac wedi noson oer yn y gaea didostur, a oes yna gorff arall gan deulu yn disgwyl ei gladdu, a hwythau'n gwybod ei bod hi'n amhosib iddyn nhw gyrraedd unrhyw fynwent, rhwng y dryllau a'r bomiau? Dyma ni, y teulu dynol, yn cyrraedd diwedd yr ugeinfed ganrif a diwedd mileniwm, ac yn dal i ladd ein gilydd fel anwariaid, ac yn ei gwneud hi'n amhosib hyd yn oed inni gladdu rhieni.

Y bobol eraill yr ydw i'n pryderu amdanyn nhw nawr yw'n pobol ifanc ni yng Nghymru a Lloegr. Os bydd y cyrch ar Chechnya yn llwyddiannus, a thanciau Moscow yn lladd eu ffordd i fuddugoliaeth, fe fydd Rwsia yn meddwi nid ar fodca ond ar filitariaeth newydd. Yng ngwres eu gorfoledd fe fydd hen ymerodraeth Stalin yn dechrau llygadu ei chymdogion bach. Bydd yr hen Arth yn dechrau dihuno. Fydd hi ddim yn hir wedyn cyn y bydd Llundain yn pregethu ailarfogi a chynyddu milwyr. A dyna ni'n ôl, yn nechrau'r ganrif newydd, ar yr un hen lwybr. Does dim rhyfedd i Waldo Williams, yng nghanol rhyfel, weld ei rieni yntau'n lwcus eu bod nhw wedi eu claddu.

Gwyn eu byd tu hwnt i glyw,
Tangnefeddwyr, plant i Dduw.

16 Rhagfyr 1999

Capsiwl Amser

Fe ddwedodd un o'r plant wrtha i wythnos diwetha, 'Rwy am i chi a Mam sgrifennu llythyr atom ni ddiwedd y flwyddyn yma, oherwydd rwy am ei roi e, gydag ychydig luniau a llythyrau a thapiau gan y pedwar ohonom ni mewn capsiwl amser gyda rhybudd na fydd y blwch yn cael ei agor am gan mlynedd. I ba le bynnag bydd y merched yn symud, fe gaiff un ohonyn nhw fynd â'r capsiwl gyda hi, ond heb ei agor tan ddaw'r dydd. Efallai y byddan nhw fyw am fywyd maith, ac fe gân nhw agor y capsiwl a chofio amdanom ni. Fe welan nhw ein bod ninnau wedi meddwl amdanyn nhw a'r plant a'r wyrion a fydd ganddyn nhw mewn rhyw yfory pell a dierth.'

Dyna'r cais gawsom ni. Does gyda ni ddim syniad pa fath fyd fydd o'u hamgylch nhw y bore hwnnw pan agorir y capsiwl. Fe fydd Cymru a'i phobol a'i Chymraeg wedi eu gweddnewid, mae'n siŵr. Fe ddaw teganau newydd i blant ac oedolion, ac erchyllterau newydd i oedolion a phlant. Un peth yn unig y gwn i na fydd wedi newid, mewn can mlynedd, mewn mil o flynyddoedd, mewn dwy fil arall: fe fydd yna addolwyr ag enw Iesu ar eu gwefusau. Fe fydd yna gân o fawl i'r Gwaredwr yn cael ei chanu. Ac fe fydd yna greaduriaid fel finnau yn eu tlodi ysbrydol yn gofyn i Dduw am faddeuant, ac yn diolch iddo am ei ras.

'Mhen oesoedd rif y tywod mân
ni bydd y gân ond dechrau,
rhyw newydd wyrth o'i angau drud
a ddaw o hyd i'r golau.

30 Rhagfyr 1999

Duw a'i Ddannedd

Roedd yna ferch fach tua dechrau'r flwyddyn yn teithio'n ôl i'r de gyda'i rhieni, ac fe ddechreuodd hi holi ei mam am rywbeth.

'O,' meddai honno, 'gofyn i dy dad, mae hwnnw'n gwbod popeth.'

'Ydych chi'n gwbod popeth, Dad?' meddai hi.

'Ydi, ydi,' meddai'r fam, 'gofyn di iddo fo.'

'O'r gore,' meddai'r fechan, 'gadwch i fi feddwl am gwestiwn i weld a yw e'n gwbod popeth.'

Fe fuodd hi'n dawel am ysbaid, ac wedyn:

'Dad, rwy wedi meddwl am gwestiwn i weld a ŷch chi'n gwbod popeth.'

'Ie,' meddai fe, 'gofyn di fe.'

'A ydych chi'n gwbod ym mhle mae Duw yn golchi ei ddannedd?'

Fe fethodd ateb.

Petai hi wedi gofyn y cwestiwn i Gerry Adams, fe fyddai hwnnw wedi dweud mai ar Lundain yr oedd y bai, ac fe fyddai Mayhew wedi condemnio Adams am beidio ag yngan yr ymadrodd 'condemnio ymosodiad yr IRA'. Petai wedi gofyn i'r llywodraeth fe fyddai'r rheini wedi esgus ateb, drwy gael clerc yn y Swyddfa Dramor i lunio chwarter y gwir.

Y mae'r wythnos hon, am fwy nag un rheswm, yn argoeli bod yn wythnos y gofyn cwestiynau a'r cuddio atebion, y cyhuddo a'r croesgyhuddo, heb fod neb yn gwybod y gwir. O'i gymharu â phroblemau y dyddiau nesa yma, fe fydd y cwestiwn am Dduw a'i ddannedd yn edrych yn hawdd iawn ei ateb.

20 Ionawr 2000

Adar y Disgyblion yn dod yn ôl

Mae hi'n nos Sul y Pasg. Nos Sul wefreiddiol yn Jerwsalem bron ugain canrif yn ôl. Wnaeth y disgyblion ddim mynd i'r gwely'n gynnar y noson honno, os aethon nhw i'r gwely o gwbwl. O un i un fe ddaethon nhw i mewn o'r cysgodion i'r oruwchystafell, rhai wedi gweld y bedd gwag, a rhai eraill wedi clywed fod yna rai ohonyn nhw wedi ei weld. Rhai wedi bod yn rhedeg o dŷ i dŷ i holi,

'Ydych chi wedi gweld Andreas rywle?'

'Wyt ti'n gwybod ble mae Thomas?'

'Dwed wrth Philip y byddwn ni i gyd 'nôl yn yr hen le heno!'

Wedi iddyn nhw ddod yn ôl, fe welson nhw'r gwragedd a'u hwynebau gwelw, yn dala yn eu syfrdandod. Mair yn gorfod ail-ddweud hanes yr ardd fwy nag unwaith fel y cyrhaeddai rhai newydd i mewn. Yna wedyn, tua'r union adeg yma oedd hi ar y nos Sul hwnnw, pan glywson nhw ddau bâr o ddwylo yn curo yn wyllt ar y drws. Clopas, a Mair ei wraig, wedi rhedeg bob cam yn ôl o Emaus. Y ddau ohonyn nhw yn ymladd am eu hanadl, ac yn defnyddio pob anadlyn oedd ynddyn nhw i sôn am y daith fythgofiadwy honno gawson nhw ryw dair awr ynghynt. Y naill yn baglu ar draws y llall wrth gofio rhyw bethau ddwedodd e ar y ffordd. Wedyn yn torri lawr wrth ddweud amdano'n cydio yn y dorth yna, a chlwyfau'r hoelion ar gefn ei ddwylo. Tybed a welodd yr eglwys erioed nos Sul debyg i honno?

Mae nos Sul y Pasg yn dala i gario'i gwefr arbennig gyda hi i lawer yng Nghymru heno, ond nid am yr un rheswm yn union. Y noson cyn y Gymanfa yw hi mewn llawer ardal. Noson mynd dros y darnau, noson mynd drwy'r darlleniad ar gyfer y rhannau arweiniol, noson ymarfer y tonau i gyfeilyddion, noson i arweinyddion orffen nodiadau am Joseph Parry a Morfudd Llwyn Owen. Noson rhoi'r dillad newydd yn barod, a golchi gwallt. Bydd yna gynulleidfa hardd iawn fanna fory. Yr oedolion fel y plant a'u hwynebau yn loyw wedi'r dŵr a sebon, a'r lleisiau i gyd yn barod. Bydd y galeri yn orlawn yn y cwrdd bore, a thonau bywiog y plant yn ysgwyd y lle.

Lawr yn eu corau o dan y galeri bydd Dat-cu a Mam-gu, wedi gofalu eistedd mewn lle iawn i weld yr wyres fach yn darllen pennill cynta'r trydydd emyn o gôr ffrynt y galeri. Hyd yn oed y diaconiaid di-ganu yn dod mewn i wrando a mwynhau gwres yr addoliad.

Fe fydd yna rai dieithr yno hefyd. Ambell bâr ifanc efallai, a babi bach gyda nhw, neu deulu ifanc ac un neu ddau o blant. Efallai y bydd yno faswr na welodd neb mohono mewn un ysgol gân na rihyrsal, ond yn gwybod y tonau cyfarwydd, bob un ohonyn nhw. Pobol ar eu gwyliau fydd y rhain. Rhai gartre dros y Pasg er mwyn cael y Gymanfa. Rhai yn digwydd bod yn yr hen ardal, ac wedi penderfynu troi i mewn er mwyn cael blas ar hen brofiadau plentyndod. Llawer ohonyn nhw mewn capel am y tro cynta oddi ar iddyn nhw ymadael â bro eu magwraeth. Adar wedi gadael y nyth a heb gael nyth mewn unrhyw eglwys arall yw rhai o'r rhain. Fe allaf glywed ambell hen batriarch yn dweud nawr ei bod hi'n dda fod yna rywbeth yn eu tynnu nhw'n ôl, hyd yn oed os mai dim ond y gân yw hi. Mae'n ddigon gwag yn y capeli ar ddydd Sul.

Rwy'n cofio clywed beth amser yn ôl am Ynys Aberteifi, hen ynys a fu'n atsain gan gân adar dros y canrifoedd. Byddai'r adar a'u cywion yn cael nythu yno'n gysurus a diogel o flwyddyn i flwyddyn. Yna fe ddaeth yna bla o lygod mawr i'r ynys ac fe ddifawyd yr wyau a chwalwyd y nythod i gyd. O flwyddyn i flwyddyn edwinodd yr heidiau o adar a ddeuai yno, nes yn y diwedd penderfynodd adar drycin Manaw nad oedden nhw am nythu byth mwy yn Ynys Aberteifi. Hedfan heibio fydden nhw wedyn bob blwyddyn i nythu mewn ynysoedd eraill mwy cysurus. O dro i dro, fe fydd ambell un ohonyn nhw efallai yn disgyn am ysbaid yn yr hen ynys, ond dim ond i gael saib yn awel yr hen le. I fyny ag ef wedyn ac ymlaen i gyfeiriad y nythle newydd mewn ynys bell.

Wedyn fe gafwyd gwared ar y llygod mawr yn llwyr o Ynys Aberteifi. Unwaith eto fe ddaeth hi'n ynys ddiogel i adar. Ond pwy allai ddweud hynny wrth yr adar? Erbyn hyn roedd greddf newydd wedi ei phlannu yn eu calonnau nhw. Yna fe feddyliodd rhyw naturiaethwr dyfeisgar am ffordd i'w denu nhw yn ôl. Fe osodwyd uchelseinydd yn Ynys Aberteifi, a thrwy hwnnw canwyd record o gân adar drycin ar adeg nythu. Y bwriad oedd denu'r adar a ddeuai i gyffiniau'r ynys a'u cymell i ddod yn ôl i nythu yn yr hen le.

Tybed a fydd yna galon ifanc ar lawr y capel yna bore fory yn y Gymanfa, ar ei ffordd at ynysoedd dieithr i nythu, dieithr i Dduw ac i Arglwydd yr Atgyfodiad? A thybed a fydd y galon honno yn clywed sŵn yr hen gân, ac yn cael ei denu yn ôl i nythu eilwaith yn ynys yr eglwys? A dod yn ôl, fel y disgyblion a fu ar ffo, i nyth yr oruwchystafell.

23 Ebrill 2000

Pwy Biau Aberporth?

Y mae yna duedd ynom i gyd i neidio ar ben wagen os yw hi'n wagen newydd. Rhyw flwyddyn neu ddwy yn ôl bwydydd organig oedd hi. Bellach gwrthwynebu addasu genynnol yw'r wagen, a phawb yn rhuthro'n wyllt i neidio ar ei chefn hi yn hollol ddifeddwl. Bu braw ac arswydo am fod rhyw gae tua Sir y Fflint wedi ei hau â had wedi ei 'lygru', a bonllef o ddicter am fod had wedi ei addasu'n enynnol wedi ei hau yn ddiarwybod ar lawer rhan o'n tir. Mae yna hadau eraill wedi eu hau, ac yn cael eu hau o hyd yng Nghymru, y byddai'n rheitiach inni ofidio amdanynt.

> Plannwyd egin coed y trydydd rhyfel
> Ar dir Esgeir-ceir a meysydd Tir-bach
> Ger Rhydcymerau.

Mae geiriau Gwenallt yr un mor berthnasol am hadau militariaeth sydd wedi eu hau ar feysydd dirifedi drwy Gymru y ganrif hon, o Sain Tathan i'r Fali ac o Gastell Martin i Gilmael ger Abergele.

Yn ddiweddar, fe'n hatgoffwyd am feddiannu Epynt, ac fe gofiais am lythyr trawiadol Iorwerth Peate yn y *Times* adeg rhyfel y Malfinas. Roedd Mrs Thatcher wedi sôn am egwyddor cyfiawnder a hawliau dynol: os oedd ffermwyr defaid Prydeinig yr ynysoedd hynny yn mynegi eu dewis i barhau i feddiannu eu ffermydd, yr oedd hi'n ddyletswydd foesol ar Brydain i ymladd hyd at waed dros eu cadw yno. A chwestiwn bachog Dr Peate oedd: ple'r oedd yr egwyddor honno yn y pedwardegau pan feddiannwyd ffermydd Epynt a gyrru'r ffermwyr defaid o'u tir er mwyn rhoi maes ymarfer i'r fyddin? O gofio campwaith y llythyr hwnnw, eironig iawn oedd hi i'r lluoedd arfog glochdar mai ar fryniau Epynt yr enillwyd rhyfel y 'Falklands'!

Mae'n debyg fod gan y Weinyddiaeth Amddiffyn hawl, y tu hwnt i gyfraith arferol, i feddiannu tir i'w ddefnyddio ar gyfer eu hymarferion bondigrybwyll. Ond wrth chwilio rhai ffeithiau am y Lluoedd Arfog Prydeinig ar y rhyngrwyd yn ddiweddar, mi sylweddolais mai ychydig o esgus sydd iddyn nhw ddal gafael ar yr holl diroedd yng Nghymru bellach. Er enghraifft, mae adroddiad am waith rhagorol y Gwarchodlu Cymreig ym 1999, yn cael treulio dau fis yn yr Unol Daleithiau. Fel rhan o'r ymarfer fe gafodd pob milwr gyfle i fynd i sgio a sglefrio. Wedyn, hawl i dreulio gwyliau yn unrhyw le a fynnen nhw yn yr Unol Daleithiau. Yna yn goron ar y cyfan, pythefnos o wyliau yng Nghymru. Maen nhw wedyn wedi bod yn ymarfer gyda NATO yng Nghanada. Yn fuan cânt gyfnod yn Belize ac yna ymlaen i Wlad Pwyl. Ar ôl hynny fe gân nhw fynd i fynydda yng Nghymru a'r Alban cyn cael cyfnodau yn Bafaria ac yn ddiweddarach yn Nhwrci. Dyw hi ddim yn rhyfeddod fod cyllid y wlad yn brin i wella'r Gwasanaeth Iechyd!

Y mae yna feddiannu o fath arall wedi digwydd ar hen Fae Ceredigion. Mi ddois ar draws hysbyseb ddiddorol iawn am Aberporth. Hysbyseb yw hi, mae'n debyg, ar y we fyd-eang ar gyfer gwladwriaethau militaraidd y byd, a chynhyrchwyr taflegrau'n arbennig. Dowch yma, meddai'r hysbyseb, i brofi'ch taflegrau. Mae gennym 6,200 o gilomedrau sgwâr ar fôr yn barod ar gyfer profion. Fe ellwch eu saethu i fyny faint fynnoch chi, oherwydd y mae gennym awyr rydd hyd unrhyw uchder, yn Saesneg: *safety area of unlimited height*. Mewn geiriau eraill, hyd y nef!

Bron gan mlynedd yn ôl, gweddïau Evan Roberts a'i gyfeillion oedd biau'r awyr uwchben Aberporth a Blaenannerch. Erbyn hyn, mae'n amlwg mai Gweinyddiaeth Amddiffyn Prydain Fawr biau'r cwbwl, o'r ddaear hyd y nef; yn eu geiriau nhw, *surface to air*.

Credaf mai un o dasgau mawr y Cynulliad fydd dechrau puro daear ac awyr Cymru yn y cyfeiriad hwn. Gadawed hwy i wyddoniaeth a meddygaeth ddweud wrthym, os profir hynny, fod angen mwy o ofal gydag addasu genynnol. Ond mae canrif o ladd eisoes wedi profi fod taflegrau a bomiau a dryllau yn berygl i'n hiechyd ni, ac i iechyd byd.

28 Ebrill 2000

Chwarae'n Troi'n Chwerw

'Rŷch chi fel plant,' meddai Iesu wrth Iddewon ei ddydd. Roedd wedi sylwi fel y gallai chwarae droi'n chwerw gyda phlant ambell waith. Fe welodd rai ohonyn nhw yn y farchnad wedi mynd i eistedd lawr ar ganol y gêm gan achwyn nad oedd y lleill yn chwarae'n deg (Luc 7:32). Mae awdurdodau'r bêl hirgron yn cwrdd draw yn Iwerddon yn trafod twyll mewn rygbi. Mae awdurdodau byd criced rhyngwladol yn trafod betio mewn gêmau prawf. Mae bocsio wedi troi'n orffwyll gyda hanner dwsin o wahanol bobol yn hawlio eu bod nhw'n bencampwyr byd yn y pwysau trwm. Mae marchogion yn cael anwybyddu diogelwch er mwyn ennill, a mwy yn cael eu lladd wrth syrthio oddi ar geffylau nag o lofruddiaethau cefnogwyr pêl-droed yn Nhwrci. Mae athletwyr yn dal i ddibynnu ar gyffuriau. Ac mae'n debyg fod mwy o brinder reffarîs na phrinder gweinidogion, a hynny am fod pêl-droedwyr yn mynnu ymddwyn fel plant. Ydi, mae hi wedi bod yn wythnos ryfedd mewn chwaraeon.

Does dim byd yn fwy hyll na gweld dynion plentynnaidd. Ac eto echdoe fe welais i blant yn chwarae gyda'i gilydd fel angylion. Fe fyddai'n fendigedig petai modd tynnu'r arian a'r cyffuriau a'r casineb o fyd chwaraeon a chael y plentyn mewn dyn i fwynhau'r gêm. Dyna pam y dwedodd Iesu mewn man arall, 'Heb gymryd eich troi a dod fel plant, nid ewch fyth i mewn i deyrnas nefoedd' (Mathew 18:3).

3 Mai 2000

Mwynhad

Wedi bod yng Nghyfarfod y Llywydd yng Nghymdeithasfa'r Gogledd – wedi mentro am unwaith i blith Presbyteriaid!

Mi fuom ni ein dau neithiwr ymhlith rhai eraill yn mwynhau un o brofiadau cofiadwy bywyd. Na, nid gyda 'mrawd oeddwn i yn gwylio Morgannwg yn rhoi crasfa i Hampshire, er y byddai bod yn y fan honno wedi bod yn arial i'r galon. Ond lawr mewn cyfarfod ym Mhwllheli y buom ni, y wraig a finnau, yn gwrando ar anerchiad gwirioneddol gofiadwy a'n cadwodd ni i gyd fel cynulleidfa ar flaenau'n seddau.

Petawn i wedi bod yng Ngerddi Sophia brynhawn ddoe, yn gwylio Dale a Parkin a Watkin wrthi yn achub y dydd mor annisgwyl, fe fyddwn i ar flaen fy sedd yno hefyd, ac wedi mwynhau, nes y byddwn i'n falch 'mod i'n Gymro. Ond mi ges i'r un balchder ym Mhwllheli o weld cynulleidfa'n medru gwrando mor astud am awr gyfan o sylwedd. Onid yw mwynhad a phleser yn bethau rhyfedd? Maen nhw'n bethau mor brin ar un olwg, ac eto ar olwg arall yn bethau mor hawdd eu cael.

Nathaniel Hawthorne ddwedodd fod gwir fwyniant fel iâr fach yr haf. Fe allwch chi redeg ar ei hôl hi yn ofer am ddiwrnod cyfan, ac fe fydd hi o hyd y tu hwnt i'ch gafael chi. Yna eisteddwch lawr, ac fe all hi ddod a disgyn yn ysgafn ar eich llaw chi.

9 Mai 2000

Gorfoledd Brychdyn

Rwyf innau fel chithau a'r *Daily Post* y bore yma yn gorfoleddu fod gobaith newydd am waith i bobol Sir y Fflint. Un o brofiadau erchyll bywyd yw colli swydd a bywoliaeth, a'r tad yn dod adre i'r aelwyd a gweld ei blant yn chwarae â'u teganau heb iddyn nhw sylweddoli fod un llythyr diswyddiad wedi newid eu bywydau hwythau hefyd yn llwyr. Felly, testun diolch y bore hwn yw swyddi newydd y gogledd-ddwyrain.

Eto pam yn enw popeth na all swyddi newydd Cymru fod yn swyddi iach? Pam mae'n rhaid iddyn nhw fod yn swyddi'r fasnach arfau? Masnach a fydd yn creu awyrennau newydd Hercules i gario tanciau a dryllau mawr, a chreu taflegrau newydd i chwalu trefi a dinasoedd. Pam y mae'n rhaid i'r hyn sy'n mynd i roi bywyd i ardal Brychdyn fod yn farwolaeth i ryw drefi tramor yn rhywle ymhen blwyddyn neu ddwy? Yr union bobol sy'n gwaredu at yr hyn ddigwyddodd yn Chechnya a phob Chechnya arall a welson ni y llynedd, yr union bobol sy'n bytheirio am yr hyn sy'n digwydd yn Sierra Leone, y rheini yw'r bobol sydd y bore yma'n ymfalchïo y bydd Cymru'n gwerthu arfau llofruddio i greu rhyw Chechnya a Sierra Leone newydd.

Rhyw fis yn ôl bu helynt am un cae yn Sir y Fflint yn cynnwys had wedi ei addasu'n enynnol. Meddyliwch bellach am y caeau, yn yr un fro, a fydd o dan hadau llawer mwy dinistriol, rhesi o daflegrau a bomiau lladd, melltithion a fydd yn llygru Cymru a'r byd lawer mwy yn y dyfodol agos.

Y bore yma, efallai y bydd yna dad yn ardal Brychdyn yn falch ei fod yn medru dod adre a dweud wrth ei blant y cân nhw fynd ar wyliau i'r Cyfandir y flwyddyn nesa. Ond ymhen y flwyddyn neu ddwy nesaf, pwy a ŵyr na fydd yna dad yn rhywle yn Asia neu Ewrop neu Affrica a fydd wedi gweld taflegrau Gogledd Cymru yn chwalu ei bentre ac yn lladd ei deulu. Fydd yna ddim plant gan hwnnw iddo gael dod adre atyn nhw o gwbwl.

18 Mai 2000

Neuadd Fawr

Roedd yna ymadrodd y byddem ni yn ei ddefnyddio am ffarmwr yn symud o ffarm fawr i ffarm fach: mynd i le o lai. Roedd yn beth derbyniol hollol i'w wneud, oherwydd mae yna fanteision arbennig yn y lle llai. Fe lwyddodd Mark Hughes a'i dîm neithiwr i gadw nifer goliau Brasil lawr i dair, a'r ffordd y gwnaethon nhw hynny oedd gofalu fod staff Stadiwm y Mileniwm yn paentio ffiniau'r cae chwarae chwe llath yn llai na'r arfer. Mi welais i ran o'r ail hanner, a phetai Rivaldo a'i gyfeillion chwimwth wedi cael cae llydan i brancio drosto, dyn a ŵyr beth fuasai'r sgôr.

Roedd hi'n dda gweld fod Rhodri Morgan hefyd yn ystyried mynd i le o lai. Mae yna leisiau yn gweiddi dros fawredd. Mae angen lle mawreddog ar y Cynulliad medden nhw, oherwydd mae angen cartre urddasol ar gynulliad cenedlaethol.

Druan ohonyn nhw os ydyn nhw'n meddwl fod urddas yn dibynnu ar fawredd. Fe gewch chi balasau yn y byd hwn heddiw, lle mae yna deuluoedd yn byw bywyd digon di-urddas. Ac fe gewch chi ambell i fwthyn o fyngalo, lle mae arwriaeth cariad ac amynedd y teulu yn rhoi urddas ar fywyd. Yr hyn fydd yn anrhydeddu'r Cynulliad fydd meddyliau eang a gweledigaethau llydan, hyd yn oed os byddan nhw mewn ystafelloedd bach. Babi blwydd yw'r Cynulliad, a does dim angen palas ar gyfer babi. Rŷch chi'n cofio'r cwestiwn a ofynnodd Waldo Williams:

> Beth yw trefnu teyrnas?
> Crefft sydd eto'n cropian . . .

Yn yr un gerdd fe ofynnodd gwestiwn arall, lawn mor berthnasol i aelodau'r Cynulliad:

> Beth yw byw?
> Cael neuadd fawr rhwng cyfyng furiau . . .

23 Mai 2000

Milosevitch

Roeddwn i wedi dod adref echnos yn hwyr ar y trên a dechrau cerdded yn y curlaw o'r orsaf am y car. Yn sydyn beth welwn i yn dod mas o ffordd Cae Maes Lodwig ond llygoden fawr, gan anelu i groesi'r ffordd. Troi'n ôl wnaeth hi wedi gweld car yn dod amdani. Beth achosodd i honna ddod mas ar y fath noson, myntwn i wrth fy hunan, os nad oedd llifogydd y glaw wedi gorlifo'i nyth. Ac am y tro cynta fe deimlais drueni dros lygoden.

Ychydig feddyliais y byddwn i neithiwr yn clywed am lygoden fawr arall, a llifogydd o bobol wedi gorlifo'i nyth, ac yntau wedi ffoi. Mewn un storom fawr mae ei fywyd wedi newid am byth. Ac am y tro cyntaf, roedd yna rywfaint o gydymdeimlad at Milosevitch yn fy nghalon i; neu o leiaf deimlad dros bawb â'u bywydau wedi eu newid dros nos.

Oherwydd fe gafodd merch ei lladd gan y gorfoledd yn Belgrâd neithiwr, a hynny drwy ddamwain. Felly dyna ddau bellach, a dau deulu, na fyddan nhw yn rhan o'r dathlu yn Serbia, a'u bywydau wedi eu newid dros nos. Ond mae yna fyd o wahaniaeth rhwng y ddwy brofedigaeth. Fe fydd pennau call y byd ar hyd y dydd heddiw yn doethinebu uwchben tynged a thristwch Milosevitch, ac yn dweud iddyn nhw weld hyn yn dod o bell. Ond y gamp fyddai trafod marwolaeth y ferch, yn ei diniweidrwydd, a laddwyd yng nghanol llawenydd. Yn y fan yna, lle mae doethinebu dyn yn hollol fud, yn y fan yna y gall ffydd ddechrau llefaru.

5 Hydref 2000

Y TANGNEFEDDWYR

Ymosododd terfysgwyr ar long ryfel o America
yn Aden ddoe, gan ladd 17

Wrth glywed am y tân y bore 'ma ar stad Blaen y Maes yn Abertawe fe gofiais am Waldo Williams yn gweld tân yn Abertawe adeg y rhyfel. Mae yna gwpled rhyfedd ganddo ar derfyn y penillion yn ei gerdd i'r Tangnefeddwyr.

Uwch yr eira, wybren ros,
Lle mae Abertawe'n fflam,
Cerddaf adref yn y nos,
Af dan gofio 'nhad a 'mam.

A dyma'r cwpled:

Gwyn eu byd tu hwnt i glyw,
Tangnefeddwyr, plant i Dduw.

Mae fel petai'n dweud, o feddwl am greulondeb y rhyfel, mae'n dda eu bod nhw yn eu bedd rhag gorfod clywed y newyddion.

Mae yna un y bore hwn nad yw yn ei fedd, ac yn crwydro rhwng Jericho a Jerwsalem, ac i fannau lle mae'r strydoedd a'r dwylo yn goch gan waed. Beth sydd yn ei feddwl yntau tybed wrth weld erchyllterau ei bobol ef ei hunan yn ei wlad ef ei hunan? Ac erchyllterau eu gelynion hefyd. Rŷm ni i gyd yn euog yn y rhyfel newydd hwn eto. Dyw'r bomwyr mewn *dingy* ddim gwahanol i'r morwyr Americanaidd a gafodd eu lladd ganddyn nhw, oherwydd mewn llong ar gyfer lladd eraill yr oedden nhw i gyd.

Mae'n edrych yn dywyll ddifrifol bore heddiw. Eto, yr unig gysur sy gen i yw meddwl y bydd Iesu yn dal i gerdded ffyrdd Palesteina, ac y daw Iddewon ac Arabiaid i ddysgu ganddo faddeuant a gras. Wedi'r cwbwl, mae'r cwpled yna gan Waldo yn newid cyn diwedd y gerdd:

Gwyn eu byd, daw dydd a'u clyw,
Dangnefeddwyr, plant i Dduw.

13 Hydref 2000

Y Llun

Cyhoeddwyd adroddiad gan yr Arglwydd Phillips i'r modd y deliwyd ag argyfwng BSE mewn gwartheg

Pan oeddwn i'n rhyw bump oed, fe dynnodd fy mam, heb yn wybod i ni, lun fy mrawd hyna a minnau yn cychwyn lawr o'r buarth ar y ffordd i'r ysgol Sul, ac yntau yn gafael yn fy llaw i. Llun o'r tu cefn yw e, a'n hwynebau ni i gyfeiriad y daith hir lawr am y capel. Dwi ddim yn cofio iddi ddweud erioed wrthym ni iddi dynnu'r llun. Ei ddarganfod wnaethon ni wedi iddi farw. Ond y mae yn llun sy'n llefaru cyfrolau amdani hi a'n magwraeth ni.

Fe ddaeth y llun hwnnw yn ôl i 'nghof i, pan welais i ar deledu neithiwr, lun y dwyflwydd James Bulger yn llaw ei lofrudd, yn cael ei arwain i gyfeiriad ei farwolaeth. Tynnwyd y llun hwnnw yng nghanol y siopau o'r tu cefn i'r plant, heb yn wybod iddyn nhw; llun a fydd yn aros yn un o luniau creulondeb yr ugeinfed ganrif. Y diniwed yn meddwl ei fod yn ddiogel, yn cael ei arwain i'w dranc.

Ddoe hefyd fe dynnodd yr Arglwydd Phillips lun, llun swyddogion llywodraeth, a gweinidogion llywodraeth, yn camarwain y diniwed, y rhai oedd yn meddwl eu bod nhw'n ddiogel yn eu dwylo nhw. Nid llun John Gummer yn rhoi cig eidion yng ngheg ei ferch oedd yn eu condemnio nhw. Yn wir, y llun hwnnw sydd wedi ei achub e, yn dangos ei fod yn credu'n gydwybodol yr hyn yr oedd yn ei ddweud. Paentio darlun llywodraeth yn camarwain gwerin a wnaeth yr Arglwydd Phillips. Ein brawd mawr ni yn chwarae â'n bywydau ni drwy guddio'r gwirionedd, dyna sy'n ddamniol. Mae'n wers i ni i gyd sy'n gyfrifol am eraill. Mae'n rhaid i bawb sy'n dymuno bod yn frawd mawr gofio fod bywyd brawd bach yn ei ddwylo fe.

26 Hydref 2000

Cleifion ar Drolis

Mae yna beryg, medd y Gweinidog Iechyd, Alan Milburn, y bydd drychiolaethau yn dod i'w boeni y gaeaf yma, gweld ychwaneg o gleifion yn cael eu gadael ar drolis mewn ysbytai oherwydd prinder gwelyau. Roedd meddwl am gleifion yn gorwedd mewn coridorau a meddygon a nyrsys a chleifion eraill yn cerdded heibio iddyn nhw yn fy atgoffa am hanesion yn y Testament Newydd amdanynt yn rhoi 'cleifion yn yr heolydd' (Marc 6:56). Wydden nhw ddim i sicrwydd pa ffordd y deuai Iesu heibio, na phryd. O leiaf, roedden nhw'n cynyddu'r cyfle i Iesu weld y claf annwyl y carent weld ei iacháu. Gallwn ddychmygu pob math o bobol yn cerdded heibio i'r cleifion, rhai yn sylwi a rhai ddim, fel mewn ysbyty. Fel mewn ysbyty, ambell fam neu ŵr neu wraig neu fab neu ferch yn sefyll yn ymyl y claf. Fel mewn ysbyty, yn disgwyl meddyg.

Yn Genesaret yr oedd hi'n well eu bod nhw ar yr hewl nag yn y tŷ, oherwydd roedd yna obaith yn eu calon y byddai'r Meddyg Da yn cerdded heibio. Dyna weinidogaeth hyfryd yw gosod pobol mewn man manteisiol i ddigwydd gweld y Gwaredwr. Fe fydd rhai rhieni yn gwneud hynny gyda'u plant. Lleiafrif erbyn hyn, mae'n wir, ond lleiafrif call iawn. Ac fe ddônt â'u plant i ysgol Sul. Gwell byth, fe ddônt â'u plant i oedfa. Ni all neb ohonyn nhw wybod a fydd Iesu'n dod drwy'r oedfa honno, ond o leiaf os daw, fe all y plentyn gael llaw'r Gwaredwr yn ei fendithio.

Gweinidogaeth dda yw cymell cymydog a chyfaill i gyfeiriad eglwys. Ychydig o gamau oedd eu hangen i symud y claf o'r tŷ i'r hewl, ond fe allai wneud byd o wahaniaeth i'r claf. Ychydig eiriau fyddai eu hangen i gymell y cyfaill i'r gwasanaeth, ond fe allai agor byd newydd yn ei fywyd.

Bore heddiw y mae'r byd yn ei dŷ. Mae'n afiach ei gyflwr. Mae'n gaeth i barlwr ei hunanoldeb ac i gegin ei drais ac i stafell gefn ei gasineb a'i eiddigedd. Pwy all ei lusgo o'r tŷ i'r hewl? Yn sicir nid yr eglwys yn ei gwendid presennol. Ond cofied yr eglwys fod yna ffordd arall i gael Wil o'i wely. Dechreued yr eglwys ben bore sôn yn gynnil wrth yr hen fyd gorweiddiog am y Gŵr rhyfedd yma o Nasareth, amdano'n dysgu ac yn iacháu tua Chapernaum. Yn nes ymlaen yn y bore fe ellid digwydd crybwyll ambell hanesyn amdano ar lan llyn Galilea yn iacháu pobol ddifrifol wael ar y traeth, a hynny dim ond drwy iddyn nhw gael cyffwrdd ag ef. Cyn cinio fe ellid digwydd sôn yng nghanol siarad am y tywydd fod yr Iachawdwr wedi dod draw i Genesaret, ac yn wir y gallai fod yn dod heibio'r ffordd yma y prynhawn hwnnw. Pwy a ŵyr na allai yr hen fyd ei hun yn y diwedd awgrymu na fyddai'n beth drwg iddo gael golwg ar y dyn yma. Cyfrifoldeb yr eglwys wedyn fydd dod â'r troli yn barod.

4 Tachwedd 2000

Yr Ŵyl Gerdd Dant

Os oeddech chi wedi dihuno'n ddigon cynnar y bore 'ma fe fyddech chi wedi clywed Gwennant yn sôn am yr Ŵyl Gerdd Dant sy'n cael ei chynnal yma ym Mangor yfory. Fe fydd hi'n Ŵyl i'w chofio os byddwch yno yn y neuadd fawr. Ac fe allech chi gael gwersi ar gyfer byw yn yr Ŵyl hon. Fe gewch chi adrodd i gyfeiliant, adrodd barddoniaeth a theimlo'r gerddoriaeth yn gefn ichi, fel y teimlwch chi weithiau ambell berson agos yn gefnogaeth ichi mewn bywyd. Fe gewch chi ddawnsio i gyfeiliant cerddoriaeth. Fe gawn ni'r gân yn ein hysbrydoli ni ac yn ein hysgogi ni i symud, fel y cawn ni'n aml ryw symbyliad o rywle mewn bywyd i gyflymu'n traed ni a'n bywhau ni i gyd.

Yna wedyn yn y canu, fe gewch chi'r delyn yn canu un alaw a'r canwr yn canu alaw arall, ond y ddau yn plethu yn ei gilydd yn un gynghanedd felys. Fel yna y dylai hi fod wrth fyw. Fe all dau gymar fod yn hollol wahanol i'w gilydd, ac yn mynd eu ffyrdd eu hunain, ac eto bydd eu bywydau nhw yn clymu yn ei gilydd yn bartneriaeth ddymunol. Os bydd y naill, fel alaw'r delyn, yn codi'n gynnar yn y bore, a'r llall fel cyfalaw'r canwr yn codi yn nes at naw, eto fe fyddan nhw'n para mewn cytgord â'i gilydd ar hyd y dydd, ac fe fyddan nhw'n noswylio yr un pryd ym mreichiau ei gilydd. Fel yna y gall hi fod mewn bywyd fel mewn cerdd dant.

Ac os dewch chi yma, fe gewch chi nid yn unig wersi ar gyfer byw yn y byd hwn, fe gewch chi hefyd un paratoad at fyw yn y byd arall. Oherwydd fe fyddwch chi'n gweld ar fuarth y Coleg, goedwig o delynau, bron gymaint ag a welwch chi yn y nefoedd.

16 Tachwedd 2000

Darn o Weddi

A roddwyd imi gan Grynwraig yn llesgedd ei hafiechyd

O Dduw annwyl,
nerth creadigol cariad ac iachâd a chyfanrwydd,
Dysg imi weld y byd,
nid drwy fy ofnau, na thrwy fy meddyliau beirniadol i,
ond drwy dy obeithion cariadus di,
fel y gallaf weld y blodau sy'n agor
heb eu disgwyl ym mywyd un arall.

Dysg fi i gerdded, a dymuno cerdded,
yn dy oleuni di, yn ogystal ag yn dy dywyllwch,
nid yn unig ar hyd fy ffyrdd i, ond yn ffyrdd rhywun arall hefyd,
ac yn ei esgidiau.

Dysg fi i garu, fel drwy garu y medraf ollwng yn rhydd
y cariad sydd wedi ei garcharu yng nghalon pob un ohonom.

(Cyfieithiad o ddyfyniad gan Evelyn Evans, yn Ward Dulas, Ysbyty Gwynedd, 10 Rhagfyr 2000, o waith Deborah Padfield, *The Friend*, 10 Chwefror 1995)

10 Rhagfyr 2000

Diwrnod ym Mywyd . . .

Darn a gyfansoddwyd ar wahoddiad, ar gyfer cyfres gan wahanol awduron

Ym mywyd gweinidog y mae gan bob diwrnod ei gymeriad. Os bydd gan y diwrnod alwadau arbennig, rhyw gyfarfod y mae angen ei annerch, neu angladd y bydd yn rhaid iddo ei harwain, pryderon am yr achlysuron hynny fydd yn rheoli'r diwrnod. Fe soniaf am ddoe, gan iddo fod yn ddiwrnod gweddol gyffredin ond ronyn yn llawnach na'r arfer.

Y post yw dechrau'r dydd i mi, pan fydd y postman yn gwthio'r bwndel ar lawr y cyntedd tua'r hanner awr wedi saith. Yng nghanol y sbwriel amhersonol bore ddoe, roedd yna lythyr hyfryd o bersonol gan un o'r diaconiaid, y Dr Isaac Thomas, a'i briod Sybil. Roedd yntau wedi dathlu ei ben-blwydd yn ddeg a phedwar ugain yr wythnos diwetha, ac Avril wedi bod wrthi'n gwneud teisen fach ben-blwydd iddo. Gan 'mod i'n gwybod ei fod yn darllen dogn dda o Roeg bob dydd, mi berswadiais Avril i osod darn o adnod o Lythyr Cyntaf Paul at Timotheus mewn Groeg ('Gras a thrugaredd a thangnefedd i ti', 1 Timotheus 1:2) a'i lunio yn yr eisin. Ac meddai Isaac yn ei lythyr, 'Addunedaf gymryd geiriau wyneb y deisen yn logo am yr hyn o amser sy'n ôl imi.'

Wedi brecwesta, cael galwad ffôn gan gyfaill o brifathro ysgol. Wedi iddo ddweud ei neges, fe soniai wrthyf eto ddoe am ddau athro yn ei ysgol yn eiddigeddus o'i gilydd, a'r ystafell staff i gyd yn diflasu. Felly y mae hi ym mhob cylch, mewn eglwysi yr un fath. Fel y dywed yr hen ddihareb werinol o Kenya, pan fo eliffantod yn ymladd, y borfa sy'n diodde.

Bore yn y stydi oedd hi i mi bore ddoe. Gorffen paratoi darlith ar gyfer dydd Gwener i ddechrau. Fe fydda i'n teimlo'n aml 'mod i'n cuddio diffyg dyfnder fy neall y tu ôl i dipyn o addysg a graddau prifysgol. Mae byd academia, a'r myfyrwyr weithiau, yn medru bod mor arwynebol a ffug ddeallus. Rwy'n cofio rhywun yn sôn am hen 'Goleg y Presby' yng Nghaerfyrddin, 'na fydde gyda nhw tua'r Presby yna ddim llawer o barch at neb os na bydde gydag e gynffon o radd mewn diwinyddiaeth. Mae'n siŵr na fydde gyda nhw felly fawr o barch at bobol fel Pedr ac Iago ac Ioan ac Andreas.'

Yn ôl at y llyfrau, a chael ei bod hi'n anodd canolbwyntio. Roeddwn i wedi cael cais yn ddiweddar am lunio cwpled i'w roi ar garreg fedd. Sut gallwch chi grynhoi bywyd a'i roi mewn cwpled, yn enwedig bywyd rhywun yr oeddech chi'n meddwl y byd ohono? Weithiau yn wyneb tasg fel hon fe fyddwch chi'n cael eich temtio i osgoi'r person a mynd am ddihareb. Mae'r un broblem gyda chi wedyn. Meddyliwch am yr hen ddihareb yma o'r India: sut allech chi osod hon mewn cwpled:

> Pan fydd babi yn cael ei eni,
> fe fydd y babi yn llefain, a'r byd yn llawenhau.
> Ond mae rhai wedi byw fel, pan fyddan nhw farw,
> fe fyddan nhw'n llawenhau a'r byd yn llefain.

Mae'n rhaid mynd at dasgau eraill. Mae angen meddwl am anerchiad ar gyfer cinio Gŵyl Ddewi yn Amwythig yr wythnos nesa. Felly nodi rhai syniadau posib. Un peth cenedlaethol y byddaf yn ei chael yn hawdd ei osgoi fydd sôn am bethau fel tîm rygbi. Mae yna gymaint o bwys yn cael ei roi bellach ar nerth a maint, a chyn lleied o bwys ar ddawn ac ystwythder. Fel y gwelwyd yn yr Alban, nid maint y ci yn y ffeit sy'n cyfri, ond maint y ffeit yn y ci.

Bore ddoe, serch hynny, roedd yna waith arall yr oeddwn am ddechrau ei roi ar y gweill. Fe es ati i ddechrau meddwl am gyfeiriadur ar gyfer *Caneuon Ffydd*. Mae'r gyfrol honno wedi mynd â thipyn o egni rhai ohonom ni yn ystod y blynyddoedd diwetha 'ma. Ac mi ges ffôn yn ystod y bore yn dweud fod ein copïau ninnau fel eglwys ar eu ffordd i Fangor ac i'r Siop Lyfrau. Dyna alw am fwy o egni eto pan fydd yn rhaid cael fflyd o geir i gario'r llwyth o'r siop i'r capel.

Ond sôn yr oeddwn i am gyfeiriadur i'r gyfrol, ac fe allai fod yn rhan o gyfrol 'gydymaith'. Yn aml iawn, fe fyddaf yn cofio ymadrodd o bennill emyn, eto yn methu'n lân â chofio'r llinell gynta. Bwriad y cyfeiriadur fyddai rhoi cymorth inni weld ym mha emynau y mae yna sôn am 'y tlawd a'r gwan', neu 'yr Iawn', neu'r 'ddawns'. Ar gyfer gwaith felly wrth gwrs, rhaid cael cyfrifiadur. Rwy'n dibynnu'n helaeth ar y creadur hwnnw. Dyma ichi offeryn sy'n medru cymhlethu a symleiddio bywyd yr un pryd, ac rwy'n eu newid yn amlach nag y bydda i'n newid car, er ei bod hi'n haws cael gwared ar hen geir na hen gyfrifiaduron. Mae darnau hen gyfrifiaduron y gorffennol yn gorwedd yn y garej a'r sied a droriau'r stydi.

Mae'r cyfrifiadur yn gydymaith imi wrth fy ngwaith a hefyd gyda'r hwyr yn fy amser hamdden. Ychydig iawn y byddaf yn ei wylio ar raglenni teledu ar wahân i fwletinau newyddion. Rhyw ddigwydd gweld pytiau fydda i os byddaf yn digwydd dod lawr o'r stydi gyda'r nos.

I mi, y prynhawn yw calon y diwrnod, pan gaf gyfle i gael cwmni un neu ddau o aelodau'r eglwys ar eu haelwyd. Ddoe mi fûm yn Ysbyty Llangefni lle mae dwy o Fangor ar hyn o bryd, ac un ohonyn nhw yn aelod yn ein heglwys ni. Fydda i byth yn ymweld â honno heb ddod oddi wrthi â rhyw ddywediad bachog a chofiadwy. Er ei bod hi'n tynnu'n agos at y cant, mae ei chof hi fel y gloch. A sôn yr oedd hi ddoe am hen ffrind iddi. Y ffrind honno, mae'n debyg, wedi dechrau sirioli oherwydd rhyw sylw newydd a gâi hi gan ryw ŵr gweddw yn Hirael. 'Ac mae o wedi dod â bocs o siocled imi'n anrheg Nadolig' meddai'r ffrind. 'Ac mi ddwedais i wrthi,' meddai hon, 'allwch chi ddim byw ar siocled.'

O Langefni yn ôl i Ysbyty Gwynedd ym Mangor. Rwy'n ceisio gwneud fy rhan fel un o gwmni o gaplaniaid yno, ac yn treulio rhywfaint o bob diwrnod yn y wardiau. Rhaid imi gyfaddef 'mod i'n derbyn mwy yn y fan honno nag y medra i ei roi. Rwy'n cofio imi weld ymadrodd yn rhywle yn dweud fod gan Dduw ddau drigfan. Mae gydag ef ei gartre yn y nefoedd, ond y mae gydag ef hefyd dŷ haf ar y ddaear, sef yn y galon ddiolchgar. Rwy'n medru deall yr ymadrodd yna pan glywaf rywun yn dweud ei fod wedi llwyddo y bore hwnnw i gerdded o amgylch y gwely, ac yn falch ei fod wedi cael nerth i wneud hynny.

Mae rhai yn dod i'n bywydau ni ac yn mynd, ond y mae rhai yn dod ac yn oedi, ac yn gadael ôl eu traed ar ein llwybrau ni. Rwy'n cyfarfod rhai felly yn Ysbyty Gwynedd. Ac fe fyddaf yn dod oddi wrth ambell wely wedi cael fy ysgafnhau. Cofiwch, fe fydda i'n dod oddi wrth ambell un â baich o gyfrifoldeb, yn arbennig yr un a fydd wedi gofyn imi weddïo drosto. Dyna'r cyfrifoldeb mwya y gall rhywun ei gael mewn bywyd am wn i: chi eich hunan yn ddolen gyswllt rhwng enaid a'i Dduw. Er 'mod i wedi cael fy magu â'r syniad mai un Cyfryngwr sydd rhwng Duw a dyn, fe fyddaf wrth ddod yn ôl o'r ward i'r capel yn Ysbyty Gwynedd (neu os bydd rhywrai eraill yn y capel, yn ôl i'r swyddfa) yn gweddïo fel petawn i yn gyfrwng. Ac o holl weithgareddau'r dydd, dyna'r peth pwysicaf o ddigon wnes i ddoe.

20 Chwefror 2001

Traed a Genau

Mae defaid wedi bod ar fy meddwl i ar hyd yr wythnos am wn i. 'Arweiniwyd ef fel oen i'r lladdfa, ac fel y bydd dafad yn ddistaw yn llaw'r cneifiwr, felly nid agorai yntau ei enau' (Eseia 53:7). Er 'mod i'n byw ar drothwy Sir Fôn, eto rwy'n siŵr na chlywa i yr un oen yn gweiddi yn erbyn ei ddioddefaint, nac yn erbyn y dryll. Mae yna rai sy'n gweiddi, fel y ffoaduriaid a glowyd mewn lori yn gweiddi am anadl ac yn mygu i farwolaeth. Mae yna rai yn gweiddi yn erbyn eu trallod fel y waedd sydd yn llun 'Y Sgrech' gan Edvard Munch. Eto mae yna lawer mwy sy'n diodde mewn mudandod, am eu bod nhw'n credu na fyddai neb yn eu clywed nhw'n llefain. Roedd hi'n arswyd clywed am y distawrwydd ar y trên yn Selby wedi'r ddamwain.

Gelyn anweledig yw firws y traed a'r genau. Pwy a ŵyr ble mae e bellach ar ein dillad ni, neu ar y gwynt. Mae'r gelyn anweledig, y gelyn distaw, yn waeth o lawer na'r gelyn y gellwch ei weld. Yn rhyfedd iawn, y mae'r dioddef distaw yn fwy dirdynnol o lawer na'r dioddef sy'n amlwg ac yn gweiddi. Wrth feddwl am yr ŵyn yn y Gaerwen allwn i ddim llai na meddwl am y miliynau o bobol drwy bob gwlad, drwy'n byd ni oll, sydd heddiw'n dioddef yn eu mudandod am nad yw'n rhoddion ni, na'n lleisiau ni, na'n tosturi ni ar gael i'w gwaredu.

2 Mawrth 2001

Herwgipio

Heddiw herwgipiwyd awyren o Istanbul
a gorfodi iddi lanio yn Medina

Bob tro y clywaf am herwgipio awyren yn y Dwyrain Canol fe fydd fy meddwl yn mynd yn ôl at yr hanes am yr herwgipiad cynta erioed y gwn i amdano. Ac fel mae hi'n digwydd, yr oedd yr awyren a hedfanodd o Dwrci i lawr i Medina yn Saudi Arabia yn hedfan yn union dros y man lle digwyddodd yr herwgipiad hwnnw.

Canghellor trysorlys Ethiopia oedd yn mynd lawr yn ei gerbyd o Jerwsalem i Gasa. Mae'n rhaid ei fod yn gerbyd go foethus oherwydd roedd yn medru darllen wrth deithio, a'r gwas yn llywio'r ceffylau. Ac yn sydyn pwy ddaeth ar ei draws ond cenhadwr pen-ffordd, dyn peryglus o'r enw Philip, a chyn pen ychydig eiliadau roedd hwnnw i mewn yn y cerbyd ac yn gafael yn yr awenau wrth egluro Llyfr Eseia. Druan o'r canghellor hwnnw: fe newidiwyd cyfeiriad cerbyd ei fywyd am byth.

Gwyliwch chithau wrth fynd i mewn i awyren eich diwrnod heddiw. Rŷch chi'n meddwl efallai mai cwmni digon cyffredin a diniwed sydd o'ch amgylch chi. Fel arfer felly y mae hi, ac fe gyrhaeddwch ddiwedd eich dydd heb fod dim wedi newid. Ond ryw ddiwrnod fe fydd hi'n wahanol. Rywle ar y daith fe fydd yna ryw ŵr tawel, fel gwas dioddefus a chynefin â dolur, yn codi o'i sedd ac yn dod ymlaen, ac yn mynnu gafael yn awenau eich bywyd chi. Os digwydd hynny ichi, fyddwch chi ddim yn cyrraedd y man lle'r oeddech chi'n meddwl eich bod chi'n mynd. Fe gyrhaeddwch chi eich gwynfyd yng nghwmni Gwaredwr y Byd.

15 Mawrth 2001

Môr

Yr unig beth ar wyneb daear oedd heb gael ei ganslo y misoedd diwetha oedd disgyniad y llong ofod o Rwsia, ac fe ddaeth i lawr yn deilchion i'r Môr Tawel. Am ychydig funudau yr oedd y môr hwnnw yn bopeth ond tawel. Mae'n siŵr iddi fod yn olygfa fythgofiadwy i'r rhai oedd yn ei hymyl hi, un o'r cawodydd rhyfedda welodd y byd erioed, yn bwrw darnau dur llawer mwy na chyllyll a ffyrc.

Yr hyn oedd yn syndod i mi oedd fod yna rai gwroniaid o bysgotwyr, er gwaetha'r rhybuddion am y gawod eirias o'r gofod, wedi penderfynu aros yn y pysgodfeydd yn hytrach na ffoi i chwilio am loches. Ond dyna fe, maen nhw wedi cael tymor arswydus o wael, ac mae'r tiwna yn heigio yn y môr yna ar hyn o bryd. Dyna ichi fenter, dal i bysgota. Neu efallai eu bod nhw wedi rhesymu fod ganddyn nhw siawns go lew o osgoi'r diferion haearn gan eu bod nhw ar ganol cefnfor. Efallai eu bod nhw'n gyfarwydd â gwaith Eifion Wyn ac yn dyfynnu i'w gilydd o 'Ora Pro Nobis':

> Mae'i long ef mor fechan, a'th fôr di mor fawr.

Beth wnelech chi petaech chi wedi cael dewis? Ai dewis diogelwch ynteu mentro aros gyda'r tiwna? A fyddech chi fel y rhai hynny a ddewisodd lynu i mewn yn y Farchnad yn Wall Street, a Dow Jones wedi dymchwel fel cawod o haearn ar eu pennau nhw? Ond i bysgotwyr Seland Newydd, dewis oedd hi rhwng bywyd a bywoliaeth. Mae hwnna yn ddewis dirdynnol, oherwydd y mae bywyd a bywoliaeth wedi mynd yn ddryswch annatod i lawer o bobol hyd yn oed yng Nghymru yr wythnosau hyn. Mewn argyfyngau y mae hi'n gofyn gras i gofio nad bywoliaeth yw byw.

22 Mawrth 2001

PLENTYN AR GOLL

Wedi clywed hanes am deulu o Fangor a fu am oriau yn chwilio am eu merch ar draeth y Borth

Fe allai Mair a Joseff gydymdeimlo ag unrhyw rieni sydd wedi gorfod chwilio am eu plentyn coll. Fe gawson nhw yr un gwewyr.

Bydd ein gwareiddiad yn cerdded tuag adre'n hapus gan dybied fod Iesu yn y fintai. Meddyliwn yn siŵr fod dylanwad Crist gyda ni. Bydd ein cymdeithas yng Nghymru weithiau'n ei chysuro'i hun wrth feddwl ein bod yn dala i fyw mewn gwlad Gristnogol. Gofalwn na wnawn ni deithio'n rhy bell cyn holi a yw Crist gyda ni.

Os sylweddolwn ni nad yw Iesu gyda ni, beth am edrych ar fywydau ein cymdogion? Os nad yw yn eu pebyll hwy ychwaith, mae'n hen bryd inni droi yn ôl.

O fynd yn ôl i chwilio, chwiliwch yn y man lle gwelsoch chi fe ddiwetha. Mae'n siŵr fod Iesu'r plentyn wedi glynu i'r eitha wrth gyrion y deml cyn gorfod ymadael â Jerwsalem, a dichon mai yno y gwelwyd e ar y diwrnod olaf. Yn ein hanes ninnau, os bydd rhaid troi yn ôl i ailafael yn ei gwmni, pa le gwell na'r mannau lle gwelsom y Gwaredwr o'r blaen.

Os down o hyd iddo, cawn olwg hollol newydd arno wedyn. 'Meddylia'r boen achosaist ti i dy dad a minnau,' meddai ei fam. Eto canlyniad y cyfan iddi hi oedd gweld ei phlentyn mewn golau hollol newydd, nes i'r atgofion am y tro hwnnw lynu am byth yn ei chalon. Yng nghanol gofid a gofal am eraill, ac yng nghanol ein haberth dros Iesu, yno y down ninnau hefyd i'w adnabod mewn golau newydd.

Ac os byddwn ni wedyn yn cael ei gwmni, fe fydd y daith tuag adre yn daith hollol wahanol. Fe all fod yn daith heb y fintai fawr bellach, gan y byddai'r rheini ddiwrnod ar y blaen. Fe all fod yn daith anoddach. Ond y cysur anhraethol i'r rhieni a aeth tuag adre o'r Borth gynt, fel cysur Mair a Joseff, oedd eu bod nhw'n mynd tuag adre a'r plentyn gyda nhw.

27 Mawrth 2001

Mesur Dyn

Rwy wedi bod wrthi'r wythnos hon yn ceisio llunio englyn i hen gyfaill, ac rwy wedi methu hyd yn hyn oherwydd roedd yna gerdd fach Saesneg yn mynnu dod yn ôl i'r cof, a honno'n dweud pethau yn fwy effeithiol o lawer na'r englyn oedd gen i. Felly, mi es ati i lunio efelychiad bach ohoni. Sôn am fesur dyn y mae hi, ond mae tarddiad y gerdd yn ddirgelwch llwyr imi. Dyma'n fras ei chynnwys hi. Ac os gwnewch chi ei nabod hi wrth ddarllen yr efelychiad, gobeithio y cofiwch chi pwy oedd y Sais a sgrifennodd y gwreiddiol, gan nad oes gen i ddim syniad pwy oedd:

Pan gaiff dyn ei fesur, gofynnir gan Dduw
Nid sut y gwnaeth farw, ond sut y gwnaeth fyw.

Nid faint a wnaeth ennill, ond faint fyddai'n rhoi,
Ac a fyddai yn aros pan oedd eraill yn ffoi.

Nid beth oedd ei gred ond beth fyddai'n ei wneud,
A faint oedd e'n teimlo, nid faint allai'i ddweud.

Nid uchder ei feddwl, ond dyfnder ei ras
A'i gymeriad tu fewn, nid ei wên y tu fas.

Nid faint oedd y deyrnged gan bawb i hen ffrind,
Ond faint deimlodd golled ar ôl iddo fynd.

Mae'n dda dweud na allai fyth golli'r un cwrdd,
Ond gwell dweud na throai 'run truan i ffwrdd,

Ac y bu yn oleuni mewn ambell i nos,
A throchi ei hun i ddwyn cyfaill o'r ffos.

Ie, dyna'n y diwedd y modd y gwêl Duw
Pa enaid sy'n farw a pha enaid sy'n fyw.

29 Mawrth 2001

Adlais

Wrth gynorthwyo gyda golygu *Caneuon Ffydd*, penbleth ddirdynnol oedd ceisio anelu at ganrif newydd gan wybod ar y llaw arall fod arnom gyfrifoldeb i gadw cyfoeth yr hen ganrifoedd. Ofnem yr un pryd fod yr hen emynau yn troi'n greiriau, a'n bod ninnau'n perthyn i'r genhedlaeth olaf a fyddai yn eu hanwylo.

Yn y cyfnod hwnnw mi fûm mewn cymanfa ganu. Mynd yno'n ddigalon, gan deimlo inni werthu ein hetifeddiaeth bellach i deledu ac achlysuron rhyw achosion da. Rhywbryd yn ystod y canu, er hynny, fe glywais yr hen wefr yna yn cerdded fy ngwar. Adlais o'r gorffennol, efallai. Yn y munudau hynny yr oedd fel petai wynebau'r cantorion wedi eu codi i ganu i gyfeiriad y graig dragwyddol, a'r adlais yn dod yn ôl ataf i fyd amser.

Paham yr es i neithiwr i gymanfa,
os nad i gofio llawer neithiwr yn ôl?

Dweud hen ffarweliau fyddaf
yng nghymanfaoedd fy hydref.
Ffarwél, Sulgwyn a'i nosau yn Ebeneser,
pan fyddai'r bas yn disgyn arnaf o'r galeri
fel cynddaredd y glaw.

Ffarwél iti, Maes-y-plwm;
ffarwél, Morgan Rhys,
wedi iti hen helaethu terfynau'r deyrnas
yn fy enaid i.

Rhy lawn o flynyddoedd yw'r cantorion bellach:
Ffarwél, Eirinwg, medd eu lleisiau blinedig;
Ffarwél, Gapel y Ddôl a dy lah leddf.

Tai a werthwyd ydych, a'ch stafelloedd yn wag.

Ac eto, neithiwr, fe ddihunodd rhyw awel uwchben;
fe glywais, am wyrth o ennyd, yr hen ymrwygo yn galw yn ôl,
a thorri argaeau'r nefoedd.

Rhaid fod rhyw eneidiau yno wedi llefain i wyneb y Graig.

11 Ebrill 2001

Un Ford

Yn yr hen gartre yr oedd yna un ystafell heb ddim ynddi
ond un ford fawr a dwy ffwrwm

Gwyn ei fyd y teulu hwnnw sy'n cael dod at yr un ford i bryd bwyd. Felly y byddaf i yn ei chofio hi gartre. Ar ffwrwm y byddem yn eistedd, ac fe fyddem fel y gwartheg yn y beudy, pawb yn gwybod ei le. Yr oedd yna ryw gyflawnder cymdeithasol o gwmpas yr un ford. Ac wrth ddod i gymundeb, er ein bod yn eistedd mewn gwahanol gorau ar draws y capel, o ran yr ysbryd dod y byddwn ni at yr un ford.

Fe glywais am ffermydd lle byddai yna gynt wahanol fordydd, un ar gyfer y gweision ac un arall ar gyfer y teulu. Byddai ein haddysg a'n cymdeithas ni wedi bod dipyn tlotach heb gwmni'r gweision. Yr ydym i gyd yn weision wrth ddod at ford y cymundeb.

Fe welais wedyn ambell fwlch ar y ffwrwm, pan fyddai un ohonom wedi mynd oddi cartre. Loes i galon eglwys yw gweld bylchau yn y gynulleidfa yn arbennig ar gymundeb, a phawb yn gwybod mai'r dieithrio sy'n eu cadw draw.

Yna tua diwedd fy nghyfnod i ar yr aelwyd gartre fe welais brynu un ford fach ar gyfer Mam-gu yn ei henaint a'i gwaeledd. Hithau yn gaeth i'w gwely, ac yn gorfod cael ei bwyd yno ar ei phen ei hun, oherwydd ei gwendid. A hynny a barodd chwalu gwynfyd yr un ford ar ein haelwyd ni.

Ond gweiniaid a chloffion a gwywedigion llesg ydym i gyd wrth ddod at ford y cymundeb. Fel y canodd cyfnither i Mam-gu, Eliza Evans, y ddwy ohonyn nhw wedi eu henwi ar ôl eu mam-gu hwythau:

> Dof fel yr wyf, ni thâl parhau
> i geisio cuddio unrhyw fai;
> ond gwaed y groes all fy nglanhau:
> 'rwy'n dod, Oen Duw, 'rwy'n dod.

16 Mehefin 2001

AMYNEDD

Rwy'n cael wythnos yr Eisteddfod bob blwyddyn yn llesol am ei bod hi yn dysgu amynedd imi. Yn aml fe fydda i'n ei weld e mewn pobol eraill, a'r rheini'n esiampl i mi. Fe welais i fe ddydd Sadwrn, mewn mam ifanc a oedd wedi penderfynu mynd â'r mab gyda hi i gilfach dawel tu ôl i'r babell fwyd er mwyn cael gydag e fynd drwy ei ddarn adrodd. Minnau yno yn hamddena ar fainc, ond yn gwrando gyda diddordeb am ei fod yn dwyn cymaint o atgofion yn ôl i mi am fy mhlentyndod innau, yn gorfod mynd drwy'r un ddisgyblaeth yng nghorneli pebyll cyn mynd i'r llwyfan. Roedd y bachgen hwn fel finnau yn dalgwmpo ar ambell air, ond rhyfeddwn at amynedd y fam, yn mynd ag e'n ôl at yr un hen air nes ei berffeithio.

Neithiwr wrth ddod o'r maes, mi welais lond cae o foduron yn canu grwndi yn amyneddgar gan ddisgwyl am hydoedd, disgwyl eu tro i fynd mas o'r maes, heb neb yn wyllt ei natur. Roeddwn i'n edmygu eu hamynedd nhw.

Heno efallai eto, pan fydda i'n eistedd tu ôl i olwyn y car yn disgwyl dod mas o'r maes parcio gobeithio y bydd amynedd yn eistedd gyda ni yn y sedd gefn. Pan fyddaf yn gweld y car o 'mlaen i yn gadael i bawb arall fynd o'i flaen, a'r car y tu ôl i mi yn dioddef yn ddistaw bydded imi gofio'r ddihareb newydd: edmygwch amynedd y gyrrwr sydd o'ch blaen chi lawn gymaint ag yr edmygwch amynedd y gyrrwr sydd y tu ôl i chi.

6 Awst 2001

Marw Cyn Byw

Ymhen ychydig oriau fe fydda i'n gwasanaethu mewn angladd, angladd merch na welais i erioed mohoni, merch fach farw-anedig. Ychydig ohonom ni fydd yno, rhyw ddeg efallai. Fe fydd ein meddyliau ni i gyd ar Margaret Ceridwen, dyna'i henw hi. Fe wynebodd hon ei marwolaeth cyn iddi wynebu ei genedigaeth, ac fe'i collwyd hi cyn i'w rhieni ei chael hi. Roedd yna gariad yn barod amdani ar aelwyd, ond ni chafodd fyw i'w deimlo. Roedd yna ddoniau ynghwsg ynddi hi, ond chawson nhw ddim cyfle i ddihuno. Roedd yna obeithion uchel amdani yng nghalon ei rhieni, ond ni chafodd hi fyw i'w gwireddu. Beth fyddai hi wedi ei wneud â'i bywyd petai hi ond wedi cael cyfle i'w fyw?

Yn y fan yna y bydd hon, o'i harch fach, yn gosod cwestiwn difrifol i mi am ddau o'r gloch y prynhawn yma. Mi ges i fywyd, ond beth wnes i ohono? Nid yr allanolion yr ydw i'n ei feddwl, y petheuach dibwys cyhoeddus y byddwn ni i gyd yn eu gwneud yng ngolwg pobol, ond y gweithredoedd sylweddol mewn teulu ac mewn cyfeillgarwch ac yn ein perthynas â'n gilydd. Chafodd ei thafod hi ddim cyfle i yngan gair. Ond rwy'n meddwl am y geiriau dirifedi y dylwn i fod wedi eu dweud, ond wnes i ddim. Chafodd ei dwylo hi ddim cyfle i roi dim i neb. Ond rwy'n gweld o 'mlaen i nawr y dwylo hyn sy gen i, a fu'n gyndyn iawn i roi pan allen nhw roi. Fe ddylwn i ddiolch i Margaret Ceridwen am ysgwyd tipyn ar fy nghydwybod i heddiw.

13 Awst 2001

MACEDONIA

Heddiw ger Skopje, lladdwyd Ian Collins, 22 oed o Sheffield, gan garreg a luchiwyd at ei Land Rover

Mae yna garreg â gwaed arni ym Macedonia, gwaed milwr arall o Brydain. Ac mae'n cydymdeimlad ni â theulu'r milwr a laddwyd. Does 'da fi er hynny ddim cydymdeimlad â llywodraeth Prydain Fawr na'r fyddin a aeth drosodd i Facedonia i grynhoi dryllau o ddwylo'r Albaniaid. Mae'n anodd credu mor rhagrithiol y gall llywodraeth fod. Yr un llywodraeth sydd, ers iddi ddod i rym, wedi rhoi trwyddedau i roi hawl i gwmnïau werthu dryllau ac arfau i gant a deunaw o wahanol wledydd. Yr un llywodraeth sy'n gwbwl fodlon caniatáu i gant a thri ar hugain o gwmnïau ym Mhrydain elwa ar werthu arfau. Tra byddan nhw'n derbyn i mewn ryw ddyrnaid o arfau gan yr Albaniaid ym Macedonia, fe fyddan nhw yn ystod yr un mis yn union wedi gwerthu pentwr o ddryllau a rocedi newydd i wledydd yn Affrica.

Mae yna adnod yn Llyfr yr Actau yn sôn am Paul mewn gweledigaeth un noson yn gweld gŵr yn ymbil arno, 'Tyrd drosodd i Facedonia, a chymorth ni' (Actau 16:9). Fe wyddai Paul beth oedd eu gwir angen nhw ac fe roddodd yr Efengyl iddyn nhw. Fe gafodd cwmnïau arfau mawr y byd yr un weledigaeth, gŵr o Facedonia yn ymbil arnyn nhw, rhowch gymorth i ni. A'r cymorth roeson nhw i Facedonia oedd dryllau. Pan fydd gwledydd tlota'r byd yn ymbil am dorth, beth yr ŷm ni yn ei roi iddyn nhw yw carreg. Rhagrith o'r math gwaetha wedyn yw mynd i ofyn am y garreg yn ôl o'u dwylo nhw, a'r garreg honno â gwaed llawer o rai diniwed arni.

27 Awst 2001

Geni Tad

Bob tro y bydd baban yn cael ei eni, bydd tad yn cael ei eni hefyd. Fe ddigwyddodd yn fy hanes innau, ac rwy'n ei weld yn digwydd yn hanes teuluoedd ein plant ni. Pan aned Rhys yr ŵyr, fe welais olwg newydd ar Marc fy mab yng nghyfraith. Ei weld yn dad, gyda'r holl ofal a chyfrifoldeb newydd a olygai hynny. Yna wedyn ganed Siôn, union ddwy flynedd yn ôl i heddiw, ac yn ystod y ddwy flynedd fe welais Marc *mark two* fel y byddai'r Sais yn dweud. Mae perthynas y tad â'r ddau fab yn wahanol ac unigryw.

Mae'n plant ni yn ein newid ni. Fel y mae ar y plentyn farc y tad, felly hefyd y mae ar galon a bywyd y tad farc y plentyn. Bydd Rhys a Siôn ynghlwm wrth eu tad am byth, a'u tad yn teimlo'r cwlwm rhyngddo a'r meibion am byth.

Wrth fyfyrio ar hyn y sylweddolais i'n llawn y cwlwm rhwng Duw a dyn. 'Fel y mae tad yn tosturio wrth ei blant . . .' meddai Salm 103:13, ac mae tosturio yn golygu rhyw doddi yn y galon. Mae'n rhyfedd meddwl, os yw llun a delw Duw arnom ni, fod marc ein bodolaeth ni ar galon Duw. Felly, fel na allwn innau byth gefnu ar fy mhlant, felly ni all Duw ein gadael ni yn amddifaid.

Bydd Rhys a Siôn yn tyfu, a bydd hynny'n destun balchder i'w rhieni. Yn ystod y tyfu fe fydd yna ymryddhau graddol, rhyw lacio'r cortynnau. A bydd eu rhieni'n synhwyrol yn gollwng yr awenau'n gynnil. Dyna eto yw ffordd Duw. Bydd rhai weithiau yn gresynu na fydd Duw yn ei wthio ei hun yn ei reolaeth ar ddyn. Yr hyn y mae yn ei wneud yw ein paratoi ar gyfer ein rhyddid.

Pen draw'r tyfu fydd gadael yr aelwyd. Fe ŵyr eu rhieni'n iawn y bydd hynny yn nhrefn naturiol pethau. Ond i ba le bynnag yr â Rhys a Siôn, bydd yna ryw gadwyn guddiedig rhwng calonnau yn eu cadw mewn cyswllt, drwy'r gwaetha. Felly eto gyda Duw.

Mi ddarllenais beth amser yn ôl am dad a'i blentyn yn cysgu dros nos mewn gwesty yn ymyl yr ysbyty lle'r oedd y fam newydd gael triniaeth ddwys. Yn yr ystafell ddierth honno, yn y tywyllwch, dyma'r plentyn o'i wely yn gofyn i'w dad,

'Dat, ydych chi yna?'
Y tad yn ateb, 'Ydw ydw, cer di i gysgu.'
Tawelwch am ysbaid; wedyn,
'Dat, ydy'ch wyneb chi at y wal neu ata i?'
A'r ateb yn dod yn ôl, 'Atat ti, Gwyn bach.'
A'r plentyn yn troi ac yn mynd i gysgu.

Yn oriau tywyll bywyd, y cysur yw fod gennym Dad nad yw byth yn huno, a'i olwg dosturiol yn wastadol arnom;

nid yw ei galon byth yn oeri
    na'i lygaid yn trymhau.

3 Ionawr 2002

Ego

Enw bendigedig ar bapurau newyddion yr hwyr yw *Echo*. Ac fe'u cewch chi nhw o Lerpwl i Gaerdydd ac o Bournemouth i County Cork. Arwyddocâd yr enw ar bapur fin nos yw ei fod yn adleisio beth oedd newyddion y bore, ond rwy i am gynnig y dylid newid enw pob papur newyddion bellach yn *Echo*. Oherwydd dyw'n cyfryngau torfol ni erbyn hyn yn gwneud dim ond dynwared ei gilydd, adleisio ei gilydd yn ddiddiwedd. Mae hynny'n digwydd gyda phob pwnc newydd a ddaw i'r golwg.

Beth amser yn ôl gwaeddodd rhywun fod yna lygredd yn San Steffan ac mae'r papurau a'r radio a'r teledu yn dal i weiddi'r un waedd. Wedyn, diogelwch cig eidion a waeddwyd, ac fe adleisiwyd y peth hyd syrffed am gyfnod maith. Yna fe soniodd rhywun am ddiffyg diogelwch ar y rheilffyrdd, ac fe glywson ni adlais ar ôl adlais o hynny ym mhobman. *Echo* oedd hi eto fore a nos.

Mae'n amhosib cael trafodaeth synhwyrol am ddim y dyddiau hyn, mae'n amhosib edrych ar bwnc yn bwyllog a chytbwys. Oherwydd oes yr ego yw hi ym myd y cyfryngau.

Fisoedd yn ôl paedoffiliaid oedd y waedd, wedyn fe fu hi'n wythnos gweld beiau ar ysbytai, yna rai dyddiau'n ôl, diogelwch mewn awyrennau oedd hi, ac fe waeddai pawb yr un hen floedd am y peryglon hynny. Erbyn hyn MMR sy'n diasbedain drwy'r penawdau i gyd, ac mae'r cyfryngau yn dynwared ei gilydd ar bwnc y brechiadau.

Y drwg yw fod yr holl weiddi adleisiol hwn yn creu hysteria, ac mae'n amhosib rhesymu gyda neb yn ei sterics. Pa bryd y daw'r papurau hunangyfiawn i sylweddoli eu bod nhw'n chwarae gyda bywydau pobol a bywydau plant wrth weiddi gyda phob tabwrdd bob dydd? Cysur gwag iawn, ddwedwn i, yw meddwl fod pawb sydd o'ch amgylch chi yn udo yn debyg i chi.

Diwrnod bendigedig fydd hwnnw pan na fydd y cyfryngau torfol yn *Echo* o'r pethau gwaetha a glywan nhw o hyd. Pob clod, ddweda i, i'r bwletin newyddion hwnnw ryw ddydd a ddaw, a fydd yn wir yn sôn am bethau newyddion.

10 Chwefror 2002

Cymalau a Gewynnau

Mewn llyfryn ar system y galon a'r gwythiennau: 'cadwch y gwaed i redeg'

Pam y daethoch chi i'r oedfa? Petai rhywun yn gofyn y cwestiwn yna i ni meddyliwch yr amrywiaeth o atebion a geid. Byddai gan bawb ateb gwahanol, a byddai gan rai ohonom fwy nag un ateb. Bydd ambell un wedi dod am y cwmni a rhai yn teimlo cydymdeimlad â'r gweinidog. Bydd un yn dod oherwydd ei bod hi'n gyfrifoldeb arno gasglu yn y gwasanaeth, ac un arall ar ddyletswydd cyhoeddi. Bydd un yn dod am mai ei thro hi ydyw i gyfeilio. Bydd llawer ohonom yno o ran arfer, a byddai'r Sul yn chwithig inni petaem yn aros gartre. Ond peidiwch â disgwyl imi ddweud fod rhai arbennig iawn wedi dod yno i addoli. Y mae pawb sydd yno yn addoli ac yn derbyn grasusau Duw.

Mae pob math o bethau yn clymu aelodau wrth gymdeithas yr oedfa, ond nid y pethau hynny o angenrheidrwydd yw'r pethau hanfodol. Yr enwau a roddai Paul ar y pethau hyn (Colosiaid 2:19) oedd 'y cymalau a'r gewynnau'.

Mae yna ryw gymal o fath arbennig yn cysylltu'r fraich wrth y corff. Cymal gwahanol wedyn sy'n cysylltu'r droed. Gewynnau o ansawdd arbennig sy'n cysylltu'r tafod wrth yr un corff. Ond nid y cymalau na'r gewynnau sy'n rhoi bywyd i'r aelod, ond y gwaed, y gwaed sy'n trafaelu drwy'r fraich ac yn llifo drwy'r tafod a'r goes. Y cymalau a'r gewynnau sy'n sicrhau y bydd yna gyfle i fywyd y gwaed lifo drwy'r gwythiennau.

Pa wahaniaeth yw hi os dyletswydd neu arfer neu barch neu gyfeillgarwch sy'n ein clymu wrth yr eglwys yn ei haddoliad? Yno y cawn ni gyfle i dderbyn nodd y gwaed i'n bywhau a'n grymuso.

14 Chwefror 2002

MEDALAU

Diswyddwyd beirniad o Ffrainc wedi iddi ffafrio pâr o Rwsia, a lluniwyd medalau aur ychwanegol i bâr o Ganada

Mae'n ymddangos i mi fod medalau yn bethau hawdd eu cael y dyddiau hyn, o leia yng Ngêmau Olympaidd y Gaeaf. Os bydd pâr o Rwsia wedi eu dyfarnu'n well na chi, a chithau'n dod o Ganada, yr unig beth sy raid ichi ei wneud yw cael y wasg a'r teledu a'r radio drwy holl Ogledd America i brotestio eich bod chi wedi cael cam, a llunio rhyw stori annelwig i bardduo un o'r beirniaid. Wedyn dros nos, fe gewch chi'r pwyllgorau mawr Olympaidd yn colli arnynt eu hunain wrth geisio unioni'r cam, ac fe ruthran nhw i'r ffatri fedalau i fathu medalau aur arbennig i ddweud mai chi ddaeth yn gynta, yn ogystal â phâr arall, a oedd hefyd wedi dod yn gynta.

Os methwch chi gael medal yn y ffordd yna, cymerwch ran mewn ras lle bydd y cystadleuwyr eraill i gyd yn baglu dros ei gilydd ac yn mynd bendramwnwgl i'r clawdd. Roeddwn i wedi meddwl fod T. Rowland Hughes wedi cael gafael ar stori od pan eglurodd inni, mewn cerdd am un ras, mai pedwerydd oedd Sam. Ond roedd y ras yna yn y Gêmau Olympaidd yn odiach fyth, pan ddaeth y pedwerydd yn gynta, a hynny drwy drallod a siom pawb arall. Y cwestiwn y buaswn i yn ei ofyn yw hyn: a ydi medalau fel yna yn werth eu hennill?

Yn ystod yr un wythnos yn union, wythnos diwetha, fe gafodd rhyw ddeugain o hen aelodau ysgolion Sul Gogledd Cymru lythyr yn dweud eu bod nhw wedi ennill Medal Gee. Nid drwy bardduo neb arall, na rhestru eu beiau nhw. Nid am sglefrio yn iach o'r tu arall heibio i drueiniaid oedd wedi syrthio ar fin y ffordd. Nid ychwaith am bum munud o gamp ar lyn wedi rhewi, na hyd yn oed flwyddyn neu ddwy o ymarfer. Ond am bron bedwar ugain mlynedd o ffyddlondeb diflino i arfer da, ac am wasanaeth oes i blant. I mi, dyna'r medalau oedd yn werth eu hennill, ac rwy'n gobeithio bod yng Nghricieth ym mis Mai i'w gweld nhw yn eu gwisgo nhw.

17 Chwefror 2002

Gweld y Gwir

Mae'r Gweinidog Trafnidiaeth, er gwaethaf datganiad ei was, Martin Sixsmith, yn glynu wrth ei swydd

Mae'n ymddangos i mi fod rhai pobol eitha galluog, fel Stephen Byers, yn medru gweld popeth ond beth mae pawb arall yn ei weld, sef y byddai hi'n well iddo fe ymddiswyddo. Mae yn fy atgoffa i am ddarn ddarllenais i beth amser yn ôl am Sherlock Holmes a Dr Watson wedi mynd gyda'i gilydd i wersylla. Wedi cysgu am ysbaid fe ddihunodd Holmes a gofyn i Watson, 'Wyt ti'n gweld rhywbeth lan yn yr awyr 'na?'

'Ydw,' meddai hwnnw, 'rwy'n gweld miloedd o sêr.'

'Beth mae hynny yn ei ddweud wrthot ti, Watson?'

'Wel, yn seryddol mae'n dweud fod yna filiynau o fydoedd yn y bydysawd yma. O ran astroleg, mae'n dangos fod Sadwrn yn ymyl Leo. Yn amseryddol mae'n dangos ei bod hi'n chwarter wedi tri y bore, ac o ran hinsawdd mae'n arwyddo fod yna ddiwrnod braf o'n blaen ni. Ond dwed wrtha i, Holmes,' meddai Watson, 'beth mae'r awyr yna yn ei ddweud wrthot ti, 'te?'

Wedi ysbaid o dawelwch dyma Sherlock Holmes yn ateb, 'Mae e'n dweud wrtha i, Watson, fod yna rywun wedi dwyn ein pabell ni.'

Cover up yw hoff ymadrodd gwleidyddion a gohebyddion. Wel, mae'r gohebydd Martin Sixsmith wedi dwyn *cover* y gwleidydd Stephen Byers. Mae bellach heb ei babell. 'O tyn y gorchudd yn y mynydd hyn', meddai emyn Maesglasau. Os yw datguddiad yn beth iach yn ysbrydol, fe ddylai fod yn beth iach yn wleidyddol hefyd.

24 Chwefror 2002

Traed ar y Ddaear

O weld erthygl yn y Daily Telegraph *yn dweud fod Rowan Williams yn fardd 'sydd â'i draed ysbrydol ar y ddaear'*

'Daeth ef i lawr ar ei union . . .' Luc 19:6

Fe fydd yna ymadroddion awgrymog iawn gennym am bobol. Byddwn yn sôn am ambell un fod 'ei ben yn y cymylau'. Y gwrthwyneb i hynny yw'r un sydd â'i draed ar y ddaear. Annisgwyl oedd gweld hyn am Rowan Williams. Ac eto nid annisgwyl ychwaith. Y mae yna ryw ddoniau deublyg yn perthyn iddo.

Am Sacheus, fe allech ddweud fod yna ddau gyflwr yn ei fywyd yntau: lan a lawr. Pan oedd lan yr oedd ei fusnes trethi yn eithriadol o lwyddiannus. Yr oedd yn byw mewn tŷ moethus iawn, mae'n siŵr. Yr oedd yn dderbyniol gan y bobol oedd yn cyfri yn wleidyddol. Yr oedd yn ddigon o feistr ar ei amser ei hun fel y gallai lithro'n ddirgel o'r swyddfa i fodloni rhyw chwilfrydedd od oedd yn ei galon, a mynd i weld y dyn rhyfedd yna yr oedd ei gyd-gasglwyr trethi wedi sôn yn eitha caredig amdano. Nid yn unig hynny. Yr oedd wedi ymroi i gadw'n heini a gofalu mor dda am ei ffitrwydd fel y gallai ddringo sycamorwydden. Dyna i chi ddyn, y byddai pobol yn dweud amdano fod ei draed ar y ddaear.

Wedyn yn sydyn ar alwad Iesu fe ddaeth i lawr. O hyn allan fe fyddai rhai pobol yn dweud fod ei ben yn y cymylau. Fe anghofiodd brif egwyddorion busnes, a rhoi ei arian i eraill. Fe gefnodd ar gystadleuaeth cyfoeth, a throi at degwch a chyfiawnder a byw'n dra chydwybodol. Er dychryn i'w briod, fe anghofiodd y sesiynau cadw'n heini. Lle gynt yr hyn oedd yn bwysig yn y tŷ yn Jericho oedd iechydwriaeth, bellach iachawdwriaeth oedd yn cyfri.

Fe fyddwn ni yn ein siarad bob dydd yn meddwl ein bod ni'n deall ystyr lan a lawr mewn bywyd. Mae'n amlwg fod Iesu, a Sacheus wedyn, yn gweld pethau'n wahanol.

30 Mawrth 2002

FFARWÉL, YMERODRAETH

Mae'n rhaid 'mod i'n heneiddio, oherwydd rwy'n gweld popeth y blynyddoedd hyn yn digwydd yn gyflymach. Dros nos fe fydd y newydd yn hen, ac fe fydd yna newydd arall wedi cymryd ei le. Mae fel dwy awyren yn hedfan at ei gilydd ar saith gan milltir yr awr, a does dim amser gyda chi i feddwl cyn eich bod chi'n gelain. Ac ar lwyfan mawr y byd, fe fydd llywodraethau'n dod a llywodraethau'n mynd. Arweinwyr yn dod ac arweinwyr yn mynd.

Daw dydd y bydd mawr y rhai bychain,
daw dydd ni bydd mwy y rhai mawr,

meddai Waldo. Dros nos fe chwalodd comiwnyddiaeth, ac fe syrthiodd ymerodraeth Rwsia. O fewn deng mlynedd dyma ni yn gweld ymerodraeth America yn gwegian. Yr unig bŵer goruchel ar ôl yn y byd, medden nhw. Ie, ar hyn o bryd, yn filitaraidd. Ac y mae hi mor drahaus yn ei balchder fel na all hi blygu i dderbyn awdurdod hyd yn oed y Llys Rhyngwladol na'r Cenhedloedd Unedig, na pharchu Kyoto. Mae hi'n gymaint o bencampwr mewn democratiaeth fel y gall hi ddweud wrth Iraciaid a Phalesteiniaid pwy na allan nhw eu cael yn arweinwyr. Mae'n meddwl y gall hi fomio a saethu a lladd y diniwed yn Affganistan heb falio am farn neb yn y byd.

Ond, yn union fel comiwnyddiaeth, mae cyfalafiaeth y dyddiau hyn yn cael ergydion marwol, rhwng Enron a World Com a Xerox. Mae tân gwyllt yn cerdded America heddiw, nid drwy ei fforestydd, ond drwy ei swyddfeydd. Mae cyfalafiaeth yn chwalu ac, yn fuan iawn, dros nos, bydd awdurdod moesol ymerodraeth America'n syrthio. Bydd y mawrion hyn wedi mynd fel y lleill, a'r unig un a fydd yn aros eto fydd y gwas a rodiodd gynt ar lannau Môr Galilea. A thra bydd tyrau tal y dinasoedd wedi chwalu'n llwch, yr unig beth a fydd yn aros eto fydd croes wedi ei gosod ar fryn.

2 Gorffennaf 2002

Rod Steiger

Neithiwr fe glywais am farwolaeth Rod Steiger, actor na allech chi ei anwybyddu. Roedd mor rymus ym mhopeth y byddai'n ei wneud. Fe fydd yn cael ei glodfori y dyddiau nesaf yma fel actor oedd yn medru llwyddo mewn amrywiaeth o rannau. I raddau fe allech chi ddadlau fod rhywfaint o wir yn hynny. Yr oedd ar ryw olwg yn amryddawn.

'Pan fydd hen actorion yn dod ata i,' meddai ef, 'a dweud, "Sa i'n gwybod a ddylwn i dderbyn y rhan yma yn y ffilm maen nhw'n gynnig i fi nawr, efallai y byddai hi'n wael i 'nelwedd i", pan ddwedan nhw rywbeth fel yna wrtha i,' meddai Steiger, 'rwy'n dweud wrthyn nhw, "Druan ohonoch chi os mai un ddelwedd sy gyda chi. Rŷm ni fod i greu pobol fel y maen nhw, a dangos bywyd fel y mae e."'

Nawr rwy'n ofni fod Rod Steiger wedi dangos bywyd, nid fel y mae e, ond fel yr oedd yntau yn ei weld e. Roedd wedi gweld bywyd digon caled. I feddwl y byddai ef yn llanc ifanc yn colli ambell wers yn yr ysgol er mwyn hebrwng ei fam feddw gartre o'r dafarn ganol prynhawn. Fe gafodd ei galedu gan fywyd. Ac mewn llawer o'i rannau mewn ffilmiau cymeriad caled yw i fi. Rhyw hen fwli yn y falen yw e, yn gweiddi ei ffordd drwy ambell olygfa.

Rwy'n fodlon cyfaddef ei fod e wedi gwneud celfyddyd o'r peth. Ond mae gormod o'i ddynwaredwyr e, a dramodwyr bellach, wedi mynd i feddwl fod yn rhaid ichi gael pobol yn gweiddi ar ei gilydd ac yn pwdu wrth ei gilydd, i gael drama dda, ac mai dyna'r unig ffordd i greu tensiwn ar lwyfan. Mae hynny wedi dod mor gyffredin nes bod cynulleidfa teledu a theatr wedi eu cyflyru i feddwl mai dyna yw bywyd normal, pobol yn sgrechain ar ei gilydd. Fe dderbynia i fod Rod Steiger wedi dehongli un ochr ar fywyd, ond diolch fod yna ddramodwyr ac actorion sy'n medru dangos fod gras a thrugaredd a llawenydd ar lwyfan bywyd hefyd.

10 Gorffennaf 2002

Canu

Yfory fe fydd yna gôr o bobol ifainc yn canu mewn gwasanaeth angladd yma ym Mangor, angladd ffrind iddyn nhw, cyd-ddisgybl iddyn nhw yn Ysgol Tryfan ac yn Ysgol Glanaethwy. Fe fydd hi'n un o brofiadau rhyfedd ac ofnadwy bywyd iddyn nhw. Mae yna lawer ohonom ni wedi gorfod llefaru'n gyhoeddus am rywun annwyl, pan fyddai'n well gyda ni fod yn dawel mewn rhywle dirgel a llefain. Yn yr oedfa yna fory fe fydd hi'n waeth arnoch chi, blant, am fod eich bywydau chi mor dyner. Eto, canwch. Oherwydd yn wyneb marwolaeth does yna ddim byd arall y medrwch ei wneud.

Mi wn i am ei gyfeillion agos, y carech chi petai pethau wedi bod yn wahanol. Fe fyddech chi wedi bod yn fodlon gwneud unrhyw beth i arbed ei fywyd e. Ond dan gwmwl marwolaeth yr ŷch chi i gyd mor ddiymadferth. Felly canwch fel petai yntau yno. I'r rhai ohonoch chi oedd yn agos ato, canwch a gwybod y bydd y cof amdano yn rhan o'ch bywyd chi am byth. Hyd yn oed os bydd y dagrau yn cloi'ch gyddfau chi, canwch fel y bydd y gân ei hun yn rhoi nerth i chi, a nerth i'r teulu.

16 Gorffennaf 2002

Colli'r Rhieni

Llawer gwaith ar deledu rwy wedi gweld rhieni yn eu dagrau yn ymbil am i rywun eu helpu nhw i ddod o hyd i blentyn bach ar goll. Byddai hyd yn oed cael dod o hyd i'w gorff yn rhyw fath o ryddhad iddyn nhw. Echdoe fe glywson ni am drallod gwaeth o lawer i mi. Plentyn bach wedi ei ddarganfod yn farw ar draeth yn Sir Benfro, a'i rieni heb fod yn chwilio amdano, heb ymbil am wybodaeth amdano, rhieni nad oedd hyd yn oed am ei arddel. Hyd yn hyn ni ŵyr neb pwy yw ei rieni.

Fe fyddwn ni yn aml yn condemnio diffyg disgyblaeth plant a ffolineb yr arddegau, ac fe fyddwn ni'n dweud fod y genhedlaeth ifanc wedi mynd ar goll ym myd anghyfrifol y penrhyddid a'r cyffuriau. Y gwir amdani yw: nid y plant sydd ar goll, ond y rhieni.

Dychmygwch y plentyn teirblwydd, petai'n fyw, o flaen camera teledu yn ymbil am gariad ei rieni, am iddyn nhw ddod i'w arwain o'r dŵr, am gael eu breichiau nhw amdano, ac am rywbeth i'w fwyta ganddyn nhw. Ar y llaw arall does dim rhaid ichi ddychmygu. Gwrandewch ar eich plant eich hunain. Maen nhw'n ymbil am eich amser chi a'ch sylw chi. Maen nhw'n gofyn ichi roi bwyd ysbrydol iddyn nhw, fel y cawsoch chi. Maen nhw'n erfyn arnoch chi eu harwain nhw, fel y cawsoch chi eich arwain, mewn gweddi. Maen nhw'n hiraethu am i chi roi dillad ysbrydol glân iddyn nhw. Ond, dŷch chi ddim yno i'w clywed. Nid y plentyn sydd ar goll, ond ei rieni.

24 Gorffennaf 2002

EISTEDDFODAU

Dyma ni yng nghanol deufis a mwy o eisteddfodau. Eisteddfod y bêl fu hi i ddechrau yng Nghwpan y Byd. Eisteddfod Llangollen yn dynn ar sodlau honno. Wedyn eisteddfod y defaid a'r da yn Llanelwedd. Erbyn i'r ceffyl ola droi am adre fe ddaeth eisteddfod Gêmau'r Gymanwlad i Fanceinion. Pan fydd y ras gyfnewid ola wedi ei rhedeg yn y fan honno, fe fydd llu o gantorion ac adroddwyr wedi cyrraedd Tyddewi ac eisteddfod arall. Haf cyfan i ddyn gystadlu yn erbyn ei gyd-ddyn. Rhag ein cywilydd ni, meddai rhai. Dyna afiach, medden nhw, yw'r hen gystadlu diddiwedd yma. A'r rhai ucha'u cloch ar y pwnc yna yn aml yw'r rhai sy'n ddigon parod i gystadlu am sylw a chystadlu am swydd. Mae'n anodd gen i gondemnio unrhyw beth sy'n peri i ddyn wneud ei orau, yn peri i ddyn ymdrechu i fod yn orau mewn unrhyw gamp.

Mae yna ddyn y bore yma ar wely mewn ysbyty, newydd gael trawsblaniad ei afu. Roedd hwnnw yn ei ddydd yn cael y gorau ar bawb ar gae ffwtbol. Yn wir Best yw ei enw fe. Mae hwnnw mewn cystadleuaeth fawr y bore yma yn erbyn afiechyd. Os daw drwyddi a chael ailgynnig ar fywyd gydag afu newydd, fe fydd mewn cystadleuaeth arall yn glou iawn, yn erbyn ei hen wendid. Rŷm ni i gyd yn gobeithio y bydd Best yn cael y gorau ar hwnnw hefyd weddill ei fywyd. Wedi'r cwbwl, dyna'r gystadleuaeth bwysica i bawb ohonon ni ei hennill, cael y gorau ar ein gwendidau.

30 Gorffennaf 2002

RHY DDIWEDDAR

Mae clywed am ddarganfyddiad newydd mewn meddygaeth yn agor hen friw i mi bob tro. Neithiwr ddiwetha fe glywais am ddatblygiad newydd ym myd cancr y fron, a allai achub bywydau miloedd ar filoedd o fenywod. Ond rhy ddiweddar, dyna'r ymateb cynta sy yn fy nghalon i. Oherwydd fe fydda i o hyd, fel Mair, yn meddwl am ryw Lasarus sy wedi marw cyn i'r Gwaredwr gyrraedd. Rwyt ti wedi dod yn rhy ddiweddar, meddai Mair (Ioan 11:32). Neithiwr efallai fod yna rai eraill ohonoch chi fel finnau yn dweud yr un geiriau, rhy ddiweddar. Mae yna rywun annwyl iawn yn ei bedd cyn i'r waredigaeth gyrraedd.

Mae'n debyg y bydd cwmni *Railtrack* nawr yn bwrw ati ar unwaith i adnewyddu rheilffyrdd ym mhobman. Da iawn, meddai pawb. Rhy ddiweddar, meddai llawer teulu.

Os byth y cewch chi'ch temtio i achwyn wrth Dduw am nad oedd wedi cyrraedd eich profedigaeth chi ddoe, cofiwch fod yna heddiw cyfan o'ch blaen chi. Mae yna ryw fodd ichi heddiw iacháu perthynas â rhywun arall. Achubwch eich cyfle fel na fydd lle i neb ddweud wrthoch chi, 'Fe ddaethoch, ond yn rhy ddiweddar'. Ewch ati i gywiro'r rhwydwaith rheilffyrdd yna sy'n cydio pob dyn byw. A dechrau heddiw, fel na fyddwch chithau'n gorfod ocheneidio rywbryd ichi golli'r cyfle a'i bod hi'n rhy ddiweddar. Gwnewch bob heddiw yn ddarganfyddiad a fydd yn iacháu pob yfory ichi.

3 Hydref 2002

Gadewch Iddo Dyfu

Bydd tad-cu sy'n byw gan milltir oddi wrth ei wyrion, heb eu gweld ond yn achlsurol, yn sylwi ar eu tyfu a'u haeddfedu. Nid yn gymaint efallai yn eu taldra, ond yn y pethau y byddan nhw yn eu gwneud ac yn eu dweud. Pan fuom am dridiau yng Nghaerdydd, gweld Esyllt yn casglu yn oedfa'r bore a wnaeth i mi weld ei thyfiant, gweld yr hyder oedd ganddi yn cerdded llwybrau'r capel.

Y mae yna ddau fan mewn un bennod yn Efengyl Luc sy'n mynegi fod pobol yn sylwi fod Iesu'n tyfu, Luc 2:40 a Luc 2:52. Heno y mae hi bron fis ers y Nadolig, a phawb wedi anghofio amdano erbyn hyn. Hyderwn serch hynny i ni oll gael rhyw fendith. Mae'n siŵr i'r bugeiliaid gael bendith wrth y preseb. Cawsant brofiad mwyaf eu bywyd y noson honno. Eto ni allen nhw aros yn y beudy. Rhaid oedd dychwelyd at eu gwaith gyda'r praidd.

Mae'n siŵr i'r daith i Fethlehem fod yn brofiad rhyfeddol ym mywyd y doethion. Nid bob nos na bob blwyddyn y bydd sêr ddewiniaid yn darganfod seren newydd. Ac yn sicir nid un yn symud fel honno. Ond er mor gynhyrfus oedd y digwyddiadau yn Jwda, thalai hi ddim i'r rheini ychwaith aros. Roedd yn rhaid dychwelyd adre.

Os newidiwyd bywyd y doethion, meddyliwch am y newid ar fywyd Mair a Joseff. Fe gawsant brofiad rhyfeddaf eu bywyd ym Methlehem. Ond yr oedd yn rhaid iddynt hwythau symud oddi yno, a hynny ar frys tua'r Aifft.

Felly, beth sydd ar ôl ym Methlehem wedi'r Nadolig? Beth sydd ar ôl wedi unrhyw Nadolig? Dros dro y bu'r gwledda yn ein bywydau ni, ond mae'r byrddau hynny wedi cilio. Dros dro y bu'r addurniadau ar ein muriau ni. Mae'r rheini i gyd wedi mynd erbyn hyn. A beth oedd ar ôl ym Methlehem ond preseb gwag. Ac felly y dylai hi fod.

Y mae yna ryw hen nâd ynom ni i geisio cadw'r Iesu yn faban yn ei breseb o hyd. Ei gadw yn unig yn wrthrych tyner, hardd a phur ein haddoliad ni. Tra bydd yn y preseb fydd Iesu ddim yn boen i'n cydwybod ni. Fydd e ddim yn dweud pethau anghyfforddus am ein bywydau. Fydd e ddim yn ein herio ni. Y peth olaf y mae unrhyw Herod yn ei ddymuno yw i'r Baban gael dod mas o'r preseb.

Pan fydd Iesu yn tyfu yn ein bywydau ni, fe fydd yn cerdded i bob rhan o'n byd ni. Bydd yn dod atom i'n defodau crefyddol ac yn eu beirniadu. Bydd yn cerdded y ffordd o Jerwsalem i Jericho a'n gweld yn mynd o'r tu arall heibio. Bydd yn ein gweld yn y goeden ac yn galw arnom i lawr ac yn dod i'n tŷ.

26 Ionawr 2003

Gweithdy Celwyddau

Paratoadau rhyfel yn erbyn Irac

Mae ffatrïoedd arfau America a Phrydain wedi gwneud eu gwaith. Mae'r llongau rhyfel wedi eu cwpla, ac yn destun balchder i bawb o Florida i Alaska. Mae ffatrïoedd yr awyrennau a'u gwaith i gyd yn barod, a Phrydain wedi hedfan bron bob awyren sy gyda nhw allan i'r Dwyrain Canol. Mewn ffatrïoedd eraill mae'r taflegrau wedi cael eu glanhau a'u gloywi, a'r bomiau, a fydd ag enw Saddam Hussein arnyn nhw, yn eu lle ar gyfer chwalu bywydau Iraciaid dienw a diniwed a diamddiffyn. A'r ffatrïoedd dryllau, mae'r rheini newydd gynhyrchu rhai sy'n gweithio, ac wedi eu rhoi yn nwylo meibion Cymru er mwyn lladd ein cyd-ddynion yn Baghdad. Mae milwyr o Gymru yn ymarfer i ladd y rheini yn eu dinas hwy eu hunain, ac yn eu cartrefi hwy eu hunain. Mae pob ffatri wedi gwneud gwaith aruthrol, a hynny i amserlen y Pentagon.

Eto mae yna un gweithdy ar ôl sy'n bwysicach na'r ffatrïoedd eraill i gyd. Mae hwnnw hefyd wedi dechrau ar ei waith ers tipyn bellach, ac mae wedi bod wrthi'n brysur yr wythnos yma. Bydd y gweithdy hwn wrthi ddydd a nos tra pery'r ymladd ac wedi hynny, yn Washington a Llundain yn arbennig. Y gweithdy hwn yw gweithdy celwyddau. Os ydyn nhw'n ymosod ar arweinydd gwlad oherwydd ei fod yn cuddio a thwyllo a ffugio, druan o George Walker Bush ei hunan, ddweda i, a druan o Blair. Ond mae'r gweithdai twyll modern yn ddihysbydd. A lwyddan nhw i werthu eu cynnyrch i chi y dyddiau nesa hyn tybed?

6 Chwefror 2003

Dod yn Ail

Cymru 2 Bosnia-Herzegovina 2

Am lawer rheswm neithiwr wnes i ddim gweld y gêm, ond fe glywais beth oedd y sgôr. Ac ar gyfer y record ryfedd yna, nid safon y gêm, na safon chwaraewyr Cymru oedd yn bwysig, ond y sgôr. Dyna nhw wedi chwarae gêm arall eto heb golli, a mawr dda iddyn nhw, ddweda i, at gêmau'r dyfodol. Nawr dw i ddim am swnio fel sinic ar fore trannoeth ardderchog ym mywyd Mark Hughes, ond mae yna bosibilrwydd y bydd y gyfres anorchfygol yma yn dod i ben rywbryd. Fe ddaw yna ryw ddiwrnod pan fyddan nhw'n colli. A'r colli sy'n greadigol. Y colli sy'n peri ichi feddwl am dactegau newydd ac am chwaraewyr newydd. Dyna a barodd i Loegr droi cefn ar hen ffyddloniaid a rhoi cynnig ar Wayne Rooney yn ddwy ar bymtheg, er na fu hynny fawr o les iddyn nhw neithiwr.

Fe ddysgais adrodd dan law hen adroddwr o'r enw Edwin Thomas, a oedd wedi arfer hyfforddi enillwyr cyn iddo fe roi cynnig ar fy nysgu i. Fe fyddwn i'n dod yn ôl ato ar ambell ddydd Llun wedi steddfod nos Sadwrn. a byddai'n gofyn,

'Wel, shwt ath hi?'

Ac ambell waith byddwn i'n medru dweud gyda balchder, 'Fe ddes i'n ail.'

A chwarae teg, yn ei siom fe fyddai'n dweud wrtha i, 'Cofia, dyw adroddwyr ddim yn sylweddoli pa mor aml y mae'n rhaid iddyn nhw ddod yn ail cyn allan nhw byth ddod yn gynta. Dwi eriod wedi nabod enillydd oedd heb ddysgu i ddechre shwt oedd bod yn gollwr.'

Felly, Gymru, pan welwch chi'r ennill rywbryd yn troi'n golli, cofiwch fel y mae ambell golli tua diwedd un wythnos wedi troi yn ennill bendigedig ar ddydd cynta'r wythnos wedyn.

13 Chwefror 2003

Ffordd ar Gau

Pan fydda i'n dod mewn fel hyn i'r stiwdio yn gynnar ac yn eistedd wrth y meicroffon, rwy'n sylweddoli 'mod i'n dod i blith gwroniaid y bore bach. Maen nhw i gyd wedi gorfod aberthu esmwythder y gwely a mentro i'r hewlydd drwy wyntoedd Chwefror. Ond yr un yr ydw i'n cydymdeimlo fwya â hi yw Rhian Haf. Mae hi'n gorfod *siarad* am y tywydd a *siarad* am yr hewlydd. Fan hyn, meddai hi, mae yna oedi, fan draw mae yna oleuadau traffig. Ac yn waeth na'r cwbwl i gyd, yn rhywle mae yna ffordd ar gau. Mae yna daith yr oeddech chi wedi meddwl mynd arni y bore 'ma, a beth glywch chi ond Rhian Haf yn dweud: 'Mae'r ffordd ar gau.' Mae yna ddarn hawdd o hewl sy'n gynefin iawn ichi ac yn ddymunol iawn i gyrraedd eich gwaith, a dyna chi'n clywed heddiw fod y ffordd ar gau.

Mae dwy wyres yn dod lan atom ni i Fangor y bore 'ma am dridiau o wyliau. Meddyliwch sut byddwn i'n teimlo petawn i'n clywed Rhian Haf yn dweud, 'Mae'r hewl rhwng De a Gogledd Cymru ar gau.' Fe fyddai hynny'n drychineb, meddech chi, mae'r peth yn amhosib. Ydych chi'n meddwl? Rwy wedi gweld ffordd rhwng mam a merch wedi cau. Dyna ichi drychineb. Rwy wedi gweld ffordd rhwng brawd a brawd wedi cau. I ni mae'n amhosib, ond mae wedi digwydd i rai. A'r ffordd rhwng gŵr a gwraig, rhwng cymdogion a rhwng cyfeillion, mae rhai o'r rheini wedi eu cau yn eu tro.

Allwn ni wneud fawr ddim i gadw hewlydd mawr y byd ar agor, na hewlydd y wlad o ran hynny. Ond am y ffyrdd bach teuluol, ni ein hunain all gadw'r rheini ar agor. A phan wela i Catrin a Siwan yn dod i'r tŷ heddiw, fe fydda i'n diolch fod hewlydd y teulu i gyd ar agor.

19 Chwefror 2003

Pwy Allwn Ni Ei Ddilyn?

Daliwyd a charcharwyd Sais o'r enw Derek Bond tra oedd ar ei wyliau, drwy gamgymeriad gwasanaethau diogelwch yr Unol Daleithiau

Beth allwch ei wneud pan ŷch chi mewn gwlad ddierth, ymhell o gartre, ymhlith dieithriaid, a'ch iechyd chi braidd yn fregus, a swyddog diogelwch yn dod atoch chi a dweud 'Dewch gyda ni, frawd. Rŷm ni'n mynd i'ch rhoi chi mewn cell.' Mae'r peth yn anghredadwy ichi, ond dyna sy yn digwydd. Wedi cyrraedd y gell fe eglurwch chi fod yna gamgymeriad mawr wedi ei wneud, oherwydd dŷch chi ddim yn cofio i chi dorri'r gyfraith mewn unrhyw ffordd. Eto does neb yn eich credu chi. Fe ofynnwch chi wedyn pam maen nhw wedi eich rhoi chi mewn carchar. A'r ateb gewch chi yw, am fod yr Americaniaid wedi gofyn iddyn nhw wneud.

Mae hynny yn rheswm dros wneud pob math o bethau y dyddiau hyn. Mae yna rai gwledydd yn mynd i bleidleisio yn y Cyngor Diogelwch o blaid rhyfel am fod yr Americaniaid wedi gofyn iddyn nhw wneud, neu, fel Twrci, oherwydd fod America wedi addo talu iddyn nhw am gefnogaeth. Os oes rhywbeth yn mynd i ddwyn anfri ar y Cenhedloedd Unedig y dyddiau nesaf yma, y prynu pleidleisiau haerllug fydd hynny. A dyna'n meddyliau ni unwaith eto yng ngharchar militariaeth.

Mae yna fyddin o Brydain yn mynd i ladd pobol dlawd a diamddiffyn cyn pen mis, am fod yr Americaniaid wedi gofyn iddyn nhw wneud. Plentyn bach mewn ysgol fyddai'n gwneud rhywbeth fel yna'n esgus. Byddai gan athrawon yr un hen gwestiwn addas o hyd: 'Petai wedi gofyn ichi roi'ch bys yn tân, wnelech chi hynny?' A dyma ni yn mynd i roi ein dwylo yn tân.

Y gamp mewn bywyd yw gwybod pwy y dylem ni fod yn ei ddilyn. Yn sicir, nid yr FBI a'r CIA. Os ydyn nhw'n medru gwneud cawl mor aruthrol yn hanes un Derek Bond druan, hoffwn i ddim rhoi ieuenctid o filwyr o Gymru dan eu hawdurdod nhw.

26 Chwefror 2003

DOF FEL YR WYF

Yng nghanol dadleuon y mis hwn yn Eglwys Loegr

Y llyfr olaf a ysgrifennodd John Bunyan cyn cael ei roi yng ngharchar Bedford am ddeuddeng mlynedd oedd *The Doctrine of the Law and Grace Unfolded* (1659). Yn hwnnw sonia mor ofer yw hi inni ddisgwyl ceisio ymberffeithio cyn dod at Dduw. Pan fydd plant, meddai, yn cwympo yn y baw wrth chwarae, fe fydd arnyn nhw ofn wynebu eu rhieni. Fe fyddan nhw wrthi yn ceisio glanhau eu dillad orau y medran nhw cyn mentro at y tŷ. Mae hynny'n naturiol gyda rhieni y gellir cuddio rhai pethau oddi wrthyn nhw.

Nid felly, meddai Bunyan, y dylai hi fod rhwng dyn a Duw sy'n gweld i ddirgelion y galon. Os oes yna un a all ei wneud ei hun yn lân, nid oes ar hwnnw angen Crist. A'r awgrym rhwng ei linellau yw fod hynny'n 'Os' go fawr.

Ni fydd y meddygon hynny, meddai, sy'n dymuno cael eu parchu, yn disgwyl i'w cleifion eu hiacháu eu hunain yn gyntaf, ac wedi gwneud hynny, dod atyn nhw. Fe fyddan nhw'n disgwyl gweld y cleifion yn dod atynt a'u clwyfau'n rhedeg yn grawn, fel y wraig â'r gwaedlif (Marc 5:24–34). Fel Mair Magdalen a'i bol yn llawn cythreuliaid, a'r gwahangleifion yn grach i gyd. Dyna'r dyfod cymwys gerbron Duw.

Dyna ddarn cignoeth sy'n torri fel cyllell drwy ein parchusrwydd arwynebol ni.

29 Mehefin 2003

Siarad â Babi

Un o'r crefftau nad wyf erioed wedi eu meistroli nhw – er i mi gael digonedd o gyfle yn ystod fy mywyd – yw crefft siarad â babi. Mae hi'n grefft nodedig iawn. Yn wir, fe fyddwn i'n dweud fod yn rhaid i chi gael eich donio'n arbennig cyn i chi ddod yn feistr yn y maes hwn. Trueni na fyddai yna gwrs wedi bod ar ein cyfer ni yn y coleg ar egwyddorion sylfaenol siarad â babi; fe allai hwnnw fod wedi bod yn rhan o ddiploma mewn cyfathrebu.

Byddai cwrs ar siarad â babi yn gorfod dechrau, wrth gwrs, gyda'r iaith, oherwydd mae yna iaith arbennig na all neb ond babis ei deall hi yn iawn. Mae yn yr iaith honno lafariaid na chewch chi mohonyn nhw mewn unrhyw iaith y gwn i amdani, a rhyw gytseiniaid, fel sŵn lori lo yn rifyrso, nad oes yr un gytsain debyg iddi yn Gymraeg. Mae gen i brosesydd geiriau sy'n ddefnyddiol dros ben: dim ond gwasgu botwm, ac fe alla i gael llythrennau Groeg. Fe allwn i gael llythrennau Rwsieg o ran hynny petawn byth yn dysgu'r iaith honno. Eto ni allai unrhyw brosesydd geiriau sydd ar gael gynnig holl lythrennau iaith babi i fi.

Fe fyddwn i'n cydnabod wedyn fod yr iaith babi yr ydw i wedi ei chlywed hi yn dangos tipyn o ddylanwad y Gymraeg. Weithiau fe fydd hi wedi benthyg geiriau cyfan o'r iaith. Ond y mae rheolau ei gramadeg hi yn gwbwl wahanol. Fe allwch chi gael brawddegau heb ferfau a berfau heb frawddegau. Yn wir fe allwch chi gael brawddegau heb eiriau o gwbwl o un pen i'r frawddeg i'r llall, dim ond berfau ac enwau ac ansoddeiriau chwerthin.

Byddai cwrs ar iaith babi yn gorfod cynnwys hyfforddiant ar fynegiant wyneb. Bron na fyddech chi'n dweud fod campau megis gwneud llygaid mawr a chyhwfan eich tafod yn rhan o'r iaith. Ac fe allech chi, yng nghanol y gweithgarwch hwn, ddarganfod eich bod chi ymhlith yr etholedig prin sy wedi eu donio â'r gallu i symud eu clustiau.

Cofiwch, traean y cwrs fyddai hyn i gyd. Fe fyddai'r ail dymor yn gorfod cael ei neilltuo i'ch hyfforddi chi i ddeall ochr y babi o'r sgwrs. Fe fyddai'n rhaid i chi fedru dehongli a chyfieithu brawddegau syml megis, 'Pwy ar wyneb y ddaear ŷch chi?' neu 'Mae gwynt arna i', neu 'Edrych y cewyn', neu 'Ble mae Mam wedi mynd?'

Ac wedi meistroli'r rheini fe fyddech chi'n mynd ymlaen at frawddegau mwy cymhleth o lawer megis, 'Gad i fi dy golbo di â'r ratl yma i weld a alla i dorri dy drwyn di', neu 'Os na wnei di stopo 'nhaflu i lan a lawr ar dy gôl di, fe fydda i'n cael fy nghinio i gyd lan dros dy siwt dydd Sul di'.

Yn y trydydd tymor y byddech chi'n wynebu rhan galeta'r cwrs, sef dysgu siarad â babi yn gyhoeddus. Peth cymharol syml i lawer o bobol yw siarad â babi pan nad oes neb ond y nhw a'r babi yn clywed. Yn wir fe all creadur diddiwylliant fel fi ddod i ben â hi yn weddol i siarad â babi pan na fydd neb arall yn gweld. Ond dychmygwch chi sut byddech chi'n teimlo wedi cerdded i mewn i lond aelwyd o deulu – o'r ddwy ochr – ynghyd â detholiad o gymdogion a chyfeillion, a'r cwmni oll yn distewi er mwyn i chi gael siarad â'r babi. Dyna i chi'r prawf eitha mewn siarad cyhoeddus. Fe fyddwn i'n fwy cartrefol o lawer yn siarad â'r dat-cu neu'r fam-gu.

Mae yna un rheswm arbennig pam yr ydw i'n ymbil am gwrs carlam yn y grefft hon. Rwy wedi methu gyda chwech o wyrion yn barod. Ac yn ystod y dyddiau nesaf yma rwy'n wynebu ymddangos mewn cyfweliadau am swydd dat-cu o flaen dau ŵyr newydd, Llŷr a Gruffydd. Fel y gwelwch, mae fy amser yn brin.

Addaswyd 10 Gorffennaf 2003